GRAN ATLAS DEL MASAJE

© 2000, Editorial LIBSA
C/ San Rafael, 4
28108 Alcobendas (MADRID)
Tel.: (34) 91 657 25 80
Fax: (34) 91 657 25 83
e-mail: libsa@libsa.redestb.es

ISBN: 84-7630-748-9
D.L.: M-32391-1999

Impreso en España/*Printed in Spain*

EL MASAJE CORPORAL

ISABEL CORRAL PÉREZ

LIBSA

ÍNDICE

Introducción

Cuando alguna parte de nuestro cuerpo es accidentalmente golpeada, recibe un chorro de calor o es agredida por una corriente de aire frío, nuestras manos se dirigen inconscientemente hacia la parte afectada, siendo su primer impulso el de friccionar la zona dolorida. Este acto reflejo hace, sin duda, que la molestia disminuya. Y así como las manos son portadoras de una energía que calma, los pies son poderosos receptores capaces de recibirla y transmitirla a los diferentes órganos. El masaje y la reflexología podal son técnicas curativas milenarias que se basan en las peculiares cualidades energéticas que tienen las manos y los pies.

Según se ha demostrado ampliamente mediante diversas investigaciones científicas, los niños que reciben el suficiente contacto corporal se desarrollan mejor y más saludablemente. Por el contrario, aquéllos que, a pesar de ser atendidos y alimentados, carecen de él, no sólo presentan por lo general un menor desarrollo sino que, incluso, pueden llegar a morir si carecen totalmente de contacto físico.

La piel es el órgano más extenso del cuerpo, el que ocupa una mayor superficie, y a través de ella, nos llegan las sensaciones táctiles y térmicas. Es el límite físico entre el exterior y el interior, la elástica envoltura que oculta y protege nuestros órganos. También es la vía de comunicación más próxima y directa con otro ser humano.

El masaje vincula la actitud instintiva de aliviar el dolor a través de la fricción, de la acción de las manos sobre la piel, con la voluntad curativa y el sentimiento de amor al prójimo.

Las manos, instrumento esencial de contacto, pueden ser entrenadas no sólo para leer a través de la piel ajena, como en un mapa, el interior de otra persona: más aún, pueden lograr que su energía atraviese el límite de la piel y llegue hasta los órganos más alejados de la superficie, aportando alivio y curación.

El masaje es un pequeño milagro cotidiano que se halla al alcance de quien, consciente de las dos potencias sanadoras, el amor y el afán de aliviar el sufrimiento ajeno, empieza a sentir y a enriquecerse con el contacto curativo.

Poco a poco, día a día, el vínculo con la piel del prójimo nos va enseñando a reconocer en otro nuestro propio interior, tanto desde el punto de vista físico como del mental y espiritual. Nos hace sentir cada vez más capaces de procesar la información que la piel nos ofrece, revelándonos un mundo que la simple mirada hacia los demás no puede abarcar.

Si sabemos interpretar sus mensajes, ella nos informará del estado general físico y psíquico de la persona. Quienes no conozcan las técnicas del masaje no podrán saber, ni siquiera intuir, qué se esconde debajo de la piel. Sólo quien tenga las claves podrá resolver esa pregunta sin mayores problemas.

El masaje llega a adquirir su dimensión justa cuando, conocidas las técnicas, el practicante las hace suyas, las integra. Es preciso tener conciencia de que no sólo se están realizando maniobras más o menos estudiadas para lograr efectos deseables sobre el cuerpo, sino que, además, se están poniendo en marcha unas energías sutiles que confieren al masaje un efecto curativo impensable. La piel del paciente deja de ser una barrera, el yo y el tú se difuminan, los movimientos adquieren un ritmo sanador, tranquilizante. El olvido de la técnica da paso al arte.

Una de las zonas más receptivas al masaje son los pies. Se sabe que desde hace milenios, antiguas civilizaciones como la china, la hindú o la egipcia, practicaban el masaje de los pies para aliviar dolencias.

Hoy, cuando apenas tenemos tiempo para nosotros mismos o para compartir momentos agradables con quienes queremos, el masaje puede ser una vía inestimable de comunicación y sanación, que enriquece tanto a la persona que lo da como a quien lo recibe.

Etimología e historia

Las raíces etimológicas de la palabra masaje no están muy claras. Parece ser que es el francés Le Gentil, a finales del siglo XVIII, quien utiliza primeramente el vocablo masser, en su lengua natal, para hacer referencia a una serie de manipulaciones médicas, similares al amasamiento, practicadas por el terapeuta sobre el paciente.

Sin embargo, quizá sea preciso ir más atrás en el tiempo para encontrar la paternidad de la expresión, que puede provenir del griego massien o del árabe mass. En algunos textos antiguos, se encuentran referencias a este tipo de prácticas terapéuticas denominándolas sobeos o pellizcados.

En cualquier caso, es alrededor de 1800 cuando se empieza a mencionar este tipo de maniobras sanadoras con el término de masaje.

Existen testimonios de técnicas que se pueden encuadrar dentro del amplio abanico de posibilidades que ofrece el masaje. En China se han hallado escritos que se remontan a unos 3.000 años antes de J.C.

Igualmente, se han encontrado en tumbas egipcias frisos con figuras y dibujos que hacen clara referencia a manipulaciones terapéuticas practicadas por los médicos de los faraones, que hoy calificaríamos como masajes.

En la India, casi 2.000 años antes de J.C., algunos textos médicos aconsejan fricciones y otras manipulaciones con fines curativos. Hombres tan impor-

tantes como Hipócrates, Galeno y Asclepiades, que sentaron las bases de la medicina griega y romana en los siglos V y IV antes de J.C., son abiertos defensores del masaje y lo recomiendan entre sus terapias.

En Roma enriquecían la práctica del masaje con la aplicación de aceite de oliva y esencias. Las personas que ejercían esta profesión en las termas eran conocidas como tractatores.

También se aplicaba el masaje, que hoy llamaríamos deportivo, para fortalecer y relajar la musculatura de atletas y gladiadores.

Con la caída del Imperio Romano y debido, en parte, a que estas técnicas terapéuticas van degenerando y derivando hacia terreno erótico, la práctica del masaje se va desprestigiando.

La llegada del cristianismo refuerza esta tendencia y el oscurantismo de la Edad Media lo relega aún más al olvido.

Salvo el paso al frente dado por Avicena, que establece pautas muy claras para la práctica del masaje y sus distintas posibilidades, hasta el Renacimiento, en el que se despierta un gran interés hacia el cuerpo, no se ve la necesidad de desenterrar aquellas técnicas.

Al hacer mención a estas prácticas, todavía no puede hablarse de masaje pues, en muchos casos, no se trata tanto de terapias como de métodos para la higiene corporal. En Francia,

el cirujano Ambros Paré (1517-1590) da un fuerte impulso al masaje, al recomendar la aplicación de fricciones en torno a zonas lesionadas.

Doscientos años después, un compatriota suyo, Tissot, realiza una clasificación de las distintas manipulaciones, proponiendo la intensidad a ejercer al practicarlas y determinando la duración adecuada de los tratamientos.

En el siglo XIX, tras un viaje a través de China que le lleva a conocer muchas de sus costumbres, el poeta sueco Per Henrik Ling otorga al masaje y a la gimnasia la importancia que realmente tienen en el restablecimiento y mantenimiento del cuerpo.

Funda el Instituto Gimnástico Central de Estocolmo y abre nuevos y esperanzadores caminos para estas terapias.

A partir de este momento, el masaje se aplicará de una forma científica.

Famosos cirujanos y médicos se dedican al estudio de sus bases fisiológicas, aportando recomendaciones sobre técnicas específicas aplicables para cada caso.

Paulatinamente van tomando cuerpo en Europa tres grandes escuelas: la sueca, enérgica y que abarca grandes zonas corporales; la francesa, más delicada y que utiliza maniobras más suaves, y la alemana, con masajes más profundos y numerosas manipulaciones y movilizaciones.

La llegada a Occidente de las técnicas orientales, actuando sobre niveles energéticos, abren una nueva gama de posibilidades y tendencias hacia un tipo de masaje más sensitivo e intuitivo que, con el tiempo, puede dar lugar a un enriquecimiento de las terapias manuales que hoy, en el mundo occidental, conocemos como masaje.

CAPITULO I

Diversos tipos de masaje

E n primer lugar, vamos a hacer una clasificación de los diferentes tipos de masaje existentes en torno a dos grandes grupos. Estos dos primeros bloques se denominan masajes manuales y masajes no manuales.

En los segundos, las manos del masajista se sustituyen o refuerzan con aparatos mecánicos y con los efectos que éstos producen. Un ejemplo de este tipo de terapia es el hidromasaje, que combina el agua con el masaje propiamente dicho, que es una práctica de la hidroterapia que debe su popularidad a Priessnitz, un campesino alemán que alcanzó la fama gracias a sus curas, y al Abate Kneipp quien, tras aplicar en sí mismo este método curativo, desarrolló una serie de técnicas basadas en la utilización del agua.

En cuanto a las modalidades que se sirven de aparatos mecánicos, sólo hacer referencia a ellas y dejar constancia de que existen; se trata de procedimientos utilizados en numerosas consultas, por lo general como técnicas auxiliares, pero se pueden producir idénticos o mejores efectos a través de la sensación y energía que transmiten las manos sabiamente adiestradas de un buen profesional del quiromasaje.

Los masajes manuales pueden clasificarse en tres grupos: el quiromasaje tradicional, que actúa fundamentalmente sobre los músculos; el masaje oriental o energético, que busca el equilibrio energético y trabaja sobre los meridianos de acupuntura o digitopuntura, y los masajes reflejos, que actúan mediante presiones o contactos ejercidos a distancia del órgano que se intenta revitalizar.

Es del quiromasaje tradicional o terapéutico del que vamos a ocuparnos, puesto que se trata del objeto de esta obra. Conviene, no obstante, esbozar las otras tendencias, puesto que todas ellas son igualmente válidas, herramientas que están al alcance de la mano para enriquecer este trabajo, que ha de ser dinámico y debe estar abierto a nuevas perspectivas.

Actualmente, el quiromasajista puede ejercer un número de manipulaciones tal que sorprendería, sin duda, a quienes, en los albores del quiromasaje, apostaron por esta terapia. Fue su intuición, su investigación y su constancia las que han llevado a esta serie de técnicas a ser un importante método sanador. Nuestra misión ahora es conocerlas y hacer buen uso de ellas.

Comenzaremos con el masaje oriental, siguiendo con la reflexología podal, que se encuadra en la categoría de masajes reflejos, para terminar con técnicas de automasaje. Será después de esta alusión a los distintos tipos de masaje cuando nos adentremos en el tema principal del libro: el quiromasaje.

MASAJE ORIENTAL O ENERGÉTICO

El masaje oriental o energético utiliza como medio de transmisión, al igual que el masaje occidental, las manos del experto. Sin embargo, éstas no actúan en los mismos lugares, ni lo hacen con la misma presión, intensidad e intención, ya que en Oriente se parte de otros conceptos. La filosofía oriental, que lo impregna todo, incluido el arte de curar, está basada en dos grandes teorías: la binaria y la quinaria.

La teoría binaria se fundamenta en el hecho de que todo encierra dos tendencias antagónicas e interdependientes, es decir, que son contrarias pero que no pueden existir la una sin la otra. Su representación se realiza mediante un círculo en el que la mitad está ocupada por el yin y la otra mitad por el yang, en dos mitades simétricas, diferentes y diferenciadas claramente, pero iguales.

El desequilibrio se manifiesta aquí de dos maneras: en exceso o en defecto. El equilibrio entre estas dos tendencias es la salud (Aristóteles decía que estaba entre el calor y el frío). Esto sucede cuando la energía o fuerza vital, que los orientales denominan chi o ki, fluye armoniosamente por el organismo.

La otra teoría en la que basan sus conocimientos del cuerpo humano, la quinaria, surge de la ley de los cinco elementos: madera, fuego, tierra, metal y agua. Puede darse una relación correcta o incorrecta entre ellos, siguiendo este ciclo: la madera genera el fuego, éste la tierra, la tierra el metal, éste el agua y el agua la madera.

Aplicando esta suposición al ámbito médico, cada uno de los elementos en su parte yin representa a un órgano o víscera; de este modo, la madera es el hígado, el fuego corresponde al corazón, la tierra es el bazo, el metal son los pulmones y el agua, los riñones. Mientras que su aspecto yang corresponde a las vísceras: madera, vesícula biliar; fuego, intestino delgado; metal, intestino grueso; tierra, estómago; agua, vejiga.

La originalidad de esta medicina estriba en que cada una de las tendencias, exceso o defecto, están plasmadas en nuestra piel, recorrida por canales energéticos que pueden ser activados o sedados mediante presión o inserción de agujas en ciertos puntos, conocidos en Oriente como isutos, alojados bilateralmente en 12 meridianos. Además de los meridianos de órganos y vísceras, se incluyen el maestro de corazón (yin) y el meridiano del triple calentador (yang).

Conviene destacar que, en algunas técnicas de masaje occidentales, también se actúa en estos puntos; este hecho tiene lugar debido a que se ha llegado a saber, por distintos cauces, que cierta presión en determinadas zonas del cuerpo hace desaparecer un cuadro doloroso. En este sentido se puede hacer mención de las Zonas Metaméricas de Head, puntos concretos de la piel en los que se manifiestan dolores producidos por la enfermedad de un órgano interno y a las Zonas Musculares de MacKenzie, músculos o zonas musculares en las que se presenta un dolor que es producto de trastornos internos más profundos.

Volviendo al masaje oriental, vamos a detenernos levemente en la digitopuntura. Tal y como se practica en Occidente, suele

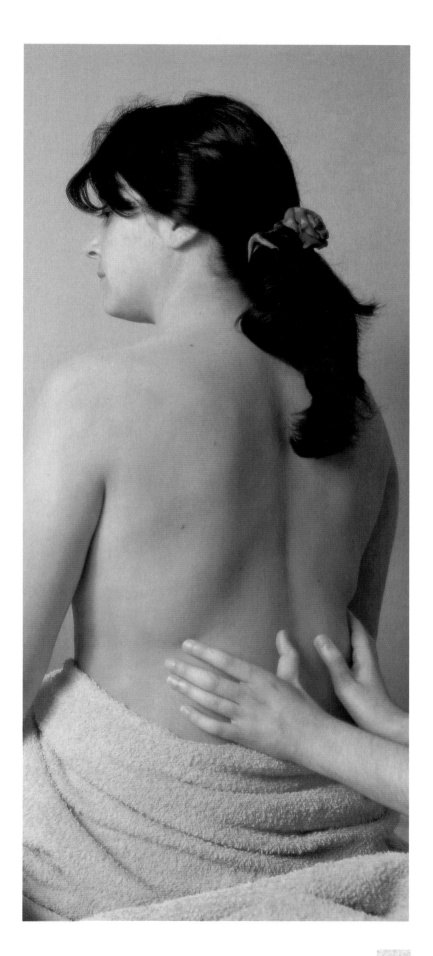

nutrirse de varias técnicas orientales y a veces lo hace de algunas de las occidentales ya mencionadas. Los puntos de digitopuntura están casi siempre situados en el nivel cutáneo superficial, por lo que no se requiere ejercer mucha presión, en general, aunque en ocasiones se precisa presionar hasta localizar el punto que interesa.

Si bien son zonas muy pequeñas (entre 3 y 5 cm de diámetro), es fácil localizarlas basándose en los puntos de presión-dolor o de dolor espontáneo que dan la pauta de la zona a explorar.

Estas técnicas son muy valiosas cuando se utilizan correctamente, aunque es forzoso reconocer que el realizar un diagnóstico exacto requiere práctica y que sin él los efectos terapéuticos pueden ser menores.

No está de más que el masajista tenga en cuenta que la medicina tradicional china sostiene que los problemas musculares están relacionados con el elemento madera y tienen que ver con la energía del hígado o la vesícula biliar, dependiendo de si es yin (crónico, previsible) o yang (espontáneo).

Las técnicas de digitopuntura se utilizan con mucho éxito al tratar enfermedades que se manifiestan con algias (dolores) que se reflejan en el nivel superficial, como pueden ser los dolores reumáticos, los cólicos, las neuralgias y un largo etcétera que abarca problemas musculares, viscerales y traumáticos.

El equilibrio energético que persiguen estas terapias da lugar a una gran relajación que ayuda a liberar las tensiones y produce unos efectos analgésicos y sedantes considerables.

MASAJES REFLEJOS: LA REFLEXOLOGÍA PODAL

Dentro de los masajes reflejos, posiblemente el más conocido sea la reflexoterapia, reflejoterapia o reflexología podal.

La reflexología podal es una técnica terapéutica que trata de mantener la armonía de nuestro organismo. Repercute sobre glándulas, órganos y partes del cuerpo de una manera insustituible, equilibrando energías y ayudando a prevenir y curar muchas dolencias.

Para llegar desde los pies o las manos a todos los rincones del cuerpo, esta terapia se sirve de puntos reflejos, que en este caso no son nerviosos, sino terminaciones de vías energéticas que atraviesan el cuerpo desde la parte superior de la cabeza hasta el dedo gordo del pie o el pulgar en la mano. Esto nos permite trazar unas líneas de localización de puntos reflejos.

Cada una de estas líneas atraviesa, en su recorrido, los diferentes órganos, glándulas y partes del cuerpo. Su estimulación ayuda a equilibrar energéticamente el organismo, excitando o sedando allí donde sea preciso.

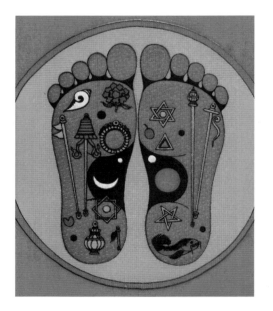

Los orígenes de la reflexología podal se remontan, según diversos autores, a la China y la India, unos tres mil años antes de J.C.

En Egipto, alrededor de dos mil trescientos años antes de J.C., el interior de una tumba, conocida como la tumba de los médicos, fue pintada con figuras que representan a unos hombres dando y recibiendo masajes en pies y manos. La traducción de los jeroglíficos dice algo así: "No me hagáis sufrir", respondiendo el terapeuta: "Agradecerás lo que te estoy haciendo". Esto podría ser perfectamente el diálogo entre paciente y masajista en una consulta de reflexología podal hoy en día.

En Occidente, en EE.UU., a principios de nuestro siglo, el otorrinolaringólogo William Fitzgerald, partiendo de los estudios del doctor Bresler y de su propia observación, llega a conclusiones que le permiten desarrollar la Terapia de zonas o Terapia zonal. El doctor Fitzgerald había comprobado que algunos de sus pacientes se recuperaban mejor que otros al presionar inconscientemente alguna zona de sus manos. Comenzó entonces a colocar bandas de goma, peines y otros artefactos sobre los dedos de los pies y las manos, consiguiendo reproducir el efecto anestésico.

La terapia zonal divide, imaginariamente, el cuerpo por la mitad y lo atraviesa con diez líneas verticales, cinco en el lado derecho y las otras cinco en el izquierdo, empezando en la cabeza y terminando en los dedos de las manos y de los pies.

Partiendo de estas directrices, una masajista norteamericana, Eunice D. Inghan, creó el Método Inghan de Masaje de Compresión. Fundó escuela en EE.UU. y fue la primera en elaborar un mapa topográfico de los pies. En su período de investigación, utilizaba bolas de algodón sobre los puntos sensibles de los pies, haciendo caminar con ellas a sus pacientes, para conseguir, así, estimular los reflejos. Finalmente, llegó a la conclusión de que era más fácil y efectivo presionar directamente sobre el punto doloroso con el dedo pulgar.

En 1938 consideró que su experiencia debía ser transmitida: publicó un libro, -Historias que los pies pueden contar- y comenzó a dar conferencias e impartir cursos por todo el país.

Cuando muere, en 1974, a los 85 años, el método Inghan era ya un clásico en el mundo de la reflexología. Posteriormente, sus seguidores crean el Instituto Internacional de Reflexología, que se encarga de velar por la aplicación del método original, para que permanezca tal como su creadora lo estableció.

Una enfermera alemana, Hanne Marquardt, en un período de su vida en que trabaja como masajista, da un nuevo impulso a la reflexología, trayéndola a Europa. Al leer el libro de Eunice D. Inghan por curiosidad, comienza a probar el método, consiguiendo resultados sorprendentes tanto para ella como para sus pacientes. Tras años de práctica y basándose en este libro, consigue trabajar con la Sra. Inghan en los últimos años de su vida.

Al regresar a su país, el contacto con otros profesionales sanitarios le anima a implantar un primer curso de formación en Alemania. Éste fue seguido por otros muchos, y por continuas invitaciones para dar conferencias y seminarios en los círculos médicos de diferentes países europeos, Sudáfrica e Israel. Se han creado escuelas en algunos países de Europa y grandes hospitales han incluido los masajes reflejos entre sus terapias de atención al enfermo.

Hoy día es común que, entre las indicaciones que un médico naturista en Alemania da a sus pacientes, se encuentre la prescripción de una serie de masajes de reflexología podal.

Antes de comenzar el masaje reflexológico, conviene hacer manipulaciones de relajamiento muscular en todo el pie, moviéndolo bien para que la zona esté irrigada y el trabajo sea más grato. Nos ayudará a liberar tensiones y será muy útil para efectuar una primera toma de contacto con el paciente. Es bueno hacer amasamientos en las zonas más blandas y rotaciones de las articuladas (dedos y tobillos). Es importante que la persona que va a recibir el tratamiento se sienta confiada, por lo que hay que huir de manipulaciones bruscas; siempre han de ser suaves, aunque firmes, para transmitir seguridad.

Una vez preparado el primer pie, no importa cuál sea (unos terapeutas comienzan por el pie derecho y otros por el izquierdo), vamos recorriendo punto por punto todos los reflejos, pasando después a trabajar en el otro pie.

Algunos reflexoterapeutas trabajan con ambos pies simultáneamente, es decir, si, por ejemplo, manipulan el reflejo del pulmón izquierdo continúan con el reflejo del derecho, cambiando de pie.

Evidentemente, la reflexología podal es una técnica que permite muchas combinaciones, por lo que cada terapeuta debe hacerla suya y aplicarla según sus propias tendencias y necesidades. Una vez conocida a fondo la técnica, cuando las manos se paseen libremente por los pies

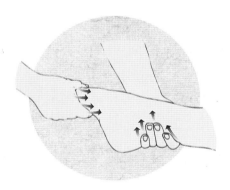

de los pacientes y la reflexología haya adquirido la categoría de arte, será cuando la intuición del terapeuta dará la forma más conveniente a su masaje.

Las manos del masajista no pueden estar frías, ni han de coger un pie como si de un objeto inanimado se tratara. A través de ellas debe ser capaz de transmitir la energía que mueve el mundo y a la que todos somos sensibles: el amor. Éste es el ingrediente básico.

Se utilizará el dedo pulgar para recorrer todos los puntos reflejos, mientras que la otra mano sujetará el pie o estará de alguna manera en contacto con él. Esto siempre nos será útil y el paciente se sentirá más arropado, más protegido, lo cual es importante para la marcha del masaje. La primera falange de nuestro dedo pulgar, moviéndose fácilmente, sin rigidez, será la mejor herramienta, aunque a veces sea preciso utilizar los

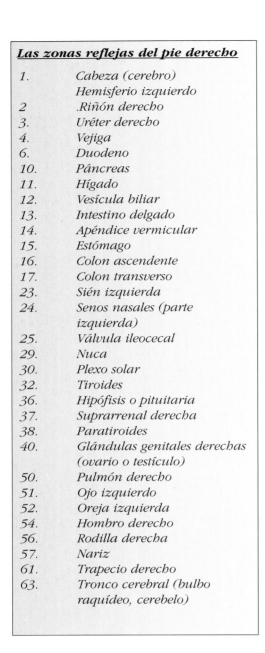

Las zonas reflejas del pie derecho

1. Cabeza (cerebro)
   Hemisferio izquierdo
2. .Riñón derecho
3. Uréter derecho
4. Vejiga
6. Duodeno
10. Páncreas
11. Hígado
12. Vesícula biliar
13. Intestino delgado
14. Apéndice vermicular
15. Estómago
16. Colon ascendente
17. Colon transverso
23. Sién izquierda
24. Senos nasales (parte
    izquierda)
25. Válvula ileocecal
29. Nuca
30. Plexo solar
32. Tiroides
36. Hipófisis o pituitaria
37. Suprarrenal derecha
38. Paratiroides
40. Glándulas genitales derechas
    (ovario o testículo)
50. Pulmón derecho
51. Ojo izquierdo
52. Oreja izquierda
54. Hombro derecho
56. Rodilla derecha
57. Nariz
61. Trapecio derecho
63. Tronco cerebral (bulbo
    raquídeo, cerebelo)

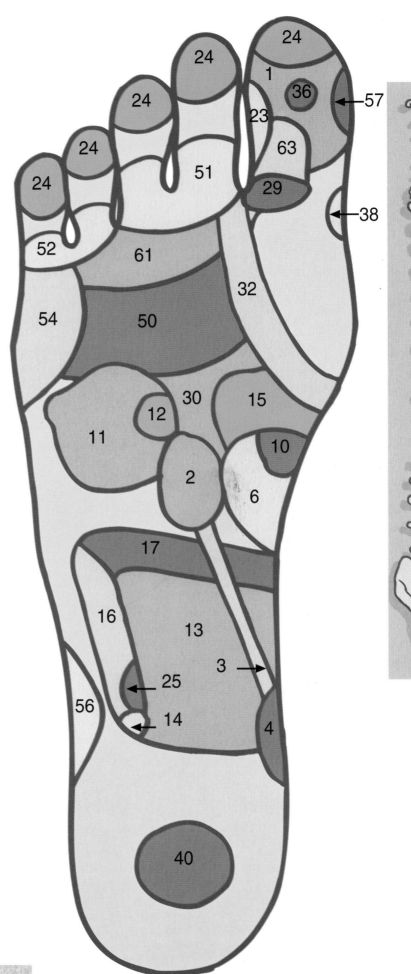

nudillos, bien porque se trate de un reflejo profundo, bien porque tengamos que incidir en una zona más dura.

Generalmente, los movimientos que siguen la dirección horaria o de las agujas del reloj se utilizan para activar y los movimientos en sentido contrario, para sedar. Muchas veces existen dudas acerca de lo que conviene hacer, si sedar o activar, por lo que lo más aconsejable es realizar un movimiento de arrastre que refleje la dirección que sigue la parte del organismo sobre la que actuamos.

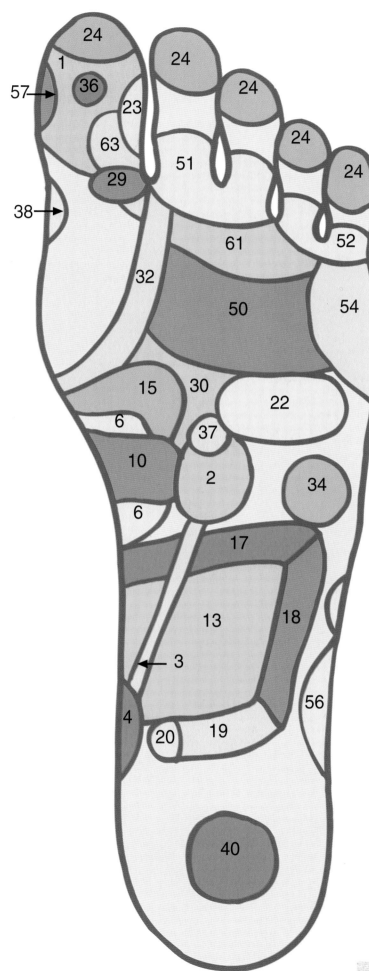

Las zonas reflejas del pie izquierdo

1.	Cabeza (cerebro)
	Hemisferio derecho
2.	Riñón izquierdo
3.	Uréter izquierdo
4.	Vejiga
6.	Duodeno
10.	Páncreas
13.	Intestino delgado
15.	Estómago
17.	Colon transverso
18.	Colon descendente
19.	Recto
20.	Ano
22.	Corazón
23.	Sién derecha
24.	Senos nasales (parte derecha)
29.	Nuca
30.	Plexo solar
32.	Tiroides
34.	Bazo
36.	Hipófisis o pituitaria
37.	Suprarrenal izquierda
38.	Paratiroides
40.	Glándulas genitales
	izquierdas
	(ovario o testículo)
50.	Pulmón izquierdo, bronquios
51.	Ojo derecho
52.	Oreja derecha
54.	Hombro izquierdo
56.	Rodilla izquierda
57.	Nariz
61.	Trapecio izquierdo
63.	Tronco cerebral

Al terminar con un pie, es conveniente hacer otra serie de maniobras relajantes, envolviéndolo y manteniéndolo caliente mientras se continúa con el otro.

Al terminar su trabajo, el terapeuta tiene que lavarse las manos con agua fría

En reflexología podal será el propio paciente quien nos haga el diagnóstico. No conviene que la persona que aplique el masaje pierda de vista el rostro de quien lo recibe, princi-

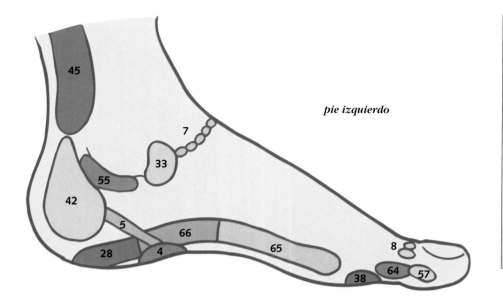

pie izquierdo

Las zonas reflejas en el interior del pie

4.	Vejiga
5.	Pene, vagina
7.	Trompa de falopio
8.	Amígdalas
28.	Sacro y coxis
33.	Glándulas linfáticas,abdomen
38.	Paratiroides
42.	Utero (matriz) o próstata
45.	Recto, hemorroides
55.	Articulación de la cadera
57.	Nariz
64.	Columna cervical
65.	Columna dorsal
66.	Columna lumbar

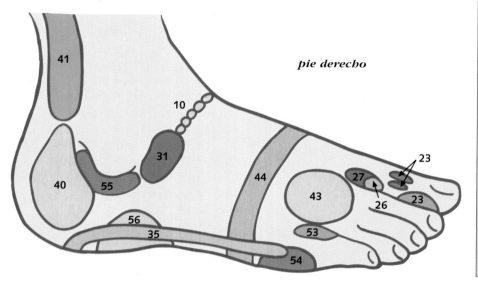

pie derecho

Las zonas reflejas en el exterior del pie

10.	Trompa de falopio
23.	Sién, nervio trigemio
26.	Laringe y tráquea arterial
27.	Vías linfáticas superiores y canales
31.	Glándulas linfáticas, tórax
35.	Zona de la ciática
40.	Glándulasgenitales, ovario y trompa de falopio, o testículo y epidimio
41.	Alivio de abdomen en caso de dolores menstruales
43.	Pecho (senos)
44.	Diafragma
53.	Centro de equilibrio
54.	Hombro
55.	Articulación de la cadera
56.	Rodilla
60.	Amígdalas

palmente cuando considere que está tocando algún punto afectado.

El dolor, dentro de una variada gama, dirá donde está la perturbación, la cara del paciente será la que lo confirme. Quien aplique el masaje notará claramente, bajo sus dedos, zonas colapsadas donde las manos no pueden correr sin producir dolor. En otros puntos serán como pequeños cristales que producirán pinchazos. Pueden encontrarse también arenillas, durezas, o bien zonas en las que parece no haber nada. Atención a todo esto, es ahí donde están los problemas. Es bastante corriente que, de un masaje a otro, cambien total o parcialmente las zonas o puntos de dolor. Éste es un claro síntoma de que el problema ha desaparecido.

Algunas veces sucederá que exista dolor en sitios en los que el paciente no tiene constancia de que haya disfunción alguna; se trata de los vacíos o excesos de energía que inciden sobre

un órgano o parte del organismo que todavía no ha llegado a sentirse físicamente afectado.

En relación con las enfermedades que pueden ser tratadas con esta terapia, seremos nosotros mismos quienes pongamos el listón. En principio, todo el organismo va a beneficiarse de su práctica. Lo que sí conviene tener claro es que un reflexoterapeuta no va nunca a suplantar a un médico, en el sentido de que no debe hacer un diagnóstico. Si encuentra en un hombre mayor de 40 años, alterados los reflejos de próstata, suprarrenales, riñones-uréteres-vejiga, y además éste le confiesa que tiene incontinencia, el masajista puede sospechar que se trata de una prostatitis, y como tal la tratará, pero de hecho el terapeuta no tiene por qué ponerle la etiqueta, para él es simplemente un desarreglo energético de esa zona que, para solucionarse, requerirá refuerzos de todo el organismo. El practicante hará que la vis medicatrix o capacidad autocurativa del propio enfermo se ponga en marcha.

Es posible que durante el masaje el paciente se maree, tenga escalofríos o sude. No hay por qué asustarse, estas consecuencias, por muy espectaculares que sean, nos están indicando que existe una reacción ante nuestro masaje. Conviene, no obstante, efectuar las maniobras relajantes de fin de masaje y dejarlo para una próxima sesión. Puede ser que el paciente esté débil y el aporte súbito de energía extra sea excesivo para él. Desde luego, es aconsejable que continúe con la terapia, las reacciones irán desapareciendo a medida que avance el tratamiento.

Casi todas las personas padecen, en los días posteriores al masaje, algunas reacciones, que incluso les hacen pensar que han empeorado. No es así, simplemente se trata de crisis curativas; el organismo ha puesto en marcha sus recursos para que la autocuración se produzca. Suelen desaparecer después de dos o tres sesiones. Es habitual, por ejemplo, estar muy cansado al día siguiente, debido a la liberación de toxinas. Se observará un aumento de la cantidad de orina y de heces que se eliminan, un cambio de color y un olor más fuerte, debido a la desintoxicación que se ha iniciado.

También es posible que afloren dolencias que se tenían olvidadas, que se agraven las que se trata de curar o que aparezca algo que estaba latente. No hay que preocuparse, todas estas reacciones son positivas y dan la pista de que la curación ha comenzado.

Es conveniente, en esos días, no sobrecargar nuestro aparato digestivo con comidas copiosas y eliminar de la dieta cuantos tóxicos nos sea posible, -tabaco, café, carne, etc.-, para ayudar al cuerpo en su tarea depurativa. No hay que olvidar que somos lo que comemos y que las enfermedades del presente tienen mucho que ver con lo que comimos en el pasado. Alguna infusión indicada para la dolencia a tratar también será bien recibida por nuestro organismo.

Aunque no existen más directrices claras en cuanto a este tema, diferentes autores consultados aconsejan ser especialmente cautos y abstenerse de la terapia en casos de enfermedades infecciosas agudas, trombosis, estados en que está claramente indicada la cirugía, embarazos con riesgo o amenaza de aborto. En ocasiones conviene que el paciente tenga un seguimiento médico, por ejemplo cuando la presión sanguínea fluctúa con facilidad, en casos de psicosis, diabetes, o personas con un fuerte tratamiento farmacológico.

No es bueno que quien haya de recibir el masaje esté en plena digestión y, si lo está, habrá que tener especial cuidado cuando se trabaje el reflejo del aparato digestivo.

TÉCNICAS DE AUTOMASAJE: EL DO-IN

Es posible que los orígenes del automasaje sean los del propio hombre que, tras percibir los rayos del sol sobre su piel al despertar, se frotase con fuerza las manos, la cara y el cuerpo en su intento por despejarse.

Con esta acción el hombre permitía también que la energía fluyese con mayor libertad y rapidez, haciendo más corto el período entre el estado de sueño y la actividad consciente.

Encontramos un ejemplo ilustrador de automasaje no intuitivo, con método, en la técnica terapéutica oriental que fue conocida y aplicada por los occidentales a mediados de los años sesenta: el do-in.

El uso de esta práctica se limitó en principio a los círculos macrobióticos como complemento importante de su dieta alimenticia.

Aunque no se tienen datos fehacientes, se presume que el do-in se desarrolló en China hace aproximadamente cinco mil años, durante el reinado de Huang Ti, el legendario Emperador Amarillo, considerado como el padre de la acupuntura, quien formuló los fundamentos de toda la medicina tradicional china.

Como el resto de las terapias tradicionales de Oriente, el do-in se basa en el equilibrio del chi o ki, que fluye a través de los meridianos yin o yang.

Mediante esta técnica el individuo consigue por sí mismo, sin tener que recurrir a otros, restablecer el flujo energético alterado, gracias a la activación de puntos receptores de los meridianos.

Además, el do-in es un importante método de diagnóstico. Si se practica diariamente y se hace con la suficiente atención para percibir lo que van tocando los dedos de las manos, se nota si un punto o un meridiano poseen la suficiente energía o ki. De este modo puede ayudar a diagnosticar pequeñas dolencias o desequilibrios energéticos antes de que lleguen a convertirse en problemas graves. Cuando un órgano funciona mal, los puntos situados a lo largo de su meridiano se vuelven sensibles y dolorosos (pueden aparecer enrojecidos), antes incluso de que el propio órgano lo manifieste.

Para normalizar la corriente energética, el do-in se sirve de la respiración y de varias técnicas de masaje, tales como las fricciones, las presiones, los pellizcos, etc.

A la hora de practicar esta terapia, es importante saber la dirección que sigue la energía, para poder acompañarla en su recorrido.

El orden que deben seguir las partes del cuerpo al automasajearlas no es, pues, una cuestión arbitraria o caprichosa, ni se basa en la costumbre o la comodidad.

El do-in se practica en el suelo, empezando con el saludo al sol. Se inicia en posición arrodillada, sentada la persona sobre sus talones, con las manos sobre los muslos y la espalda recta.

Al expulsar el aire de los pulmones, el tronco va cediendo hasta quedar paralelo al suelo y pegado a los muslos; al mismo tiempo, las manos se deslizan hacia el suelo y hacia adelante hasta que pulgares e índices se encuentran y forman un triángulo. La cabeza reposará sobre las manos.

Además de ser los instrumentos claves del do-in, las manos son partes importantes de la terminación de meridianos.

Son las primeras que se masajean, seguidas por los brazos, la cabeza y la cara, el cuello y la nuca, el tronco, las piernas y los pies.

Una vez finalizadas las manipulaciones, el masaje termina saludando de nuevo al sol.

El do-in es también un método serio de autoconocimiento y desarrollo personal.

Además de las tres clases de masajes mencionadas, de cada una de las cuales sólo hemos explicado un masaje tipo, existen muchas otras

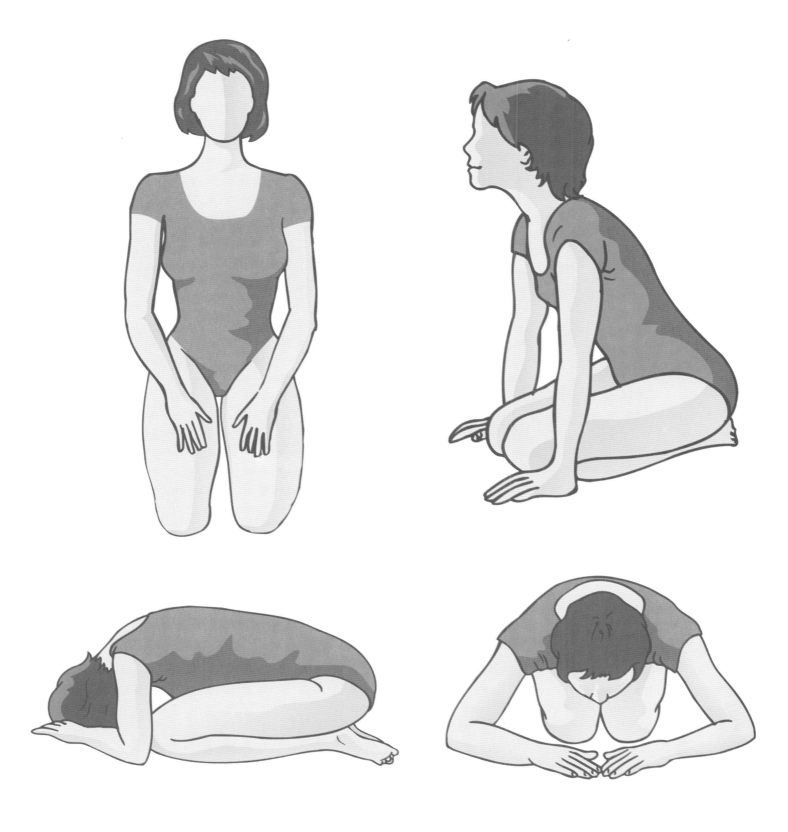

técnicas, que por razones de la extensión de esta obra, no podemos desarrollar.

No obstante, para aquellos que se sientan atraídos por el mundo del masaje, resultaría extremadamente útil conocer dichas técnicas, ya que todas ellas pueden ayudar al quiromasajista en su proceso de preparación, tanto a nivel profesional como personal.

CAPITULO II

El Quiromasaje terapéutico

D e siempre es sabido que el masaje manual es el más sedante de los que se conocen. Por ello, y conocidos ya los orígenes del masaje y su amplia familia, corresponde ya entrar en el quiromasaje terapéutico.

LA SALA DE MASAJES

Sin prisas, vamos a comenzar por situarnos en la sala de masajes. La consulta es el Sancta Sanctorum y así ha de considerarse. Se ha de procurar que esté en un lugar silencioso y de fácil acceso, puesto que en ocasiones acudirán a ella personas con incapacidades físicas e, incluso, en silla de ruedas. Por supuesto, ha de ser una habitación con espacio suficiente para que el paciente y el quiromasajista puedan moverse con libertad y que esté perfectamente limpia y ordenada.

En las paredes sería bueno colocar algunas láminas agradables, que ayuden a que la estancia sea más confortable. Una pequeña mesa o mesita con ruedas facilitará el tener a nuestro alcance los productos: aceites, toallas, etc., que vayamos a utilizar y que también pueden colocarse en una estantería poco cargada y libre de adornos por mor de la higiene.

El más importante de los muebles de una consulta de quiromasajista es, obviamente, la camilla. Puede ser metálica o de madera, con bancada abatible o no, pero, eso sí, debe estar adaptada a la estatura del terapeuta, impidiendo que tenga que flexionarse excesivamente. Una postura forzada mantenida durante horas hace que la zona lumbar de la columna reciba más presiones de las aconsejables y que acabe produciendo una lesión.

La parte superior de la camilla, donde se tumbará el paciente, deberá quedar a la altura de las caderas del masajista y estará forrada de gomaespuma y skai, de manera que sea acolchada y, además, fácil de limpiar. Las medidas del acolchado superior suelen ser de 60/70 cm de ancho por 1,80/2 m de largo, permitiendo que el paciente se encuentre relativamente cómodo y que el masajista tenga acceso a todo su cuerpo y pueda moverse libremente. Por muy agradable que resulte al tacto, la camilla debe cubrirse siempre con una sábana blanca o de colores pálidos, que de sensación de limpieza; la tela se cambiará después de cada sesión.

Debe tenerse en cuenta que las personas que van a recibir tratamiento se desprenderán de casi toda su ropa, por lo que la temperatura ambiente ha de ser cálida, impidiendo que los músculos se contraigan por el frío. La temperatura ideal estará por encima de los 20º C pero sin sobrepasar los 30º C, que podrían llegar a agobiar a algunos pacientes. De lo que se trata es de que la temperatura contribuya también a conseguir el efecto relajante que persigue el masaje.

En esta misma línea de colaboración del entorno con la terapia, se encuentra el tema del color. Está sobradamente estudiado el efecto que el color tiene sobre la psiquis. La cromoterapia está basada en ello; hay colores que excitan y otros que relajan.

Un ejemplo de la explotación comercial de este aspecto son los restaurantes de comida rápida, en los que predominan los colores fuertes, que hacen sentir la necesidad de consumir cuanto antes los productos. Está claro que esto no es lo que interesa en una sala de masajes, a la que acude una mayoría de personas que se encuentran sobrecargadas de tensión; cuanto más relajadas estén, más fácil resultará trabajar sobre sus cuerpos y mayores beneficios obtendrán del quiromasaje. Lo más aconsejable es recurrir a colores claros, a tonos pasteles, preferiblemente el verde, u optar por el blanco.

Si se ha tenido especial cuidado en crear un entorno agradable -decoración, temperatura, colorido-, sería una pena romperlo con una música estridente. También la música tiene que ver con la curación, la musicoterapia va consiguiendo cada vez mejores resultados. Al igual que ocurría con el color, también se han realizado estudios acerca de los efectos de una música concreta sobre la actuación de diferentes personas. Una marcha militar, por ejemplo, incita a movernos, una música repetitiva y monótona nos despersonaliza y nos hace más manipulables. Así pues, debemos poner mucho cuidado al elegir la música que se escuchará en la sala de masajes. Ha de ser relajante y, en cuanto al volumen, casi imperceptible. No puede interferir negativamente en el efecto del masaje y, si no se tiene la certeza de que va a ayudar, es preferible prescindir de ella, porque incluso, aunque apenas se oiga, habrá pacientes que prefieran el silencio.

Otro punto concerniente a la sala de masajes es su ventilación. Es fundamental que la habitación tenga una ventana que, además de hacerla luminosa, permita controlar la aireación. Es aconsejable abrirla siquiera unos minutos entre masaje y masaje. También debemos recordar que la transpiración de algunas personas puede ser muy fuerte y que no es agradable entrar a recibir un masaje en una sala que huele a sudor y, mucho menos, si se trata de enmascararlo con olores fuertes que llegan a crear un ambiente asfixiante y perturbador. Además de ventilar la habitación, puede ser útil colocar un humidificador que ayudará a mantener la humedad deseable en el ambiente y que puede igualmente servir como ambientador, si añadimos unas gotas de esencia suave de espliego, mejorana, eucalipto o cualquier otra de características similares.

Para otro tipo de masajes, como los orientales, quizá sea más conveniente recurrir a inciensos u otro tipo de aromas. Pero tampoco va a perjudicar una sala con olor a limpio. En último caso, queda a la sensibilidad del terapeuta el complementar este olor con otros aromas suaves y agradables al olfato.

Todos los aspectos que hemos mencionado en este apartado: calor, color, música y ventilación, pueden convertirse en aliados indispensables a la hora de practicar el quiromasaje, u otro tipo de terapia, o bien interferir negativamente de manera imperceptible, haciendo que no se logren los resultados esperados.

Cuidado con el teléfono: cuando el terapeuta deja de atender al paciente para contestar al teléfono y entabla una conversación, aunque sea con otro enfermo, puede hacer que quien esté en la consulta se sienta marginado, ignorado o infravalorado. El paciente puede pensar que "en su tiempo, el tiempo que él paga para ser atendido, nadie tiene derecho a interferir"; que "nece-

sita que la persona que lo atienda lo haga con los cinco sentidos, puesto que para ello se ha tomado la molestia de concertar una visita". El teléfono es un intruso que rompe la intimidad del momento y puede hacer perder la confianza del paciente. Si se puede tener a una persona encargada de recoger los mensajes, conviene que no interrumpa para dar los recados cuando se está trabajando con un paciente; si no existe tal persona, un contestador automático será el aliado perfecto. Quien acude a un quiromasajista puede ser muy celoso de su intimidad y, para el profesional, así debe ser cada una de las personas que entran en su sala de masajes. No debe permitir que estridencias acústicas, entre las que se incluye el teléfono, o visuales, rompan dicha intimidad. Ha de evitar también que otras personas, ajenas al masaje, entren y salgan, exponiendo al paciente a las miradas de extraños. Aunque la persona tumbada en la camilla no las vea, es seguro que las percibirá, incomodándose.

No hay que olvidar que, cuando una persona va a una consulta, está en inferioridad de condiciones, se siente dolorida, muchas veces desanimada o preocupada. Psicológicamente no estará en su momento más brillante, y tendrá la susceptibilidad a flor de piel. Parte de la tarea del masajista es hacerle recobrar el equilibrio y la confianza en sí mismo. No se trata de engañar al paciente, pero hay muchas formas de decir las cosas y hay que buscar el tono justo, ofreciendo siempre las posibles soluciones para paliar o resolver definitivamente el problema. Un paciente nunca debe salir de la consulta más hundido de lo que entró. Si por alguna circunstancia, una persona acude a la consulta de un quiromasajista, cuando su problema no es competencia de este tipo de profesionales, y el terapeuta ve que no puede ayudarle, deberá atenderle en esa visita y aconsejarle que recurra a otro tipo de terapia más adecuada para su dolencia.

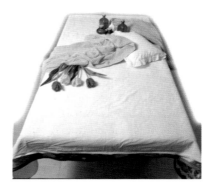

La camilla es el mueble más importante

EL MASAJISTA

Todas las profesiones tienen sus riesgos, que se asumen y tratan de ser evitados, pero que hay que conocer. El más grande, para quien ejerce la profesión de masajista, es una mala práctica que le lleve a lesionarse, lo que puede ser evitado si se siguen una serie de normas. Se trata de pautas que se explican, y sobre las cuales se insiste, en el periodo de formación del terapeuta y que no deberían olvidarse nunca.

La parte que sufre mayor presión y que se lesiona con más facilidad es la región lumbar de la columna. Para protegerla es fundamental que la camilla esté adaptada a la estatura del masajista y que el lugar donde se tumbe el paciente esté a la altura de sus caderas, de manera que no tenga que encorvar excesivamente la espalda ni flexionar demasiado los brazos.

Las piernas del terapeuta han de estar ligeramente flexionadas, para que el peso del cuerpo se reparta por los miembros inferiores, evitando así lesiones de columna.

En el ejercicio del masaje, las manos son actores importantes. Sin embargo, no son ellas las que tienen que hacer fuerza; las manos son sólo el vehículo que transmite la presión que el cuerpo ejerce. A ellas les compete el papel principal, el de comunicar información mediante el contacto con otro cuerpo y, al mismo tiempo, el de recibir la que el paciente le ofrece. De este modo, el masajista conoce el estado en que se encuentran los músculos o tejidos del paciente, su tensión nerviosa, y capta el momento en que dichos músculos alcanzan el grado deseable de elasticidad y relajación. La mano del masajista tiene que ser fuerte y sus movimientos decididos, pero ambos tienen que tener la virtud de transmitir al paciente el deseo de abandono, distensión, relajación, de dejar su cuerpo "en manos de otro".

Cuando se comience a dar un masaje, es importante que las manos no estén rígidas y tengan una temperatura agradable.

La tensión del terapeuta se transmitirá al paciente haciéndole contraer los músculos; unas manos frías reforzarán esta reacción. Es fundamental que el paciente confíe en lo que le están haciendo, que sienta el contacto de otras manos como una caricia. No se puede olvidar que entre un masaje y una paliza hay una sutil barrera y que la misión de un buen masajista es la de proporcionar al otro un estado de bienestar. Si hay agresividad o tensión en las manos que masajean, el bienestar se producirá, sin duda, en el masajista, que descargará en su paciente toda su furia y agresividad.

El masajista, además, debe cuidar sus manos, las uñas serán cortas y estarán siempre limpias; los dedos, ágiles y libres de sortijas o anillos que podrían engancharse en la piel del paciente. Para que las manos tengan elasticidad y fortaleza, es aconsejable realizar cada día una serie de ejercicios que le ayudarán a movilizar todas las articulaciones, dándoles flexibilidad y resistencia (ver apartado La preparación del masajista).

Las manos deben lavarse antes y después de cada masaje, y conviene dejarlas descansar unos diez minutos entre sesión y sesión. No les beneficiará, por el contrario, coger objetos pesados o hacer fuerza con ellas.

Aunque el instrumento de trabajo del masajista son sus manos, es también importante que el resto del cuerpo esté relajado, dispuesto para distribuir presión según requiera el masaje. Una articulación del hombro mermada por el dolor, o una muñeca dolorida, harán que el terapeuta tenga grandes limitaciones.

En estos casos conviene restablecer el buen funcionamiento del organismo antes de continuar dando masajes. Para evitar este tipo de problemas, lo más aconsejable es realizar, al terminar la jornada de trabajo o antes de comenzarla, una tabla de gimnasia que incluya estiramientos y autoestiramientos.

PRODUCTOS PARA EL MASAJE

Diferentes productos para masaje

Aunque algunas escuelas mantienen que para que un masaje produzca un mayor efecto debe darse sin utilizar nada más que las manos, lo más habitual es que, para que las manos desnudas del masajista se deslicen con fluidez sobre la piel del paciente, se utilicen cremas, geles, vaselina, aceites, etc.

Estos últimos son los más usuales, empezando por el aceite de oliva y terminando por aceites preparados en laboratorios, a base de extractos de plantas, con fines específicamente terapéuticos y aromas muy agradables.

Es necesario poner cuidado a la hora de elegir el producto para el masaje, puesto que la piel tiene gran capacidad de absorción y, al igual que puede ser beneficiada con un aceite, puede ser perjudicada con otro inadecuado.

La temperatura del producto que se vaya a utilizar ha de ser la corporal, para lo cual con-viene ponerlo en las manos antes de distribuir-lo sobre el cuerpo a masajear.

Hay que ser comedido en cuanto a la cantidad: ni tan poco que las manos hagan daño al trabajar, ni tanto que se descontrole el deslizamiento. Es preferible empezar con poco y, cuando la piel lo haya absorbido y las manos no se deslicen bien, añadir un poco más.

Aunque en el mercado existen muchos aceites especiales para masaje, el terapeuta que lo desee puede preparar sus propios productos, dándole un toque personal a su terapia y un aroma especial a su consulta.

Una manera de hacerlo es coger las plantas en su mejor momento y ponerlas en maceración o al baño María para que suelten, en un aceite base, sus propiedades y olor.

Las plantas más utilizadas para preparar estos aceites son: romero, lavanda, enebro, eucalipto, salvia y mejorana.

Pero la forma más cómoda de hacerlo es escoger el aceite base y añadirle aceites esenciales de cualquiera de estas plantas. La siguiente relación de plantas de las que se extraen aceites y sus aplicaciones será de gran utilidad para quien esté decidido a preparar sus propios productos de masaje.

Aceites Esenciales

Romero
(Rosmarinus officinalis)
Todo tipo de dolores musculares, artritis, reuma, congestión linfática, retención de líquidos, debilidad nerviosa.

Eucalipto
(Eucaliptus globulus)
Dolores musculares, artritis reumatoide, retención de líquidos. Es un buen antiséptico para la piel, se usa para curar úlceras, contusiones, herpes y lesiones.

Salvia
(Salvia officinalis)
Problemas reumáticos, dolores articulares y diuréticos, tensión nerviosa. Tonifica la piel entumecida o congestionada. Favorece la cicatrización de úlceras de las piernas.

Mejorana
(Origanum majorana)
Contusiones, neuralgia, espasmos y dolores musculares, esguinces. Ayuda a bajar la tensión arterial alta. Tensión nerviosa, insomnio, irritabilidad, ansiedad.

Manzanilla
(Matricaria chamomilla)
Todo tipo de dolores musculares (especialmente después de grandes esfuerzos), artritis, reuma. Inflamaciones, lesiones. Ansiedad nerviosa, depresión, insomnio, irritabilidad. Friccionando sobre la zona del estómago, alivia indigestiones y dolores estomacales.

Albahaca
(Ocinum basilicum)
Espasmos musculares. Piel congestionada o entumecida. Debilidad nerviosa, depresión, histeria, indecisión. Tónico para la tensión nerviosa.

Lavanda
(Lavandula latifolia)
Acné. Celulitis. Retención de líquidos. Dolores musculares, reuma, esguinces. Ansiedad, depresión, irritabilidad, palpitaciones, hipertensión. Congestión linfática, inflamación de la piel. Aceite rejuvenecedor.

Ciprés
(Cupressus sempervivers)
Falta de tono muscular, tejidos fláccidos.

Hinojo
(Foeniculum vulgare)
Celulitis. Retención de líquidos.

Enebro
(Juniperum communis)
Estimula el sistema circulatorio. Retención de líquidos. Dolores reumáticos. Tensión nerviosa, ansiedad, insomnio, agotamiento. Acné. Eccemas. Refuerza el busto y le da firmeza

Melisa
(Melissa officinalis)
Hipertensión. Histeria. Tónico nervioso.

Pimienta negra
(Poligonum niger)
Estimula el sistema circulatorio. Dolores musculares, analgésico externo, falta de tono muscular.

Bergamota
(Citrus bergamia)
Ansiedad, depresión. Lesiones. Piel grasa, úlceras. Eccema. Dermatitis.

Sándalo
(Mentha sativa)
Piel reseca, inflamada. Depresión, tensión nerviosa.

Olíbano
(Bosnella thurífera)
Estimula la circulación sanguínea. Artritis reumatoide.

Geranio
(Pelargonium graveolens)
Cualquier congestión o retención de líquidos. Piel grasa. Neuralgias. Ansiedad, depresión.

Los aceites esenciales son los que dan el aroma a una planta. Su uso como productos para masajes se remonta a la antigüedad. Los egipcios los usaban con profusión en terapia, para mantener la piel más elástica y flexible y en ritos ceremoniales. También, y probablemente mucho antes, se utilizaban en China. Los Evangelios y la Biblia hacen clara referencia a estos aceites.

Parece ser que en la Edad Media, escenario de grandes epidemias, eran los perfumistas los más resistentes a la muerte, ya que trabajaban con esencias, que forzosamente acabarían absorbiendo a través de la piel en sus manipulaciones.

En la actualidad los aceites son muy usados por sus valores terapéuticos en consultas de reflexólogos, osteópatas, acupuntores, quiromasajistas, etc.

Para que un aceite esencial tenga una calidad óptima, es preciso que las plantas y hierbas de las que se extrae sean recogidas en el momento justo de su madurez, cuando producen la mayor cantidad de aceite.

Sus precios son muy dispares, debido a la mayor o menor dificultad de extracción y a la cantidad de aceite que contenga cada planta; mientras algunas poseen un 10 %, otras no llegan a tener siquiera un 0,1%.

Los aceites esenciales son muy penetrantes. Alcanzan los capilares pequeños de la dermis, de donde pasan a la sangre.Se puede preparar un buen aceite para el masaje, bien aromatizado y con propiedades terapéuticas, utilizando como base un aceite vegetal, como son los de oliva, almendra dulce, maíz, soja, girasol o pepitas de uva. Este último es uno de los más aconsejables: es claro, ligero, inodoro y de precio razonable. Cualquiera de ellos ha de ser cien por cien puro, no refinado, y, a ser posible, prensado en frío.

Por cada 100 ml. de aceite vegetal suelen añadirse entre 5 y 40 gotas de aceite esencial, pudiendo mezclarse varios aromas. Al hacer la mezcla, conviene incorporar el aceite esencial gota a gota, comprobando que el olor no sea muy agobiante.

Las siguientes recetas serán de gran utilidad en la consulta de un quiromasajista. En ellas aparece el nombre de la esencia a utilizar, seguido del número de gotas adecuado para 100 ml. de aceite base, recomendados para la afección que encabeza la relación. En algunos casos aconsejamos dos o más recetas; sería bueno probarlas y elegir la que dé mejores resultados.

El aceite esencial de ajo es excelente para artrosis y reuma, pero debido a su olor penetrante será mejor recomendar al paciente aquejado de estas dolencias que ingiera ajo al natural o en cualquiera de los preparados que se encuentran en los herbolarios.

Dolores musculares		Tensión nerviosa	
Eucalipto	16 gotas	Bergamota	8 gotas
Romero	16 gotas	Mejorana	8 gotas
Salvia	24 gotas	Sándalo	8 gotas
Manzanilla	8 gotas	Manzanilla	12 gotas
Romero	16 gotas	Albahaca	8 gotas
Enebro	20 gotas	Lavanda	8 gotas
Lavanda	14 gotas	Enebro	8 gotas
Ciprés	8 gotas	Romero	8 gotas

Celulitis

Hinojo	24 gotas
Enebro	8 gotas
Romero	16 gotas
Salvia	16 gotas
Hinojo	10 gotas
Romero	10 gotas
Manzanilla	24 gotas

Reuma

Lavanda	10 gotas
Mejorana	10 gotas
Melisa	20 gotas
Salvia	20 gotas
Enebro	16 gotas

Tónico para masajes

Lavanda	35 gotas
Bergamota	15 gotas
Geranio	5 gotas
Romero	10 gotas

Tono muscular

Pim. negra	24 gotas
Lavanda	16 gotas
Melisa	16 gotas

Mala circulación

Romero	12 gotas
Pim. negra	16 gotas
Enebro	24 gotas

Artritis y reuma

Enebro	10 gotas
Eucalipto	12 gotas
Mejorana	12 gotas
Romero	16 gotas
Ciprés	8 gotas
Lavanda	14 gotas
Romero	16 gotas
Manzanilla	12 gotas
Salvia	16 gotas
Salvia	12 gotas
Olíbano	16 gotas
Pimienta negra	8 gotas

Calambres musculares

Albahaca	30 gotas
Lavanda	14 gotas
Romero	16 gotas
Albahaca	24 gotas
Mejorana	16 gotas
Melisa	16 gotas
Albahaca	30 gotas
Mejorana	30 gotas

Estrías

Azahar	10 gotas
Lavanda	40 gotas
Romero	16 gotas
Lavanda	15 gotas
Melisa	5 gotas
Manzanilla	10 gotas

LA PREPARACIÓN DEL MASAJISTA
GIMNASIA MANUAL

Las manos, como ya dijimos, son las herramientas más importantes de un quiromasajista, por lo que debe mantenerlas siempre ágiles. Para ello ha de realizar todos los días una serie de ejercicios encaminados a dar flexibilidad y resistencia a estas articulaciones.

EJERCICIOS

- Estiramiento dedo por dedo.

- Rotación de todas las falanges.

- Circunducción o giro dedo por dedo.

- Hiperextensión o extensión máxima dedo por dedo.

- Presión dactilar dedo por dedo.

- Hiperextensión con manos entrelazadas.

- Flexión y extensión de la articulación carpo falángica.

- Presión dactilar sin contacto palmar.

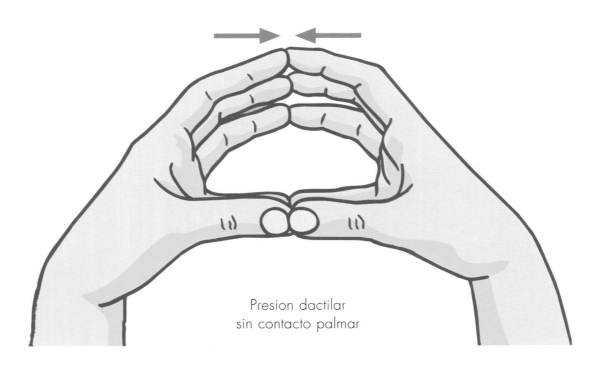

Presion dactilar
sin contacto palmar

DESCRIPCIÓN DE EJERCICIOS

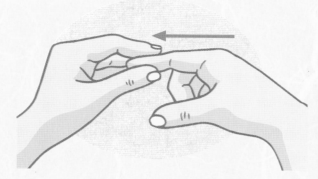

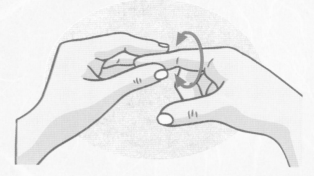

Estiramiento dedo por dedo
Atrapando el extremo de cada dedo,
se realiza una tracción para separar
las articulaciones de las falanges.

Rotacion de todas las falanges dedo
por dedo

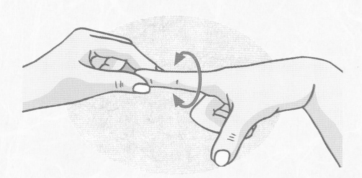

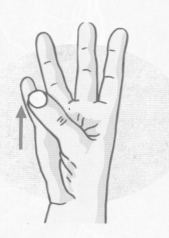

Circunducción o giro dedo por dedo

Presión dactilar dedo por dedo

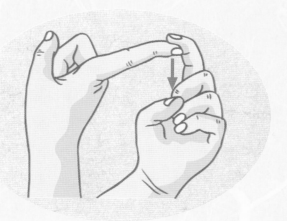

Hiperextensión
dedo por dedo

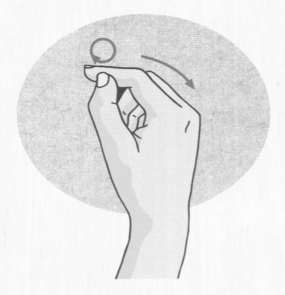

Descripción de círculos con el pulgar

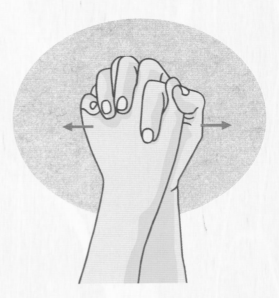

Manos entrelazadas

Pasar el pulgar por la zona ungueal (de las uñas)

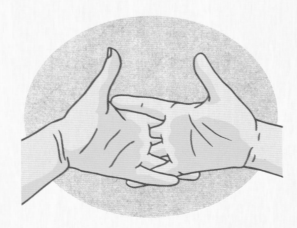

Hiperextensión manos entrelazadas

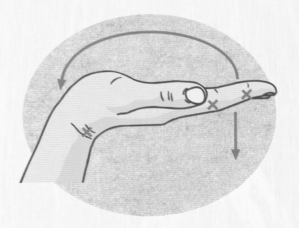

Flexión y extensión carpofalángica

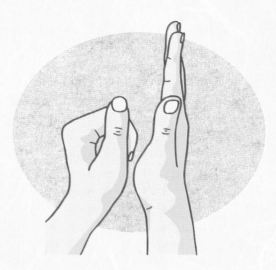

Palmadas alternativas

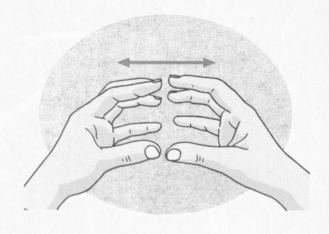

Percusión de los dedos con las manos en garra

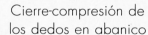

Cierre-compresión de los dedos en abanico

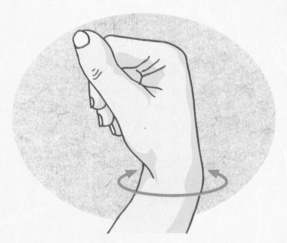

Giro de muñecas en ambas direcciones

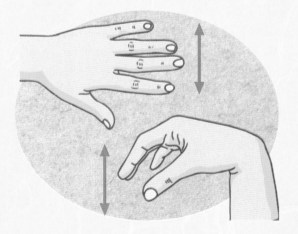

Movimiviento de muñecas en un plano anteroposterior y bilateral

CAPITULO III

Los Efectos del masaje y sus contraindicaciones

Los efectos del masaje se pueden clasificar en psicológicos y mecánicos. Los mecánicos, a su vez, se dividen en locales, cuando se producen en la propia zona tratada; y reflejos, cuando se producen en partes alejadas de la zona de contacto.

El efecto psicológico es tan importante como el mecánico y no será posible el uno sin el otro ya que, aunque tradicionalmente se separen estas dos cualidades humanas, no son más que las dos caras de una misma moneda.

El hecho de que una persona confíe su cuerpo dolorido al masaje es una prueba de su disposición mental a recibir los efectos curativos del mismo. Una palabra de aliento y unas manos acogedoras repercutirán muy positivamente en su recuperación.

En el momento en que el masajista se disponga a comenzar el masaje, su actitud hacia el paciente ha de ser totalmente positiva, tiene que estar decidido a ayudarle con entrega. La concentración en lo que está haciendo y el silencio mientras dure la sesión, ayudarán a que la persona que está sobre la camilla se relaje con mayor facilidad.

El silencio sólo debe romperse para verificar que no se está haciendo daño con las manipulaciones, o para confirmar zonas de dolor que el masajista percibe a través de sus manos.

En algunas ocasiones será el propio paciente quien necesite hablar y habrá que entender esta necesidad desde el punto de vista terapéutico, escuchándole con cortesía y atención. Conviene tener en cuenta, a este respecto, que lo que un paciente pueda contar en un momento de relajación, poniendo su confianza en el masajista, no debe salir de la sala de masajes.

Cuando se está dando un masaje, en cierto modo se está facilitando al cuerpo una información. El masajista es consciente de lo que el cuerpo puede llegar a hacer en el plano físico con esa información, pero no debe olvidar que los bloqueos físicos tienen su origen en problemas emocionales y que a veces al desaparecer la manifestación externa queda al descubierto la causa. Aunque no se haya ido buscando eso, algunos tratamientos a base de masajes han dado lugar a cambios, no sólo físicos, sino también psíquicos. La liberación de tensiones a través del masaje recibido de una manera regular, hace posible que quien reciba los masajes supere problemas emocionales con raíces viejas, porque el masaje estimula en él la creación de una renovada energía que le hace posible el afrontar de manera diferente el problema. Por supuesto, al desaparecer la causa, desaparece el efecto. La persona comienza por mejorar físicamente, lo que le permite llegar a solucionar su problema emocional y así se elimina su dolencia de origen no físico.

Además, los masajes estimulan la creación de endorfinas en el cerebro, merced a lo cual, el paciente se encuentra más animado sin tener que recurrir al uso de estimulantes o drogas. Asimismo, aumenta su capacidad de autoestima y se alivia la fatiga física y mental.

Los efectos mecánicos van a producirse sobre:
La piel
El tejido adiposo
Los órganos internos
El metabolismo
Los músculos
Las articulaciones
Los sistemas circulatorios sanguíneo y linfático
El tejido óseo
El sistema nervioso

LA PIEL

El primer efecto sobre la piel es de limpieza. Las fricciones y otras manipulaciones utilizadas durante el masaje ayudan a la liberación de células muertas y a la secreción de las glándulas sudoríparas y sebáceas superficiales. También en el nivel cutáneo, el masaje ayuda a activar canales energéticos superficiales, descritos como metámeras y meridianos de acupuntura, con lo que todo el organismo resulta beneficiado.

Igualmente, se actúa sobre los conductos secretores, haciendo que se vacíen y evitando obstrucciones, que podrían dar lugar a abcesos, quistes, etc.

Otra de las particularidades del masaje es que hace aumentar la temperatura corporal en 2 ó 3º C, lo que es beneficioso cuando existen trastornos circulatorios, neurovegetativos, etc.

EL TEJIDO ADIPOSO

Algunas técnicas de masaje están encaminadas a la disminución de los acúmulos adiposos, o de naturaleza grasa, aunque no sea posible su total eliminación. No obstante, la intensificación de la actividad circulatoria y metabólica local y el aumento del flujo sanguíneo (hiperemia) favorecen la reabsorción del tejido graso.

LOS ÓRGANOS INTERNOS

El masaje hace que se elastifiquen los ligamentos de sostén y las fascias, lo que da lugar a la relajación de los víscero-espasmos o tics.

Su acción sobre las vísceras huecas, en especial las del aparato digestivo, es considerable. Ayuda en su vaciado, repercutiendo en el incremento de la función peristáltica.

EL METABOLISMO

Después de un masaje, el metabolismo se estimula, aumentando la filtración renal y la cantidad de orina. Repercute también en la expulsión de fósforo inorgánico, nitrógeno y cloruro sódico.

LOS MÚSCULOS

El masaje muscular refuerza la circulación, incrementando los intercambios nutritivos, el tono muscular y la contractilidad. Al elevarse la temperatura y acelerarse las reacciones químicas, se producen en el tejido muscular intercambios nutritivos y químicos.

La mejoría nutritiva potencia la capacidad de acortamiento de un músculo o contractilidad en respuesta a un estímulo adecuado. Las presiones que se ejercen sobre los músculos potencian considerablemente su circulación y hacen que el sistema venoso y el linfático se

vacíen con facilidad, conduciéndose los productos de desecho por las vías naturales de eliminación. La afluencia de sangre arterial nueva lleva al músculo mayor riqueza de elementos nutritivos. Las percusiones, fricciones y vibraciones producen contracciones en el músculo, propiciando su desarrollo e impidiendo o disminuyendo las atrofias.

El masaje muscular es muy importante para el deportista. Antes del esfuerzo físico, como calentamiento y aplicándolo principalmente a los músculos que intervienen en el ejercicio que se va a realizar, garantiza pleno rendimiento muscular y mayor resistencia. Después del esfuerzo, ayudará a la eliminación de sustancias de desecho que, con la actividad, inundan las fibras musculares.

LAS ARTICULACIONES

El masaje influye en las articulaciones y en los tejidos que las rodean. La acción mecánica directa permite la absorción gradual de los exudados articulares. Este material, rico en proteínas, se deposita en los tejidos o en una cavidad articular dando lugar a inflamaciones.

La acción sobre la absorción y la circulación explica la eficacia del masaje para disolver

Aunque la localización de las arterias es profunda y no se puede actuar directamente sobre ellas, la circulación arterial se beneficia a través de las masas musculares por vía refleja.

En pacientes afectados de isquemia en las extremidades inferiores, se comprueba el efecto positivo del masaje sobre la circulación arterial cuando, al cabo de algunas sesiones, mejora la temperatura y el color de la piel.

EL TEJIDO ÓSEO

Tampoco los huesos pueden masajearse directamente, no obstante, se benefician del masaje por vía refleja. Al mejorar la circulación sanguínea y linfática, la nutrición y el metabolismo de los tejidos adyacentes, se favorece la actividad ósea.

EL SISTEMA NERVIOSO

El aumento del flujo sanguíneo y de la regeneración celular producido por el masaje, repercute positivamente en la nutrición de los nervios periféricos.

El masaje tiene efecto anestésico sobre las terminaciones nerviosas, sanguíneo, y excitante sobre los nervios ganglionares. Este estímulo, al alcanzar al sistema nervioso en su totalidad, da lugar a una hiperactividad de las funciones que de él dependen.

Al masajear sobre un nervio motor, se provoca la contracción del músculo; al hacerlo sobre un nervio sensitivo, disminuye su irritabilidad; y, si es sobre un nervio secretorio, aumenta la actividad secretora del órgano que inerva.

Cuando se masajea gran parte de la superficie corporal, se produce una sensación de bienestar, al actuar el masaje como tónico y sedante.

adhrencias articulares en la parte interna y externa de la articulación. Las lesiones de estas zonas se deben, en algunos casos, a una deficiencia articular y, en otros, a lesiones del músculo o músculos que se encargan de la movilidad de dicha articulación.

Dentro de éstas, conviene distinguir entre las producidas por adherencias, que impiden el movimiento total, o rigidez articular, y las producidas por fijación de las superficies articulares o anquilosis. El masaje está indicado en las primeras.

Como ya hemos visto, el masaje aumenta la temperatura corporal, favorece la reabsorción de líquidos, la circulación y el intercambio nutritivo. Todo ello impide la formación de microadherencias, que limitarían el movimiento normal de la articulación.

LOS SISTEMAS CIRCULATORIO Y LINFÁTICO

Los capilares periféricos son los primeros, dentro del aparato circulatorio, que reciben la influencia del masaje. Dependiendo de la manipulación que se realice, varía el efecto que se produce sobre ellos.

Las percusiones darán lugar a una isquemia o ausencia de aporte circulatorio, seguida de una hiperemia o aumento de aporte sanguíneo.

Los roces y fricciones producen el mismo efecto pero con mayor rapidez, provocando el enrojecimiento de la zona.

El aumento de presión en las venas favorece la eliminación de sustancias de desecho en la zona masajeada.

Los vasos linfáticos del nivel cutáneo son estimulados por el masaje, acelerándose el drenaje y la circulación linfática.

CONTRAINDICACIONES

Aunque como técnica terapéutica el quiromasaje es casi siempre benéfico, en determinadas circunstancias está contraindicado por su efecto vasodilatador. No debe darse un masaje en caso de:

Inflamación aguda
Infecciones
Enfermedades de la piel
Hemorragias
Úlceras
Quemaduras
Fracturas y fisuras de huesos

INFLAMACIÓN AGUDA

Aun cuando en inflamaciones crónicas, como puede ser la tendinitis, no existe ningún peligro ante la aplicación de un masaje, en las agudas se corre el riesgo de aumentar la superficie inflamada y, con ello, el dolor. Para diferenciar las unas de las otras hay que tener en cuenta que las agudas se manifiestan con:

Calor, debido a la acumulación de sangre en la zona afectada, que hace subir la temperatura.

Color, porque el mencionado aumento de sangre da a la zona un color rojizo.

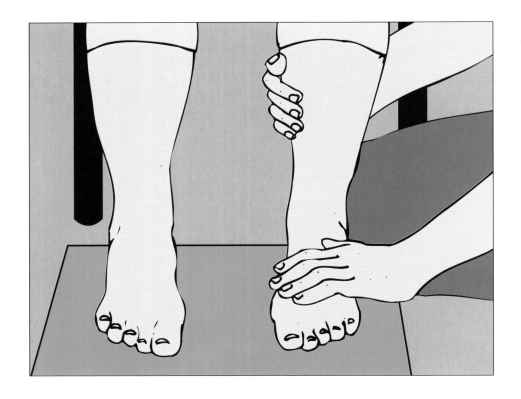

Algunos tipos de inflamaciones crónicas no entrañan ningún peligro en caso de que se quiera recibir un masaje en la zona afectada.

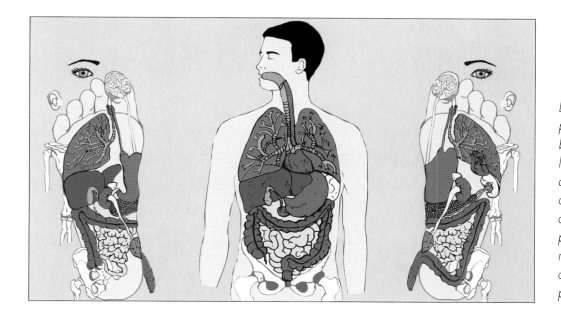

Los masajes podales también ayudan a la relajación y armonía del cuerpo gracias a las correspondencias reflejas que su aplicación proporciona.

Volumen, debido a la defectuosa irrigación de la zona.

Dolor, producido por el aumento de volumen de los tejidos, que hace que se compriman los filetes nerviosos. Cuando una inflamación de este tipo tiene lugar en una articulación, aparece una notable impotencia funcional.

INFECCIONES

Mientras que el masaje puede ser aplicado en infecciones leves, como un resfriado común, en las infecciones con fiebre, el masaje está contraindicado. No hay que olvidar que una infección es un proceso patológico producido por microorganismos, virus o bacterias, que obtendrían más fuerza en caso de que aumentase la presión sanguínea provocada por el masaje.

ENFERMEDADES DE LA PIEL

No se aplicará masaje en este tipo de enfermedades, especialmente si son infecciosas. No existe contraindicación cuando las afecciones sanguíneas son de tipo nervioso.

HEMORRAGIAS

Existe clara contraindicación tanto en hemorragias internas como en externas, aunque una vez pasados el dolor y la inflamación, sí se puede masajear para ayudar a los tejidos a reabsorber la sangre.

ÚLCERAS

Las úlceras internas, como son las duodenales o pulmonares, no permiten el masaje directo. Se puede utilizar algún tipo de masaje reflejo como reflexología podal. Las varices tampoco pueden masajearse directamente.

QUEMADURAS

Totalmente contraindicado en cualquiera de los tres grados.

FRACTURAS Y FISURAS

En ambos casos existe contraindicación mientras cicatriza el hueso pero, una vez que se ha formado el callo óseo, sí conviene masajear.

El quiromasaje también está contraindicado en casos de tromboflebitis, embolias, cualquier trastorno o enfermedad del corazón (cardiopatías), nefropatías (enfermedades renales), gota, diabetes descompensada y tumores.

En general, no conviene dar masajes cuando se observe que el dolor aumenta o existe rigidez articular.

Es necesario tener mucho cuidado cuando pueda pensarse que existe descalcificación (osteoporosis) y, si es muy fuerte, habrá que recurrir a otro tipo de terapias.

En caso de embarazo, no debe darse un masaje normal, ya que existe un masaje específico para ello.

CAPITULO IV

Diferentes manipulaciones básicas

Para llevar a cabo su trabajo, el masajista dispone de toda una serie de técnicas de masaje, de entre las cuales deberá seleccionar aquellas que le resulten más adecuadas para cada caso a tratar.

PRINCIPALES MANIPULACIONES

Estas maniobras se ejecutan con las dos manos, moviéndose alternativamente, salvo los pases magnéticos y el vaciado venoso, en los que se emplean movimientos simultáneos. Las principales manipulaciones son las siguien-

Pases magnéticos
Vaciado venoso
Amasamientos
Percusiones
Pellizcos

Roces
Fricciones
Tecleteos
Rodamientos
Vibraciones

PASES MAGNÉTICOS

Los pases magnéticos se realizan con las yemas de los dedos, mediante roces muy superficiales por la piel del paciente, como si se le estuviera acariciando.

Los pases son amplios y se efectúan reiterativamente sobre una zona. Las manos trabajan de forma alternativa de manera que, cuando una termina sus movimientos, la otra comienza a tomar contacto con el cuerpo.

Así, se libera la tensión superficial de la piel. El efecto sedante de esta maniobra produce una gran relajación en el paciente, cuando se realizan con buena técnica, sensibilidad y concentración, predisponiendo al paciente para recibir el masaje en las mejores condiciones.

Los pases magnéticos suelen realizarse al comienzo del masaje para preparar los tejidos, y también al final del mismo, para liberarlos de

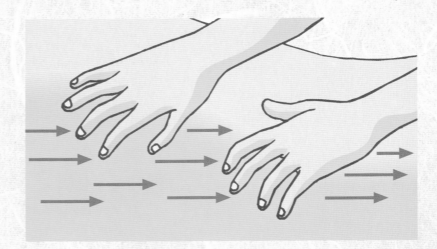

la carga magnética creada con las manipulaciones. Esta técnica puede ser aplicada en cualquier parte del cuerpo.

Las manos se deslizan alternativamente, con suavidad, sobre la parte que se está tratando, como si acariciáramos la piel, varias veces en la misma zona.

VACIADO VENOSO

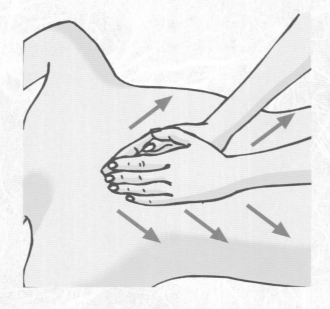

El vaciado venoso se lleva a cabo pasando la palma de la mano y de los dedos por la zona que se va a tratar, provocando una disminución del contenido sanguíneo de las venas. Las manos acarician la piel con firmeza y suavidad, favoreciendo siempre la propia dirección de la sangre venosa, es decir, hacia el corazón.

Tiene una gran potencia descongestiva, por lo que está especialmente indicado cuando la circulación es deficiente.

Con esta manipulación, se evita la formación de petequias (hemorragias cutáneas) al manipular los tejidos. Los movimientos han de hacerse lentamente.

En una primera fase, la presión de las manos arrastra la sangre con todas las toxinas que contiene, para dar paso, en la fase siguiente, a una sangre depurada que nutrirá más ricamente la zona. Casi siempre suelen hacerse al principio de un tratamiento para preparar la zona y al final para descongestionarla de la hiperemia que se haya producido. Generalmente se efectúa cuando se pasa de una manipulación a otra y en caso de que el tejido esté excesivamente enrojecido.

AMASAMIENTOS

Los amasamientos son las manipulaciones más importantes y las que se emplean con mayor profusión. Por su profundidad, alcanzan directamente las fibras musculares, inhibiendo las tensiones y favoreciendo su contractilidad. Ayudan a estimular, alimentar y reforzar los músculos.

En función de la parte de la mano que intervenga en la maniobra y la intensidad con que se ejecute, pueden dividirse en: amasamiento digital, digito-palmar, digito-nudillar, nudillar, nudillar total, pulpo-pulgar y tenar.

Amasamiento digital

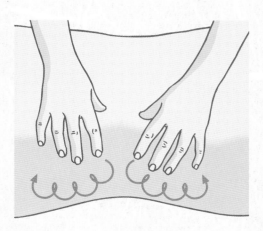

Se realiza con la mano cóncava y con los dedos separados y flexionados. Los dedos apoyan sólo las yemas y cada uno traza pequeños círculos, que han de tener la misma intensidad.

Es un tipo de amasamiento fundamental, ya que la menor superficie de contacto permite un masaje más profundo. Se aplica en todos los tratamientos, por pequeña que sea la zona afectada.

Amasamiento digito-palmar o palmo-digital

Se ejecuta con la mano bien pegada al tejido, sin levantarla al realizar los movimientos. El pulgar, separado del resto de los dedos, que se mantienen unidos, arrastra hacia la mano la porción de musculatura que se está tratando, estrujándola y soltándola de forma rítmica. Merced a esta maniobra de contracción y liberación del músculo, la sangre fluye más intensamente y nutre

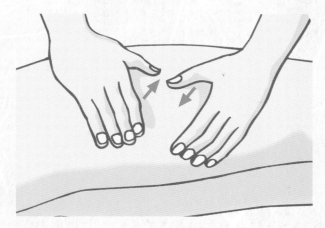

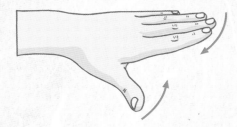

mejor la zona. Al abarcar una mayor superficie, este amasamiento permite darle fuerza al masaje, lo que puede tener efectos relajantes o estimulantes, dependiendo del ritmo y la presión que impongamos a la manipulación.

Amasamiento digito-nudillar

Para realizar esta maniobra, se utilizan el dedo pulgar y el lateral del índice, que estará flexionado a modo de gatillo. Entre ambos, estrujan y pellizcan porciones de tejido muscular. Se va avanzando haciendo círculos, sin dejar de presionar la musculatura atrapada por los dedos.

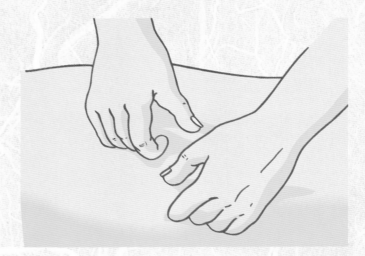

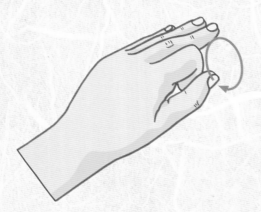

El efecto de este amasamiento es similar al anterior, pero el digito-nudillar se aplica en zonas más pequeñas, tales como los codos, la nuca, las paravertebrales, etc. El ritmo puede ser igual o mayor que el de los amasamientos digitales.

Amasamiento nudillar

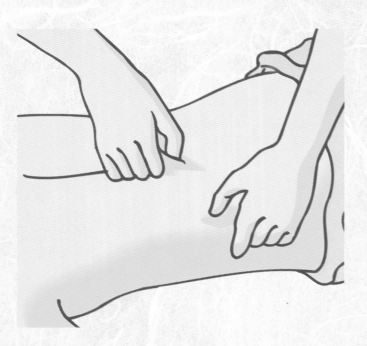

Es similar a los digitales pero, en este caso, se utilizarán los nudillos de los dedos en lugar de las yemas, dejando la masa muscular entre ellos. Este tipo de maniobra está indicada para zonas especialmente carnosas, contracturadas. Es muy útil para el masaje deportivo. Se aplica también a la columna vertebral, pasando los nudillos por las apófisis espinosas.

Amasamiento nudillar total

El amasamiento nudillar total no se considera un amasamiento específico sino, más bien, un refuerzo al nudillar. En éste se duplica la intensidad, al ejercer presión una mano sobre la que realiza la manipulación. Aunque todos los amasamientos pueden completarse con otras técnicas, en este caso, el refuerzo tiene un interés especial, teniendo en cuenta el tipo y condiciones de los músculos a los que se aplica.

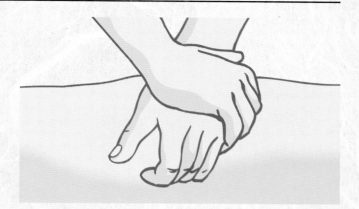

Amasamiento pulpo-pulgar

En el amasamiento pulpo-pulgar son las yemas de los dedos pulgares las que realizan los movimientos, trazando círculos alternativamente, mientras que el resto de la mano, incluidos los dedos, le sirve de apoyo. Puede realizarse sobre pequeñas superficies, en puntos concretos o sobre grandes zonas.

Amasamiento tenar

Se ejecuta con las eminencias tenar e hipotenar de ambas manos, que trazan círculos alternos en la zona afectada a tratar.

Tiene un efecto de elastificación, movilización y activación circulatoria importante.

Colocación de las manos

PERCUSIONES

Con las percusiones se pretende provocar un corte de la circulación para aumentar la velocidad y la fuerza del aporte sanguíneo, forzando el arrastre de células muertas y productos de desecho de los tejidos blandos trabajados.

Estas manipulaciones han de ser realizadas con gran rapidez y durante un corto período de tiempo, ya que se produce una gran hiperemia. Se pueden hacer de varias maneras: cachetes cubitales, percusiones de puño cerrado, dorso palmar, con palmadas planas, con palmadas cóncavas, con palmadas digitales y con palmadas digitales y fricción.

Cachetes cubitales

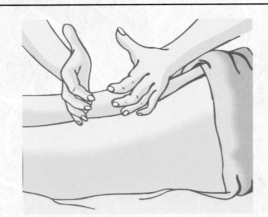

Se realizan con la mano ligeramente curvada, apoyada sobre el lateral del dedo meñique en la zona a tratar. El resto de los dedos queda separado con las palmas mirando una frente a otra separadas unos cinco centímetros.

Las manos percuten en un plano horizontal, con juego de muñecas, sobre los dedos meñiques, que reciben el choque de los otros dedos, tratando de lograr una velocidad de 150/200 percusiones por minuto. El contacto con la piel es breve. Las manos, alternativamente, repiten estos movimientos sin variar la velocidad ni la fuerza. Esta manipulación también se conoce como hachazos digitales.

Percusiones de puño cerrado

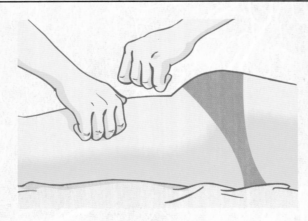

Las percusiones de puño cerrado se efectúan con los dedos flexionados y con el pulgar cerrando el hueco lateral del índice, sin entrar en la palma de la mano. Se percute sobre la zona con las falanges intermedias de los dedos y con las eminencias tenar e hipotenar, haciendo un movimiento rápido con juego de muñecas. Es preciso imprimir un ritmo uniforme; la velocidad será la misma que para los cachetes digitales. Esta maniobra está indicada en musculaturas desarrolladas, y tiene un efecto tonificante.

Percusión dorso palmar

Debe realizarse con la mano flexionada en forma de puño, el dedo pulgar sobre el lateral del índice y se aplica a la zona rotando suavemente, pero sin ceder en la presión, en un giro de 180º. En esta manipulación se distinguen claramente tres fases. Cuando los dedos están de cara al masajista, se desciende de la región hipotenar hasta dejarla pegada al cuerpo. A la vez que se van extendiendo los dedos, se realiza una pequeña fricción, que arrastre la hiperemia producida con el giro.

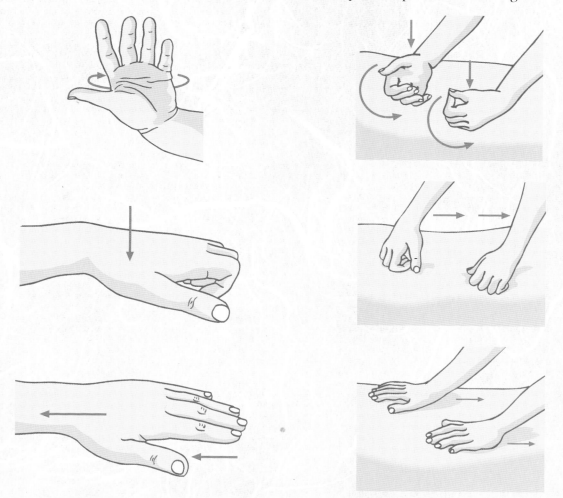

Percusiones con palmadas planas

Se ejecutan con la mano plana, que percute. Para no causar dolor es necesario que la mano rebote con elasticidad.

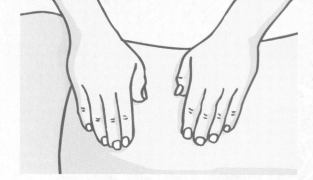

Percusiones con palmadas planas

Percusiones con palmadas cóncavas

Para realizarlas, la mano debe estar en posición cóncava, los dedos ligeramente flexionados y el pulgar unido al lateral del índice, sin que quede espacio entre los dedos.

Al golpear alternativamente la piel, se comprime el aire que queda retenido en el hueco de la palma de la mano. Así, se fuerza la formación de una gran circulación sanguínea, que repercute en los órganos internos.

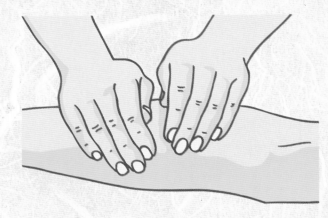

Percusiones con palmadas cóncavas

Percusiones con palmadas digitales

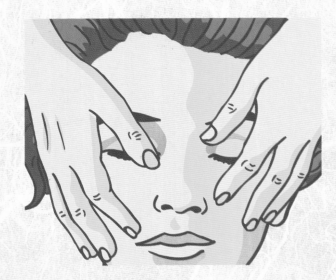

Se realizan con los dedos planos, accionando todos a la vez sobre la zona a tratar.
Puede utilizarse en zonas pequeñas, como la cara.

Percusiones con palmadas digitales y fricción

Se hacen igual que las anteriores, pero seguidas de una fricción que arrastra la hiperemia formada por las palmadas.

PELLIZCOS

Los pellizcos pueden considerarse como una combinación de las manipulaciones de amasamiento y percusión, debido al ligero amasamiento de la zona y a la rapidez con que debe realizarse la maniobra.

Al igual que en el resto de las técnicas, también dentro de los pellizcos encontramos vaarios tipos? los pellizcos normales, los pellizcos con torsión, los de oleaje, los de aproximación y separación, los pellizcos con fricción y los picoteos.

Pellizcos normales

Para realizar los pellizcos normales hay que agarrar una porción de masa carnosa

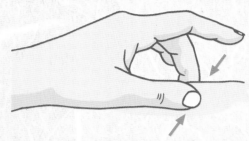

entre los dedos medio o índice y pulgar, deslizándola entre ellos con gran rapidez.

Debe ponerse especial cuidado en la intensidad, puesto que se puede llegar a producir dolor. Se pellizcará hasta que se junten las dos partes del tejido y se soltará rápidamente. Esta maniobra produce una gran hiperemia.

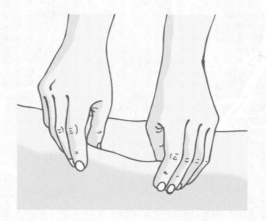

Pellizcos con torsión

Se realizan igual que los anteriores pero aplicando una pequeña torsión al tejido, antes de soltarlo.

Se produce, de este modo, una gran afluencia de sangre a la zona, lo que aumenta su nutrición.

Debe aplicarse en zonas muy carnosas, como puede ser el abdomen. Está indicada en la rehabilitación de zonas musculares.

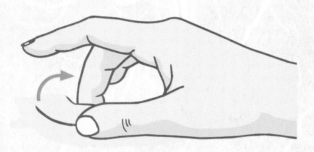

Pellizcos de Oleaje

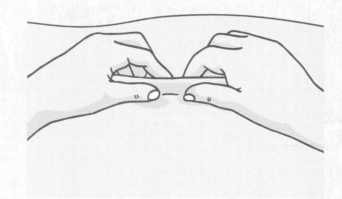

Para efectuar estos pellizcos, se deben colocar los dedos pulgares en un lado de la porción de tejido pellizcado, mientras el resto de los dedos se sitúa en el otro lado.

Se hace levantar el tejido, manteniendo siempre la misma altura, como si fuese una ola. Se utiliza en los masajes para reducción de grasas.

Pellizcos de aproximación y separación

Se realizan pellizcando la masa muscular con las manos, estirándola y encogiéndola.

También se utiliza para la reducción de grasas

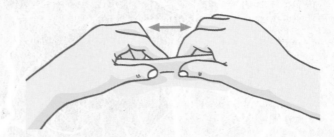

Pellizcos de aproximación y separación

Pellizcos con fricción

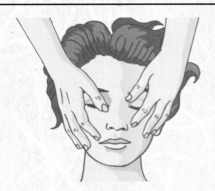

Se pellizca con el pulgar y el resto de los dedos en forma de pinza, procurando soltar el tejido nada más entrar en contacto con él.

Es preciso realizar esta manipulación con gran rapidez y juego de muñecas, para lograr un efecto relajante.

Picoteos

Son pellizcos suaves que se realizan con las yemas de los dedos y producen una ligera tumefacción en la zona. Se hacen en áreas muy pequeñas, como los laterales de la frente, y para trabajar las patas de gallo.

ROCES

Podemos distinguir dos clases de roces: roces sencillos y roces circunflejos.

Roces sencillos

Dedos ligeramente separados y flexionados. Con una cierta presión se pasan las yemas por la piel, como si se intentara hacer surcos en línea recta. Con estas manipulaciones aumenta la circulación sanguínea y linfática, elevándose la temperatura de la zona. Son estimulantes y se usan en masaje deportivo.

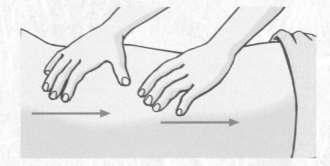

Roces circunflejos

Los roces circunflejos se realizan de manera similar a los roces sencillos pero, con la diferencia de que, a medida que se desciende por el tejido, se van haciendo ondas.

Este tipo de manipulaciones están especialmente indicados para el masaje en la espalda y en caso de insuficiencia muscular.

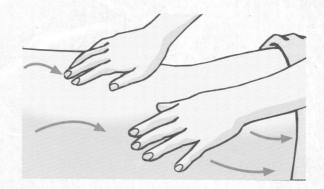

FRICCIONES

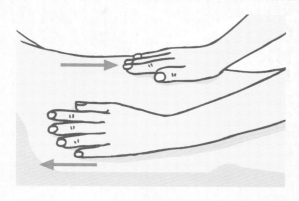

Las fricciones se efectúan con la mano abierta sobre la piel del paciente. Con cierta presión, se fricciona el cuerpo, para generar calor en la zona. La velocidad no puede ser excesiva, ya que se corre el riesgo de romper algún vaso sanguíneo. Esta manipulación se realiza en casi todos los tratamientos. Activa la circulación venosa y facilita la disminución de los edemas y estasis sanguíneos, especialmente si se realiza desde las extremidades en dirección al corazón, lo que favorece la circulación de retorno.

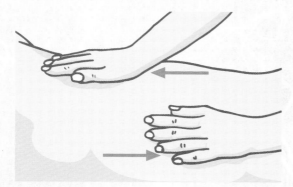

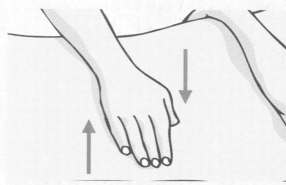

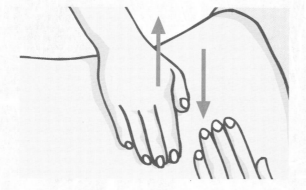

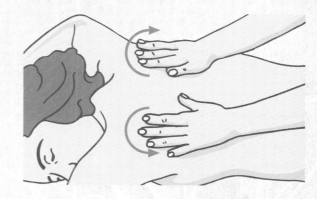

TECLETEOS

Para realizar los tecleteos es necesario golpear con las yemas de los dedos, un poco flexionados, con velocidad.

Esta técnica estimula el sistema nervioso y, aplicándola sobre la columna vertebral, ayuda a combatir el insomnio.

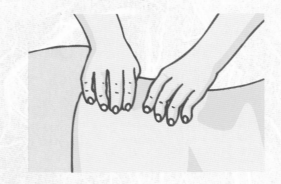

RODAMIENTOS

Esta maniobra se realiza con las manos ligeramente flexionadas, comprimiendo el músculo contra el hueso y aplicando un movimiento de vaivén a toda la masa muscular. Los rodamientos están formados por tres manipulaciones: pre-

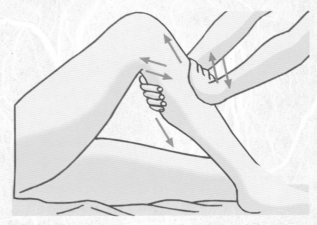

sión, amasamiento y fricción, realizadas ascendiendo y descendiendo rápidamente. Estimulan la circulación sanguínea y fortalecen los músculos. Se usan sobre las extremidades.en tratamientos deportivos.

VIBRACIONES

Tensando el bíceps se consigue una vibración que se transmite a través de la mano del terapeuta a un punto del cuerpo del paciente. Las vibraciones se aplican apoyando la mano o los dedos en la zona afectada. Es una técnica difícil que, si no se realiza bien, conlleva un derroche de energía del masajista, por lo que no suele practicarse mucho, aunque sus efectos son tremendamente benéficos. Puede hacerse en casi todas las partes del cuerpo, resultando múy sedante y relajante, tanto para la columna vertebral, como para mejorar una contracción muscular o una congestión hepática y estimular el peristaltismo intestinal. Esta maniobra llega hasta los tejidos profundos y se estimula el sistema nervioso.

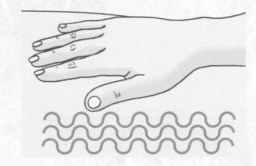

MASAJE GENERAL

Conociendo las manipulaciones básicas, es imprescindible saber la dirección en que han de trabajarse las zonas, la dirección de la musculatura o cadenas musculares, con el fin de no perjudicar al paciente.

Lo primero que debemos tener en cuenta es la posición en la que los músculos a tratar están más relajados. La espalda, por ejemplo, requiere que el paciente esté colocado en decúbito prono; el abdomen, en decúbito supino, con las piernas flexionadas. Las extremidades se masajean por las dos caras, apoyando manos y pies en la camilla o sobre el cuerpo del terapeuta.

Un masaje local durará unos 20 minutos y uno masaje general entre 40 y 45 minutos por término medio. No obstante, la duración del masaje puede variar dependiendo de la zona a tratar y de la musculatura del paciente. El masaje general debería llevar el siguiente orden: cabeza y cara en primer lugar, seguido de tórax y abdomen. Después de trabajar el tórax, se tratan las extremidades superiores y, después del abdomen, las inferiores. Finalmente, para que el paciente se sienta más relajado, se masajearía la espalda. No obstante, y con el fin de que el paciente se encuentre menos cohibido, suele comenzarse por la espalda.

La intensidad o profundidad del masaje está en función del paciente, aunque normalmente se distinguen tres variantes:

Intensidad superficial
Aplicable a niños, ancianos y personas con musculaturas débiles.

Intensidad media o muscular
Es la más frecuente, beneficiosa para todo los pacientes.

Intensidad profunda
Normalmente utilizada para deportistas.

En todo caso, conviene preguntar al paciente si la intensidad aplicada le produce dolor o bienestar, y adaptarse lo más posible a sus necesidades.

MANIPULACIONES BÁSICAS

- Pases magnéticos
- Vaciado venoso

- Amasamientos	Digital Digito-palmar Digito-nudillar Nudillar Nudillar total Pulpo-pulgar Tenar	- Pellizcos	Normales Con torsión De oleaje De aprox. /separac. Con fricción Picoteos
- Percusiones	Cachetes cubitales De puño cerrado Dorso-palmar Palmadas planas Palmadas cóncavas Palmadas digitales P. dig. con fricción	- Roces	Sencillos Circunflejos

- Fricciones
- Tecleteos
- Rodamientos
- Vibraciones

CÓMO MASAJEAR LAS DIFERENTES PARTES DEL CUERPO

Las diversas manipulaciones básicas, propias del masaje terapéutico, se combinan para masajear cualquier parte del cuerpo teniendo en cuenta la musculatura y el tamaño de la zona a tratar.

En un área pequeña o poco musculosa, las manipulaciones fuertes, o que se realicen con toda la mano, dificultan la capacidad de maniobra del terapeuta y restan eficacia al masaje, pudiendo producirse un efecto contrario al deseado, con aumento de la irritabilidad del sistema nervioso periférico.

La dirección de cada maniobra vendrá dada por las fibras musculares, la circulación venosa, arterial y linfática, y el sistema nervioso; y dependerá de lo que se pretenda conseguir con cada manipulación.

A continuación, veremos las diferentes partes del cuerpo, la dirección con que deben realizarse las maniobras en cada una de ellas, las manipulaciones que se siguen para el masaje de cada parte en concreto y el orden en el que ininterrumpidamente deben hacerse.

Conviene recordar que no se puede generalizar, que no todos los masajes serán iguales como no lo son las personas que han de recibirlos, pero los esquemas que se ofrecen son los básicos y aconsejables en términos generales.

El masajista es el encargado de dar la intensidad, duración y ritmo apropiados a cada caso, según su intuición y experiencia le vayan dictando. Siguiendo el orden que mencionábamos como aconsejable para un masaje general, se describe primero el masaje de la cara para seguir con el cuello y cintura escapular, pasando al tórax, extremidades superiores, manos, abdomen, piernas, pies y espalda.

La duración de un masaje completo no debe exceder los 60 minutos, ni los 20 cuando se trate de un masaje local.

Hay que hacer hincapié en que no es aconsejable centrarse en una articulación o zona, incluso si el dolor esté allí localizado, ya que, inevitablemente, los músculos próximos estarán afectados y conviene comprobar su estado, porque, si existe esta tensión muscular, el restablecimiento no será tan duradero como sería de desear, aunque en el momento el paciente experimente mejoría.

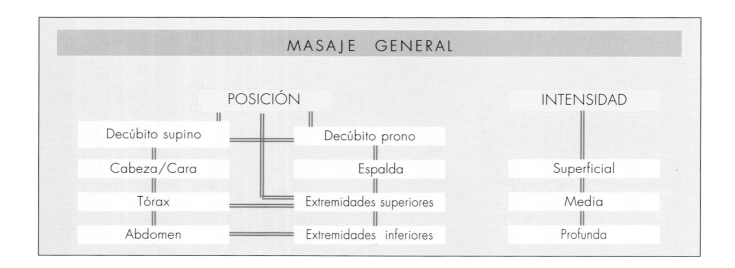

MASAJE GENERAL		
POSICIÓN		INTENSIDAD
Decúbito supino	Decúbito prono	
Cabeza/Cara	Espalda	Superficial
Tórax	Extremidades superiores	Media
Abdomen	Extremidades inferiores	Profunda

CARA

Pases magnéticos - fase inicial
Amasamiento digital y digito-nudillar

Pases magnéticos - fase profunda

Vaciado venoso general

Vaciado venoso general profundo

Vaciado venoso
Picoteos

Vaciado venoso
Tecleteos

Vibraciones (en zonas neurálgicas)

Palmadas con fricción

CUELLO Y CINTURA ESCAPULAR

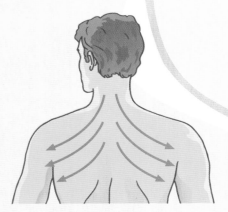

Pases magnéticos

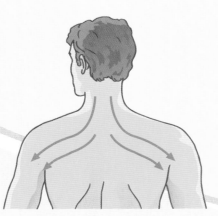

Vaciado venoso

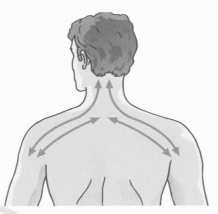

Amasamientos digitales

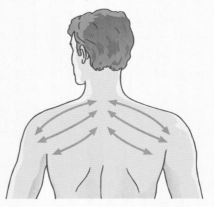

Amasamientos digito-palmares
(manos juntas, sólo trapecio)

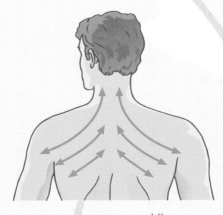

Amasamientos nudillares
(fase profunda)

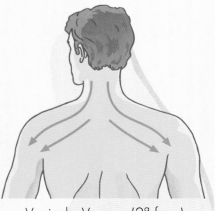

Vaciado Venoso (2ª fase)

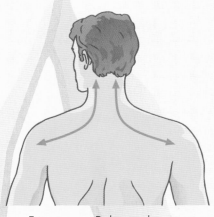

Fricciones Pulpo-pulgares

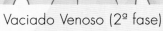

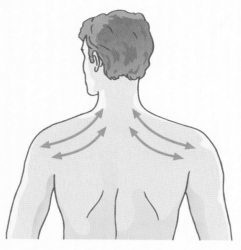

Cachetes cubitales

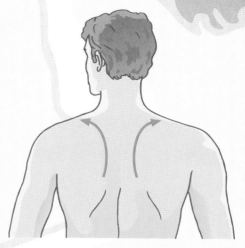

Percusiones de puño cerrado

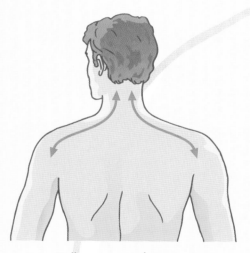

Pellizcos con fricción

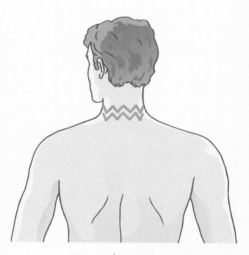

Vaciado venoso
Vibraciones

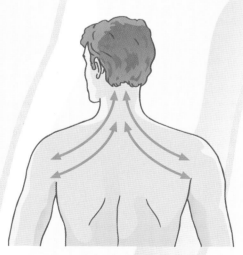

Tecleteos

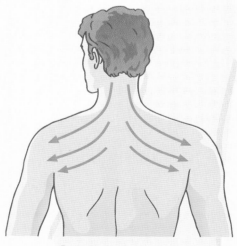

Pases magnéticos

TÓRAX

Cuando el paciente sea una mujer, no se deberá masajear el pecho bajo ningún concepto.

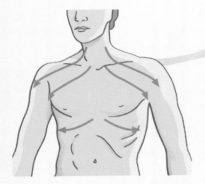

Pases magnéticos
Vaciado venoso

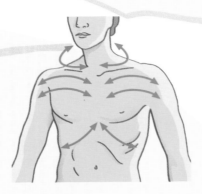

Amasamientos digitales

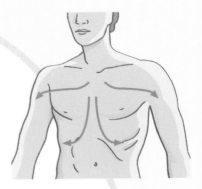

Amasamientos digito-palmares

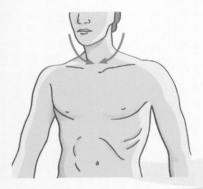

Amasamientos digito-nudillares

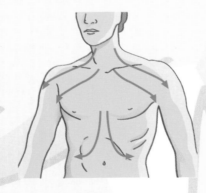

Vaciado venoso
Amasamientos dorso palmares
Palmadas digitales
Roces

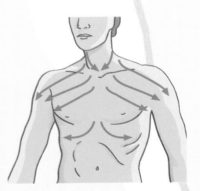

Pellizcos con fricción

Vaciado venoso
Vibraciones

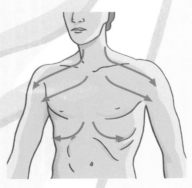

Tecleteos

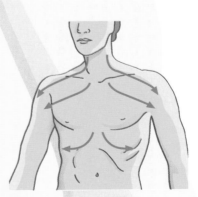

Pases magnéticos

EXTREMIDADES SUPERIORES

Pases magnéticos

Vaciado venoso

Amasamientos digitales
Amasamientos digito-palmares

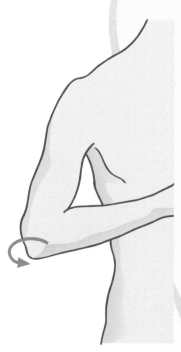

Amasamientos nudillares

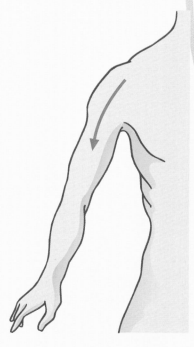

Vaciado venoso
Cachetes cubitales
(en zonas carnosas)

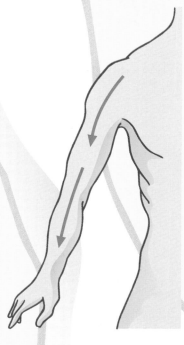

Cachetes cóncavos
(sólo en grandes
musculaturas)

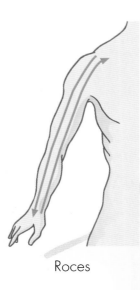

Roces

Vaciado venoso
(2ª fase)

Fricciones

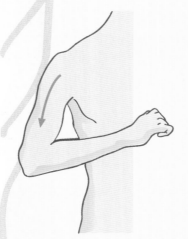

Rodamientos
(sólo en bíceps)

Vibraciones

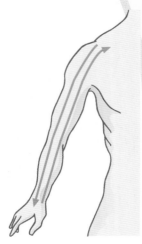

Pellizcos con fricción

Vaciado venoso
(3ª fase)

Tecleteos
Pases magnéticos

MANOS

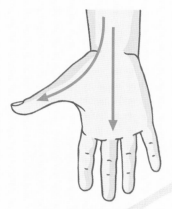

Pases magnéticos

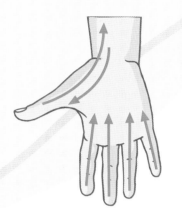

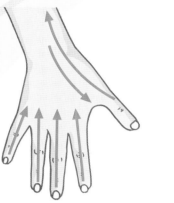

Vaciado venoso (palma y dorso)

Vaciado venoso
Pases magnéticos

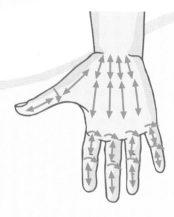

Amasamientos digitales
(dedo a dedo)

Amasamientos nudillares
(palma)

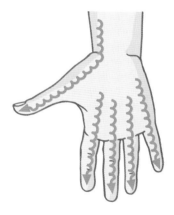

Amasamientos tenares

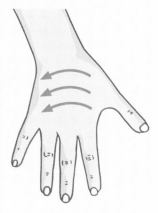

Roces (en los
tendones del dorso)

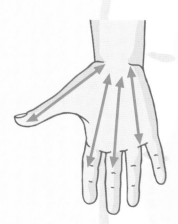

Fricciones

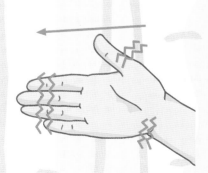

Vibraciones
(traccionando la mano)

ABDOMEN

Se debe seguir la dirección del intestino grueso.
Las piernas estarán flexionadas.
En las mujeres hay que poner especial cuidado, por posible existencia de ovarios poliquísticos.

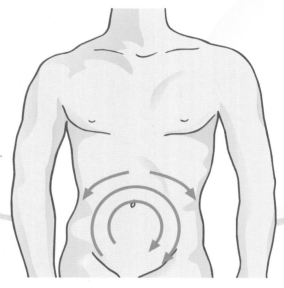

Pases magnéticos
Vaciado venoso

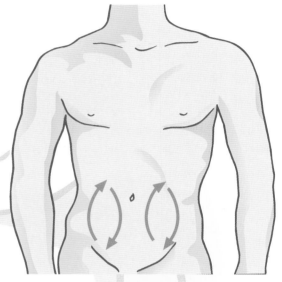

Amasamientos digitales

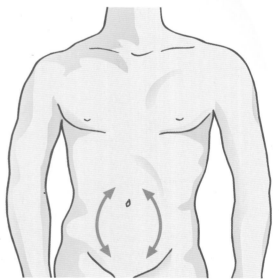

Amasamientos digito-palmares
Vaciado venoso
Cachetes cubitales
(si la zona no está blanda)

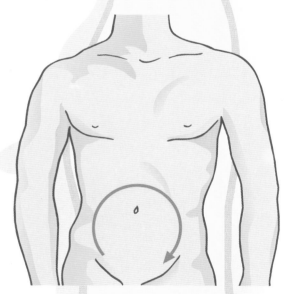

Amasamientos dorso-palmares

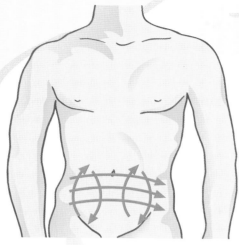

Pellizcos de oleaje
o de aproximación y separación
(dependiendo de cómo esté el tejido)

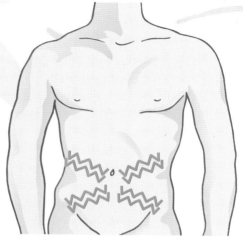

Vibraciones
(moviento todo
el paquete intestinal)

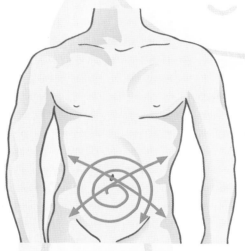

Vaciado venoso
Fricciones

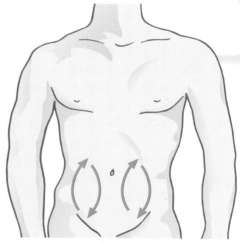

Vaciado venoso
Tecleteos

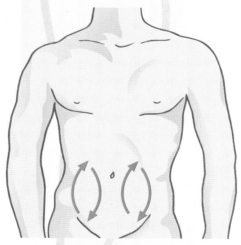

Pellizcos con fricción

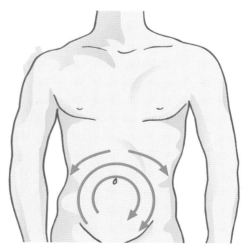

Pases magnéticos

PIERNAS

La pierna sobre la que se trabaje ha de estar flexionada. El masaje en las piernas se realiza en dos fases: pie-rodilla, rodilla-muslo.

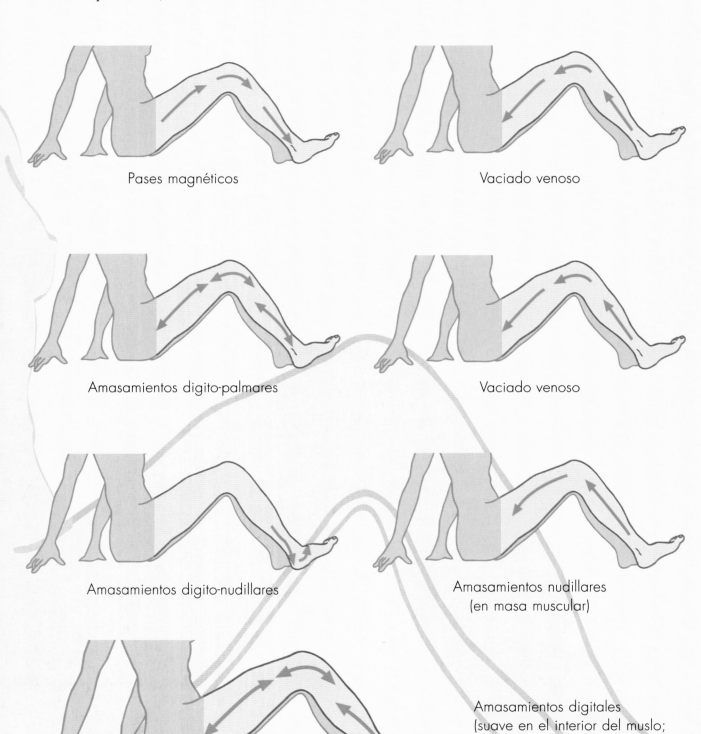

Pases magnéticos

Vaciado venoso

Amasamientos digito-palmares

Vaciado venoso

Amasamientos digito-nudillares

Amasamientos nudillares
(en masa muscular)

Amasamientos digitales
(suave en el interior del muslo;
no tocar la cresta tipbia y el
hueco poplíteo.
Dirección: hacia el corazón)

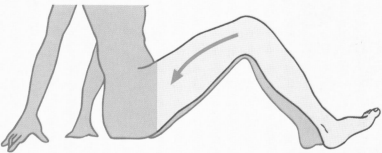

Cachetes cóncavos

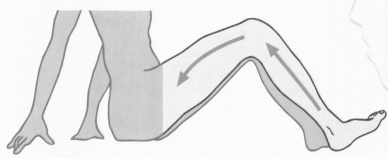

Roces

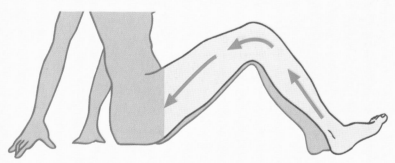

Vaciado venoso (2ª fase)

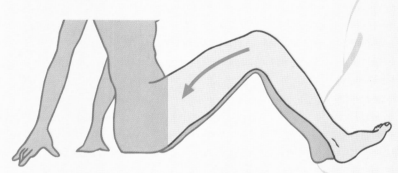

Pellizcos con fricción

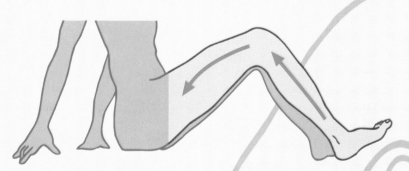

Vaciado venoso
Tecleteos

Vibraciones

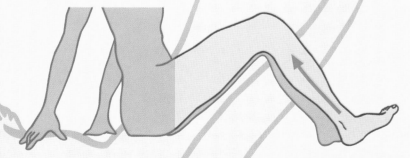

Rodamientos

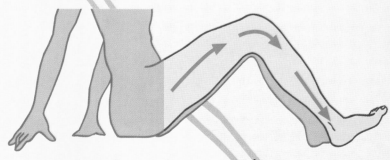

Pases mágneticos (2ª fase)

PIES

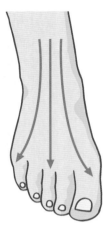

Pases magnéticos

Vaciado venoso

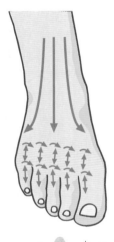

Amasamientos digitales

Amasamientos nudillares

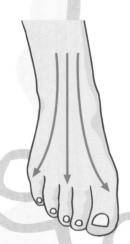

Amasamientos tenares

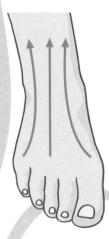

Vaciado venoso

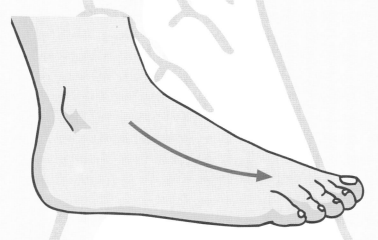

Cachetes cubitales (si hay problemas circulatorios)

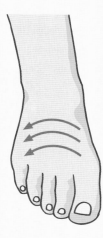

Saltar tendones

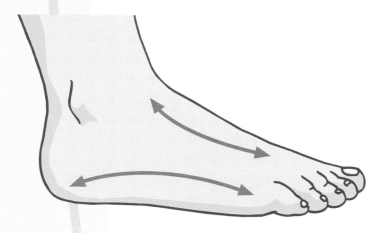

Fricciones

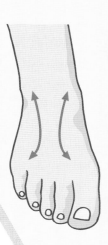

Vaciado venoso
Tecleteos

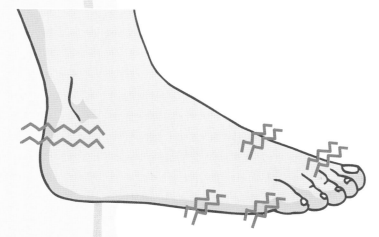

Vibraciones (traccionando ligeramente)

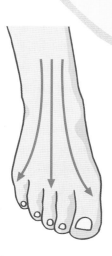

Pases magnéticos

ESPALDA

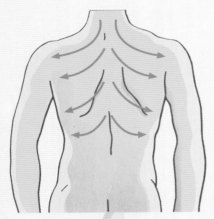

Pases magnéticos
Vaciado venoso

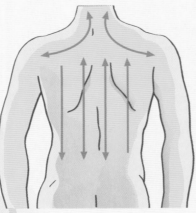

Amasamientos digitales
(primero a un lado
y luego al otro)

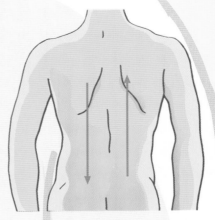

Amasamientos
digito-palmares

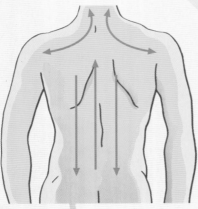

Vaciado venoso
Amasamientos nudillares
(ascender por la columna
con nudillar reforzado)

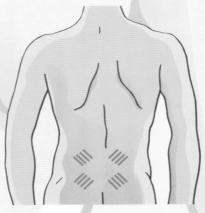

Fricciones
pulpo-pulgares

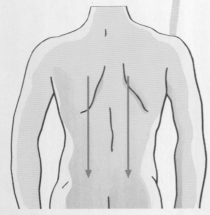

Amasamientos
digito-nudillares

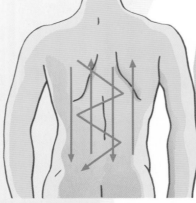

Vaciado venoso
Cachetes cubitales

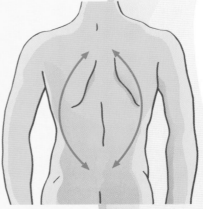

Palmadas
cóncavas

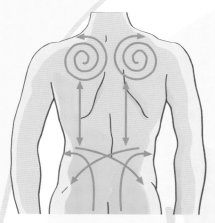

Vaciado venoso
Fricciones (A)

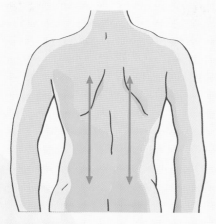

Vaciado venoso
Pellizcos con fricción (B)

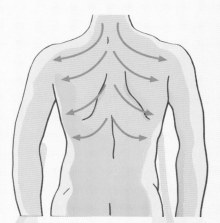

Vaciado venoso
Pases magnéticos

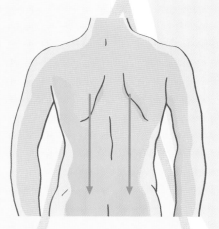

Percusiones dorso-palmares
Vaciado venoso
Roces digitales

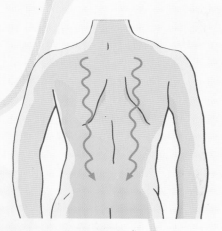

Roces circunflejos

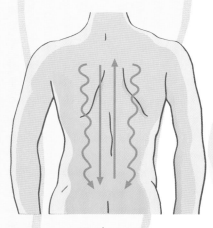

Tecleteos

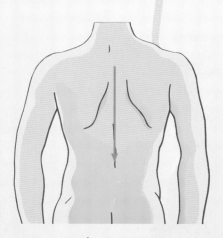

Vibraciones

TRATAMIENTOS RECOMENDADOS PARA LAS AFECCIONES MÁS COMUNES

ARTERIOESCLEROSIS

La arterioesclerosis es una de las enfermedades producto del consumo excesivo de grasas animales y alimentos refinados, típicos de nuestra civilización actual, aunque también pueden producirla la hipertensión, la diabetes o la obesidad.

Por cualquiera de estas razones, el tejido conjuntivo de la capa vascular se esclerosa, facilitando que se deposite colesterol y cal. Como consecuencia, los vasos sanguíneos pierden su elasticidad y se transforman en tubos rígidos y frágiles. En estas condiciones, la zona interna se reduce y no pueden efectuarse los aumentos de diámetro requeridos para que se produzca la máxima irrigación.

Las alteraciones arterioescleróticas pueden localizarse en diversas partes del cuerpo.

La falta de aporte sanguíneo que produce esta enfermedad en las extremidades inferiores mejora con el masaje, puesto que la estimulación de la circulación venosa incide favorablemente en la arterial.

Cuando la alteración tiene lugar en las arterias cerebrales, la arterioesclerosis puede llegar a producir trombosis, embolias o hemorragias, y, si afecta a las coronarias, angina de pecho e infarto.

En cualquiera de estos casos, está indicado el masaje. Mediante las manipulaciones, se tratará de aumentar el flujo sanguíneo muscular periférico, con lo que se facilitará la circulación arterial.

Para las extremidades inferiores, las manipulaciones más indicadas son:
Amasamiento digital
Amasamiento dígito-palmar
Roces
Rodamientos

ARTRITIS

En las articulaciones se dan a menudo procesos inflamatorios, o artritis, que cuando son la manifestación local de un estado infeccioso (tuberculosis, reumatismo agudo, etc.), no deben tratarse con masaje durante el período de inflamación.

No obstante, muchas de las artritis pasan progresivamente a un estado crónico sin presentar reacción inflamatoria alguna, evolucionando hacia la anquilosis, o inmovilidad articular, y la atrofia muscular.

El masaje y la movilización tratan de restituir, dentro de lo posible, el juego de la articulación y la potencia muscular.

Para dar este masaje, conviene utilizar alguna pomada o linimento naturales que, por sus principios activos, ayuden a mejorar la zona afectada.

El orden de las manipulaciones es el siguiente:

Pases magnéticos
Vaciado venoso
Amasamientos (digital, digito-palmar, nudillar, pulpo-pulgar)
Vaciado venoso
Fricción
Movilizaciones
Vaciado venoso
Tecleteos
Pases magnéticos

Cuando la parte a tratar está bien trabajada y antes de terminar el masaje, en las primeras sesiones es aconsejable realizar una serie de movilizaciones pasivas en las que el paciente no realiza movimiento, sino que es el terapeuta quien mueve la articulación, para ampliarlas en sucesivas sesiones con movilizaciones resistidas, en las que ya el paciente colabora con el masajista para hacer los movimientos. Una vez que se ha logrado restablecer, mejorar o aliviar el problema articular, sería muy conveniente que el paciente realizara algún tipo de gimnasia de mantenimiento con ejercicios dinámicos que, respetando los grados de movilidad fisiológica de cada persona, hagan trabajar todas las articulaciones.

ARTROSIS

Se conoce como artrosis el desgaste de las articulaciones. Es una de las enfermedades reumáticas más frecuentes a partir de los 40 años.

Siempre da lugar a una contractura en la musculatura adyacente que, en la mayoría de las ocasiones, produce más dolor que el desgaste en sí.

En estos casos, el masaje se centrará en la reducción de la contractura muscular de la zona, la activación de la circulación para lograr una mayor nutrición, mejorando el metabolismo zonal, y la realización de movimientos pasivos y activos. Con los movimientos pasivos se consigue: conservar la potencia articular (evitando la retracción capsular) y la longitud y flexibilidad tisular de los músculos; mantener los receptores sensoriales en su función (si el déficit neurológico es motor); e impedir contracciones musculares residuales. Con los movimientos activos se logra: mejorar la motricidad y la incapacidad articular, muscular, vasomotora, postural,

etc.; perfeccionar la respuesta voluntaria muscular; y recuperar y desarrollar, mediante ejercicios apropiados, la ejecución de movimientos habituales en la vida cotidiana y profesional. La combinación de masaje y movilizaciones puede detener el proceso degenerativo.

Una alimentación equilibrada y controlada, sin excesos en la cantidad y lo menos tóxica posible, ayudará a que no se produzcan en el organismo carencias de minerales o vitaminas, o bien que haya más catabolitos de los que el cuerpo pueda eliminar. También favorecerá la recuperación del paciente artrósico.

En cuanto al masaje, es recomendado para este tipo de dolencias, con manipulaciones específicas según se trate de trabajar sobre las extremidades o sobre la columna vertebral. El orden de las maniobras a la hora de trabajar en las extremidades es el siguiente:

Pases magnéticos sedantes
Vaciado venoso
Amasamientos (digital, digito-palmar)
Vaciado venoso
Cachetes cóncavos
Fricciones
Rodamientos
Movilizaciones
Roces digitales
Pellizcos con fricción
Vaciado venoso
Tecleteos
Pases magnéticos sedantes

COLUMNA VERTEBRAL

Se tratará fundamentalmente el canal paravertebral. Una vez realizados los pases magnéticos sedantes y el vaciado venoso, las manipulaciones más indicadas son los amasamientos, sobre todo el digito-nudillar y el pulpo-pulgar, sobre el canal paravertebral y las apófisis espinosas. Se harán también roces pulpo-pulgares en el canal paravertebral, en dirección sacro craneal, para estimular los pares nerviosos y producir un efecto anestesiante.

BRONQUITIS

La bronquitis es una de las enfermedades más comunes durante el invierno. Presenta problemas respiratorios

y de expectoración, debido a que se producen grandes concentraciones de mucosidad en los conductos respiratorios. A menudo suele estar asociada con el enfisema pulmonar y estadísticamente se ha confirmado que la mayoría de las personas que padecen bronquitis son fumadores, considerándose el cigarrillo la principal causa de esta enfermedad. *El tratamiento* será local en *espalda y tórax.*

Espalda

Pases magnéticos sedantes
Vaciado venoso
Amasamiento digital
Amasamiento digito-palmar
Vaciado venoso
Amasamiento nudillar
Amasamiento nudillar total
Cachetes cubitales } *Expectorantes*
Palmadas cóncavas } *Expectorantes*
Cachete puño cerrado} *Expectorantes*
Vaciado venoso
Cachete dorso-palmar
Roces digitales
Roces digitales circunflejos
Fricción
Pellizcos con fricción
Vaciado venoso
Vibración
Tecleteos
Pases magnéticos sedantes

Tórax

Pases magnéticos sedantes
Vaciado venoso
Amasamiento digital

Amasamiento digito-palmar
Vaciado venoso
Cachete cubital
Fricciones
Presiones torácico-respiratorias
Presiones torácico-expectorantes
Pellizcos con fricción
Tecleteos
Vaciado venoso
Pases magnéticos

CELULITIS

La celulitis se produce cuando un tejido hinchado de grasa y repleto de agua, sal y hormonas, queda atrapado entre adherencias.

Los signos más destacados de esta anomalía son: la piel de naranja, con granulaciones que aparecen al presionar la zona, y el dolor que también se manifiesta a la presión.

Siempre se localiza en la pelvis, muslos y piernas, siendo poco habitual entre los hombres y bastante común entre las mujeres.

Aunque el componente hereditario, hormonal, alimenticio, o el sedentarismo son las causas de esta disfunción, siempre se produce cuando hay problemas de circulación capilar.

El masaje, por lo tanto, al actuar sobre la circulación, activándola y mejoramdo el metabolismo de la zona, ayuda en gran medida a eliminar esta enfermedad.

Para aplicar el tratamiento más adecuado, conviene tener en cuenta que no todas las celulitis son iguales y que, dependiendo de su origen, podemos clasificarlas como celulitis dura, celulitis blanda o celulitis edematosa.

Celulitis dura

Invade, de forma compacta, los muslos o la pelvis. A la palpación se nota un acolchamiento grueso y muy adherido a los músculos, hasta el punto de impedir el desplazamiento del tejido.

Hace que la piel se mantenga tensa y seca. Son frecuentes las equimosis o manchas hemorrágicas pequeñas, provocadas con facilidad por cualquier golpe.

Aparece en mujeres jóvenes, con tejidos y piel todavía muy tónicos. Es la responsable de las estrías. Para este tipo de celulitis conviene aplicar vaciados y amasamientos (digital y digito-palmar).

Celulitis blanda

Más grave y antiestética que la anterior y más expuesta a complicaciones. Se reconoce fácilmente ya que por su volumen tiende a descolgarse por el peso. Es muy móvil y se desplaza fácilmente a la presión. Produce un aflojamiento de los tejidos que provoca ondulaciones en las que la circulación, mal alimentada, se entorpece, las venas se hinchan y los tejidos son propensos a edemas. El masaje ha de realizarse con cuidado para no producir petequias, siendo las manipulaciones más apropiadas los amasamientos, digital y digito-palmar, y vaciados venosos.

Celulitis edematosa

Es poco frecuente y la más grave de las celulitis. Produce unos aumentos de volumen considerables que pueden hacer que las medidas de la pelvis y muslos se incrementen hasta en 10 cm. en un mismo día.Durante estas crisis, que suelen desaparecer con la menstruación, hay mala eliminación urinaria, estreñimiento pertinaz, dolores de cabeza, ahogos, y estrías que invaden la pelvis y muslos.

En el masaje se favorecerá el retorno venoso poniendo las piernas más altas que el resto del cuerpo.Las manipulaciones serán superficiales para no producir roturas de los vasos sanguíneos.

TRATAMIENTO GENERAL
Pases magnéticos sedantes
Vaciado venoso
Amasamiento digital
Vaciado venoso
Amasamiento digito-palmar
Vaciado venoso
Fricción
Tecleteos
Vibración
Pases magnéticos sedantes
En los tres casos de celulitis, el masaje, al actuar sobre la circulación venosa y linfática, hace que la mejoría sea notable.

CONTRACTURAS

Se clasifican como sigue:
• Contracturas permanentes espasmotónicas (como lo son las parálisis progresivas, hemiplejias o atrofias musculares).

• Contracturas por acortamiento de ligamentos o una aponeurosis.

• Contracturas o calambres que se producen simplemente por un trabajo excesivo de los músculos, típicas de los deportistas.

Las últimas son las más frecuentes. En ellas no todo el músculo está contraído, sino que son sólo parte de las fibras musculares las que están afectadas por esta fibrositis. Da lugar a unos abultamientos específicos y suelen ser muy dolorosas.

Al pasar los dedos pulgares por el músculo para efectuar el diagnóstico, se llega a un punto en que el deslizamiento se dificulta y, a la presión, se produce un dolor agudo. Será el punto de localización de la fibrositis o contractura parcial. Las manipulaciones suelen ser muy molestas. Para tratar esta contractura, se efectuarán amasamientos, poniendo mucho cuidado para ocasionar el menor daño posible.

TRATAMIENTO
Pases magnéticos sedantes
Vaciado venoso
Amasamiento digital
Amasamiento digito-palmar
Vaciado venoso
Amasamiento digito-nudillar
Amasamiento pulpo-pulgar
Roces digitales
Pellizcos con fricción
Tecleteos
Vibración
Vaciado venoso
Pases magnéticos sedantes

EMBARAZO

En el caso de que exista una amenaza de aborto o pérdidas de sangre más o menos importantes, estará claramente contraindicado el masaje durante el embarazo, pero sólo en estas situaciones de riesgo.

Hay que tener en cuenta que el cuerpo de una embarazada está sufriendo una serie de transformaciones fisiológicas que, tras los primeros meses, puede empezar a causarle molestias.

Después del quinto mes, suelen aparecer lumbalgias al acentuarse la lordosis lumbar natural debido al aumento del volumen del abdomen. Se tratarán como cualquier lumbalgia común, pero con la paciente sentada en un taburete o silla sin respaldo y apoyada en una mesa o camilla, con los brazos cruzados y la cabeza reposando sobre ellos. Así se evitan las molestias que sobre la madre y el niño produciría el decúbito prono.

Los amasamientos, especialmente el pulpo-pulgar en el canal paravertebral, y las vibraciones son las manipulaciones más indicadas.

Este masaje también ayuda a aliviar las molestias que la tendencia a separarse en las articulaciones sacroilíacas pueden producir.

El útero, en su expansión, comprime las venas ilíacas y hace disminuir la circulación venosa, lo que con facilidad se traduce en varices, que mejorarán al aplicarle el tratamiento antivaricoso normal.

Después del parto, el masaje ayudará a que la musculatura abdominal recobre su tono habitual, pero será preciso esperar a que pase el puerperio para que los órganos y tejidos alterados durante el embarazo recuperen su estado normal. Es posible que las piernas estén todavía un poco hinchadas o que las varices no hayan desaparecido. Conviene masajearlas para mejorar la circulación.

TRATAMIENTO
Pases magnéticos sedantes
Vaciado venoso
Amasamiento digital
Amasamiento digito-palmar
Vaciado venoso
Amasamiento nudillar
Amasamiento nudillar total
Amasamiento pulpo-pulgar (combinando con roces pulpo-pulgares ascendentes en el canal paravertebral)
Vaciado venoso
Fricción (sedación de glúteos)
Tecleteos
Vibración
Vaciado venoso
Pases magnéticos sedantes

ESGUINCES Y DISTENSIONES

Se puede hablar de esguince o distensión, cuando se rompen total o parcialmente algunas fibras de un ligamento de sostén, manteniéndose intacta la continuidad del mismo. En cualquiera de los dos casos, siempre aparece un proceso inflamatorio agudo, con dolor e hinchazón, y a veces hematomas, que hacen que el masaje en ese momento esté contraindicado. Si se trata de una simple torcedura, sin mucha importancia, se aplicarán compresas de agua fría, y cuando los signos de inflamación hayan disminuido o desaparecido, (a las 24 ó 48 horas), se podrá masajear la zona afectada. Si se trata de este tipo de torcedura, el dolor aparece únicamente cuando se presiona la zona lesionada.

Si la distensión es muy fuerte, y el dolor espontáneo y la inflamación no desaparecen en 24/48 horas, será preciso que el médico inmovilice la zona. El masaje estará indicado cuando la inmovilización de la articulación ya no sea necesaria, para ayudarle a recuperar movilidad, y tono muscular. En el caso de que fuera preciso tratamiento quirúrgico, el masaje se aplicará cuando el especialista haya dado el alta.Después de la inmovilización, se pierde el tono muscular, y el masaje nutre, tonifica y ayuda a recobrar la elasticidad normal de los músculos afectados por la inmovilización. Se tratará la articulación, y los músculos relacionados con ella, mediante amasamientos, especialmente nudillares y pulpo-pulgares.

TRATAMIENTO
Pases magnéticos sedantes
Vaciado venoso
Amasamiento digital
Amasamiento digito-palmar
Amasamiento nudillar) dirigidos a la articulación
Amasamiento pulpo-pulgar) sobre todo a lo ligamentos
Vaciado venoso
Fricción
Rodamiento
Movilizaciones
Roces digitales
Vaciado venoso
Pellizcos con fricción
Tecleteos
Pases magnéticos sedantes

ESTREÑIMIENTO

La dieta habitual de la mayoría de las personas que habitan la parte del planeta Tierra considerada como más civilizada, más desarrollada y más pudiente, es rica en consumo de carnes, productos refinados (harina blanca, arroz descascarillado y azúcares) y tóxicos como el café, el tabaco y el alcohol y pobre en alimentos vegetales, en los que abunda la celulosa, estimulante natural del intestino.

El no tener una hora fija de comida y evacuación, comer deprisa masticando poco, ingerir alimentos blandos y cocinados hasta eliminar la capacidad estimuladora de la celulosa, y las bebidas calientes o excesivamente frías, unido a los malos hábitos alimenticios, dan lugar a una de las más extendidas enfermedades actuales: el estreñimiento. Otra de sus causas es el sedentarismo, que hace perder el tono muscular abdominal y favorece el prolapso intestinal.

Por supuesto, el estrés y algunas alteraciones nerviosas llegan a producir espasmos que hacen que el colon se contraiga, impidiendo la normal evacuación. También puede producir estreñimiento, aunque es menos frecuente que se dé, el dolicocolon, que no es otra cosa que un colon más largo de lo habitual.

No se le suele prestar mucha atención a esta disfunción del aparato digestivo, hasta que no se empiezan a sentir sus consecuencias, entre las que aparece como más molesta el dolor de cabeza, o por los menos más llamativa, porque la verdad es que el estreñimiento es la semilla de muchas enfermedades.

Para luchar contra él, se impone un cambio de dieta, que deberá establecer un especialista, el hacer ejercicio cada día y evitar en lo posible el estrés. El masaje reforzará este tratamiento y hará que los resultados sean más rápidos y duraderos.

Los cachetes giratorios compresivos y dorsopalmares, además de las vibraciones, que aumentan el peristaltismo intestinal, son las manipulaciones más apropiadas.

Para lograr una mayor relajación antes de masajear el abdomen, conviene trabajar primero la espalda. La posición del paciente ha de facilitar la distensión del abdomen, por lo que es aconsejable que, una vez en decúbito supi-

no, flexione las piernas y haga respiraciones lentas y profundas.

TRATAMIENTO:
El orden de las manipulaciones será:
Pases magnéticos sedantes
Vaciado venoso
Amasamiento digital
Amasamiento digito-palmar
Vaciado venoso
Amasamiento dorso-palmar
Cachete giratorio compresivo
Vibración
Vaciado venoso
Pases magnéticos sedantes

GASES

La hiperfermentación intestinal es una de las molestias digestivas más comunes. Se produce cuando la flora microbiana intestinal se exalta debido a su acción sobre diversos alimentos sin digerir que se encuentran en los intestinos. También se producen gases cuando se ingiere aire con la comida (aerofagia).

La masticación rápida impide que los alimentos sean bien triturados por los dientes y se impregnen bien en la saliva que tiene a su cargo la preparación del bolo alimenticio (mediante la Ptialina, que escinde el almidón transformándolo en maltosa, y la Mucina, secreción mucosa que facilita el deslizamiento del alimento), para que el gran laboratorio que es el aparato digestivo cumpla adecuadamente sus funciones.

Las dentaduras en mal estado no pueden cumplir con su cometido de reducción de las partículas alimenticias. No hay que olvidar que la digestión comienza en la boca y que los dientes tienen como misión en este proceso el cortar (incisivos), desgarrar (caninos) y triturar (pre-

molares y molares) los alimentos. Si esta primera parte de la digestión no se realiza debidamente, el resto del aparato digestivo se verá afectado.

Cuando, por alguna de estas causas u otras similares, se generan cantidades anormales de gas o existe alguna incapacidad para eliminar las que se producen normalmente, aparecen los clásicos síntomas de gases y las consabidas molestias abdominales que en ocasiones producen un dolor agudo en el hipocondrio izquierdo que llega a confundirse con un dolor cardíaco.

El masaje ayuda a las personas que padecen con frecuencia este problema, aunque conviene que el masajista le haga ver que un cambio de hábitos alimenticios y una manera más racional de masticación e insalivación pueden hacer que ese problema desaparezca.

La posición del paciente en la camilla deberá favorecer la relajación abdominal, tumbado en supino con las rodillas flexionadas.

El amasamiento digito-palmar es la manipulación más importante en estos casos.

Con la mano en forma de U, empezando desde la parte inferior del abdomen, se irá amasando hacia arriba todo el paquete intestinal, llegando hasta la zona epigástrica.

Durante el tratamiento se incorporará al paciente cuantas veces sea necesario para que expulse los gases.

Éste será el orden de las manipulaciones a seguir para estos casos:

Pases magnéticos sedantes
Vaciado venoso
Amasamiento digital
Amasamiento digito-palmar
Amasamiento digito-palmar (con una mano se insiste en el paquete intestinal)
Fricciones
Vaciado venoso
Pases magnéticos sedantes

HÍGADO

El masaje es de gran ayuda si el hígado no realiza bien su función colerética (estimulación de la producción de bilis) y la colagógica (estimulación del flujo de la bilis hacia el duodeno). Así, si es deficiente, las digestiones son difíciles por el mal metabolismo de las grasas.

Por ello, el masaje está recomendado siempre que exista una hipofunción hepática, pero estará contraindicado en casos de cirrosis, inflamaciones hepáticas y siempre que exista dolor en la zona.

Para cerciorarse de que podemos masajear sin producir ningún daño, es preciso hacer un diagnóstico por palpación, introduciendo la mano por debajo del reborde costal derecho comprobando que ni hay dolor ni el hígado sobrepasa esa zona costal, lo cual sucederá en el caso de inflamación o hepatomegalia (crecimiento del hígado), informando de que no debe realizarse manipulación alguna. No es misión del masajista.

Una vez que se ha confirmado que no existe ninguna contraindicación, las manipulaciones más apropiadas para estimular la función hepática son las palmadas cóncavas, mientras que las vibraciones estimularán el sistema nervioso de esa región, mejorando la función del hígado.

EL TRATAMIENTO por lo tanto constará de:
Pases magnéticos sedantes
Vaciado venoso
Amasamiento digital
Amasamiento digito-palmar
Vaciado venoso
Palmadas cóncavas (no más de seis)
Vibraciones
Tecleteos
Pases magnéticos sedantes

LUXACIONES

Cuando de manera traumática se dislocan o desplazan las superficies de cualquier articulación, produciéndose una luxación, existen unas consecuencias inmediatas y unas secuelas, a veces graves.

En ocasiones se produce una restricción del movimiento o una anquilosis más o menos persistente. Para evitarlo, es preciso tratar cuanto antes estas luxaciones por medio de masajes y movilizaciones. Hay que tener en cuenta que la recuperación de los movimientos deberá hacer-

se muy lentamente y que no siempre se va a lograr la movilidad total.

En una primera fase se practicará la inmovilización de la parte afectada para permitir que se restablezcan los tejidos, ceda la inflamación y se puedan realizar las manipulaciones apropiadas con el menor dolor posible. Por supuesto, hay que contar con que no existen daños óseos, que se trata de una luxación simple. Tras la inmovilización, el masaje puede aplicarse una o dos veces al día, durante una o dos semanas para, dependiendo de la evolución del paciente, ir espaciándolo en las semanas siguientes.

Las movilizaciones pasivas (es el terapeuta quien las hace moviendo y cambiando de posición un grupo muscular), se pueden comenzar a hacer desde el tercer o cuarto día, y dentro de la segunda semana se incluirán en la rehabilitación de esa articulación, las movilizaciones activas (las realiza el propio paciente hasta el límite o resistencia que sus restricciones le permitan).Estas movilizaciones hacen que se active la circulación, tonifican la musculatura y flexibilizan los ligamentos.

EL TRATAMIENTO de luxaciones incluye:
Pases magnéticos sedantes
Vaciado venoso
Amasamiento digital
Amasamiento digito-palmar
Amasamiento nudillar
Amasamiento pulpo-pulgar
Vaciado venoso
Movilizaciones
Fricción
Vibración
Vaciado venoso
Pases magnéticos sedantes

NEURALGIAS

En las neuralgias, el dolor se extiende por la trayectoria de uno o más nervios debido a que un tronco nervioso de mayor o menor importancia está comprimido en un canal osteofibroso (de tejido fibroso y hueso) o en un intersticio muscular.

Suelen desencadenarse más habitualmente en las salidas de:

• Las raíces nerviosas a través de los agujeros de conjunción de la columna vertebral.

• Los tres ramos perforantes de cada nervio intercostal.

• Los nervios del plexo braquial en el espacio entre los escalenos anterior y posterior

• Los orificios supraorbitarios, inframbitarios y mentoniano del nervio facial.

Existen muchas variedades de neuralgia, pero las más frecuentes son las de origen mecánico en las que la raíz queda aprisionada o comprimida por una oclusión o atrapamiento vertebral. Aunque en estos casos la movilización de las vértebras, la reducción de las subluxaciones sacroilíacas y otras maniobras correctoras del desplazamiento efectuadas manualmente son a veces muy eficaces, deben reservarse a osteópatas o quiroprácticos muy especializados, porque, si no se realizan bien, pueden ser peligrosas.

El masaje reduce el dolor y mejora la rigidez muscular producida por la inflamación del nervio en este tipo de afecciones.

El TRATAMIENTO a realizar incluye:
Pases magnéticos sedantes
Vaciado venoso
Amasamiento digital
Amasamiento digito-palmar
Presiones
Fricciones
Vaciado venoso
Tecleteos
Pases magnéticos sedantes

OBESIDAD

Aún cuando existe mucha publicidad y mucho comercio en torno a la obesidad y es evidente que se puede tratar con masajes, conviene aclarar desde el principio que, cuando se trata de verdadera obesidad, esto es, desarrollo anormal de grasa en el tejido celular subcutáneo, el masaje tendrá unos efectos mediocres y dudosos sobre el origen de la grasa, si el tratamiento no está reforzado por un régimen alimenticio restringido y ejercicios físicos que se irán incrementando paulatinamente.

Lo que sí puede hacer el masaje es facilitar la eliminación de los productos de combustión de las grasas.

Conviene recordar que la obesidad es el resultado de un desequilibrio entre la cantidad de nutrientes y la actividad muscular, dependiendo el tipo de obesidad de la preponderan-

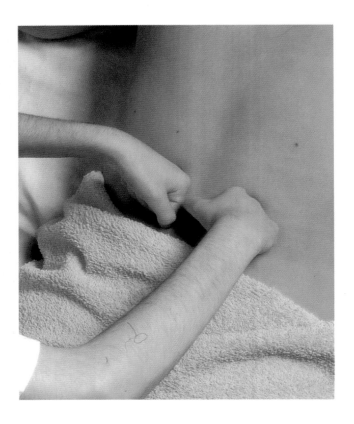

cia de uno de estos dos factores: cantidad de nutrientes y actividad muscular.

No es igual la obesidad de los grandes comedores que la de las personas sedentarias, aunque los dos factores que se mencionan van casi siempre asociados.

En el caso de los grandes comedores, suelen ser los hombres los más afectados.

Comen demasiado, por lo general, teniendo en cuenta el ejercicio que realizan. Las mujeres son más asiduamente candidatas al caso segundo, el sedentarismo.

No hacen suficiente ejercicio aunque coman menos.

Por supuesto, hay otros tipos de obesidad que dependen de alteraciones o trastornos glandulares, aunque son menos frecuentes.

El masaje será especialmente útil al principio del tratamiento de la obesidad de los grandes comedores, conocida también como obesidad pletórica, cuando la persona no se ha mantenido inactiva, ha hecho algo de deporte y los miembros conservan una estructura más o menos normal, aunque el vientre está distendido.

El tratamiento para la obesidad, pretende favorecer el metabolismo de las grasas y reducir el volumen de las zonas afectadas, pero, hay que insistir en que si se controla la dieta y se

realizan ejercicios apropiados, los resultados son mejores.

Las manipulaciones que ayudan en la lucha contra la obesidad son:

Pases magnéticos sedantes
Vaciado venoso
Amasamiento digital
Amasamiento digito-palmar
Cachetes cubitales
Palmadas cóncavas
Vaciado venoso
Pellizcos de oleaje
Pellizcos de aproximación y separación
Fricción
Pellizcos con fricción
Vaciado venoso
Tecleteos
Pases magnéticos sedantes

PARÁLISIS

Una poliomielitis o una hemiplejia dan lugar, en algunos casos a parálisis completas, definitivas. Aunque no llega a restablecerse la movilidad, el masaje tiene unos efectos excelentes en estos casos.

La circulación, en estos miembros inertes, no es buena.

Los músculos están mal nutridos, degenerando en tejido fibroso, la piel se reseca y las articulaciones se van anquilosando.

El masaje logra restablecer cierta circulación, estimulando los intercambios nutricios y el organismo puede luchar mejor contra estas secuelas.

Son aconsejables las manipulaciones que producen una mayor hiperemia como son:

Pellizcos
Pellizcos con torsión
Cachetes radiocubitales
Fricciones

Cuando las parálisis no son completas, sino parciales, presentando problemas de espasticidad (hipertonicidad o aumento del tono muscular normal) hay que masajear buscando la posición de mayor confort muscular, sin tratar de reducir la contracción espástica.

Se irá poco a poco mejorando el metabolismo de la extremidad afectada y se irá ganando en funcionalidad. En estos casos, están indicados los amasamientos y las manipulaciones relajantes.

TRAUMATISMOS Y LESIONES ARTICULARES

Los masajes tienen la virtud de mejorar siempre la función articular, incluso cuando no existen traumatismos ni lesiones, y deberían recibirse periódicamente, pero su aplicación está mucho más justificada cuando se producen contusiones, esguinces, etc.

Las lesiones articulares son muy dolorosas y provocan una inmovilización instintiva de la articulación, lo que conlleva el enlentecimiento de la circulación y la aparición de tejido fibroso. Las consecuencias de esta reacción de defensa del organismo que pretende evitarnos el dolor mediante una postura antiálgica, serán las rigideces articulares y anquilosis progresivas.

Estas regideces, cuando parece que la lesión ya está curada, llevan a una disminución, a veces seria, del juego articular, que mejora con lentitud y no acaba de restablecerse. Desde el primer momento es preciso centrarse en la lucha contra esta tendencia a la anquilosis y no prolongar excesivamente la inmovilización por sistema. El masaje para combatir estas lesiones o traumatismos articulares, tiene una acción anestésica, disminuyendo la impotencia funcional y activando la circulación con lo que se beneficia al metabolismo.Los movimientos activos y pasivos ayudan a eliminar adherencias (fibrosis) que se han producido por la lentitud circulatoria y la impotencia funcional. Para lograr un restablecimiento más completo se realizarán:

Pases magnéticos sedantes
Vaciado venoso
Amasamiento digital
Amasamiento nudillar
Amasamiento pulpo-pulgar
Vaciado venoso
Fricción hipotenar
Movilizaciones
Rodamiento
Pellizcos con fricción
Vaciado venoso
Vibraciones
Tecleteos
Pases magnéticos sedantes

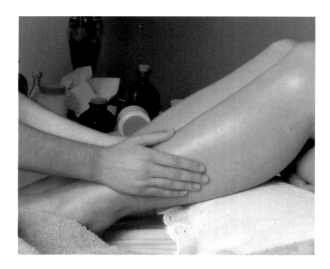

VARICES

Las varices, o dilataciones venosas, aparecen por lo general en personas a las que su profesión les exige pasar muchas horas de pie. El sistema venoso se ve en estos casos obligado a vencer la fuerza de gravedad hasta el corazón. El ensanchamiento de las venas y los pliegues que en estados avanzados llegan a producirse, hacen que se estanque la sangre en los miembros inferiores y la circulación de retorno se vea claramente afectada, dando lugar, en ocasiones, a trombos, flebitis, etc.

Aparecen en edades avanzadas, cuando ya la pared venosa ofrece menos resistencia a la distensión, aunque no están libres de este padecimiento personas jóvenes, y, con más profusión, mujeres.

Dependiendo de si las venas afectadas corresponden a la circulación superficial o profunda, se puede hablar de varices externas o internas. Al circular más lentamente, en el interior de las venas llegan a formarse coágulos o trombos. Para comprobar si existen en una zona determinada de las piernas, se pasa el dorso de la mano por dicha zona. Si se perciben diferencias de temperatura, y se ve claramente que hay excesivo calor, es un síntoma de que la sangre está ahí semiestancada y de que es posible que existan trombos o flebitis.

En ese caso no se debe masajear esa zona, ya que se corre el riesgo de que los trombos se desprendan incorporándose al torrente sanguíneo, con el peligro que eso conlleva. Cuando las varices afectan a la circulación, aparece hinchazón, pesadez de piernas, dolor y, en casos más graves, pueden dar lugar a la aparición de úlceras varicosas. Como la circulación sanguínea no es fluida y no se sanea bien esa región, pueden anidar bacterias provocando en estas úlceras supuración y pérdida de sangre constante.

El masaje tiene que ser superficial cuando exista este problema y ha de favorecer siempre la circulación de retorno. Conviene colocar las piernas más altas que el cuerpo para que la propia gravedad facilite el masaje.

Si se comprueba que no hay muchas venas implicadas, pero que, las que lo están, están seriamente dañadas, el masaje se dará sin tocarlas, bordeando la zona, y haciendo mucho hincapié en el vaciado venoso.

Se pueden realizar las siguientes maniobras:
Pases magnéticos sedantes
Vaciado venoso
Amasamiento digital
Vaciado venoso
Amasamiento nudillar
Vaciado venoso
Tecleteos
Vaciado venoso
Pases magnéticos sedantes

MANIPULACIONES PROFUNDAS

Por mucho que se hable de lo que el sedentarismo puede perjudicar, nunca será suficiente. Una de sus consecuencias más inmediatas es la repercusión negativa sobre articulaciones y músculos. Los márgenes articulares van perdiendo poco a poco elasticidad y algunos grupos musculares llegan a adquirir posiciones de acortamiento debido a la vida sendentaria.

Es indudable que el masaje es un aliado insustituible cuando se trata de hacer frente a las secuelas que produce este tipo de vida. Las manipulaciones de un masajista bien entrenado logran potenciar la eliminación de sustancias tóxicas almacenadas en la sangre, produciendo un riego más potente en las zonas del cuerpo afectadas. La mejor irrigación las tonificará y saneará, pero a veces no será suficiente porque el abandono llega a hacer estragos y lo que en principio se solucionaría con facilidad ha dado paso a una patología crónica.

En estos casos, conviene recurrir a técnicas específicas perfectamente estudiadas y descritas para ir, primero de una forma más directa a calmar el dolor y, en una fase posterior, a dar elasticidad a los músculos resentidos y a restablecer el movimiento articular con la intención de evitar la degeneración de los tejidos. Tanto en procesos crónicos como en agudos, por diferentes causas, es fácil encontrarse con que algunos músculos o grupos musculares se han acortado. Entre las causas de estos acortamientos musculares y siempre teniendo como punto de partida el mencionado sedentarismo, destacan cosas tan simples y cotidianas como los malos hábitos al sentarse o los asientos que hacen al cuerpo adoptar una postura antianatómica y también los vicios posturales mientras se está de pie. En este último caso, es muy frecuente el adoptar habitualmente la misma posición, cargando el peso del cuerpo sobre un lado, lo que hace que un grupo muscular trabaje en exceso, mientras otros permanecen reiteradamente inactivos.

Si se toma conciencia de estos vicios posturales, pueden subsanarse y evitar muchos problemas de columna, porque cuando un músculo o grupo de músculos se acorta, otros, tratando de compensar el desequilibrio, producirán el efecto contrario: se estirarán en exceso, perdiendo tono muscular, lo que los debilitará.

Los malos hábitos posturales pasarán factura en la pelvis, los isquiotibiales, psoas ???, rotadores internos y aductores. En las piernas, los gemelos y sóleo, tendrán una clara tendencia al acortamiento, mientras que los glúteos, abdominales, cuádriceps, espinales, tibiales y peronéos son los más firmes candidadatos a perder su tonicidad.

En muchos casos, esta tendencia hipotónica se refleja con claridad en la estética corporal, como es el caso de una musculatura abdominal débil, pero es mucho más importante su repercusión en el funcionamiento visceral. Al estar la pared abdominal distendida, los órganos internos se desplazan dando lugar a muchas patologías.

Una demostración del caso contrario, es decir, un músculo o grupo muscular excesivamente contraído, es el de los rotadores externos de cadera. Bajo ellos, importantes elementos vásculo-nerviosos tienen la misión de hacer funcionar a las extremidades inferiores.

Cuando la contracción es anormal, los vasos sanguíneos y los nervios quedan atrapados y no pueden cumplir su misión con normalidad. Es frecuente, por ejemplo, la contractura del músculo piramidal de la pelvis, que da lugar a pseudociáticas que remiten con facilidad al estirar este músculo.

Los ligamentos se lesionan por presión, tracción, irritación o rotura, alterándose su misión de soporte, a veces porque determinados movimientos, posturas o actividades los ponen en tensión permanente o intermitente. Cuando es así, la mejor forma de que recobren su longitud normal es el reposo hasta que se recobre el tono habitual; debiendo, a partir de ese momento, centrarse el tratamiento en el refuerzo de los músculos de la zona.

Las manipulaciones profundas son las idóneas para solucionar problemas de contracturas o debilidad de los músculos, movilidad articular o restringida, que ya se van haciendo crónicos. Para ello se recurrirá a las técnicas siguientes:

Punto gatillo
Técnica de Jones
Bombeos
Espondiloterapia
Presiones
Estiramientos musculares contrariados
Estiramientos vertebrales
Pinzado rodado
Fricción pulpo-pulgar en el canal paravert bral
Tratamiento de fascias
Estiramientos isométricos
Movilizaciones

PUNTO GATILLO

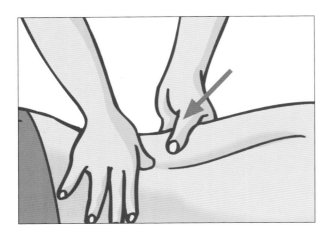

Punto gatillo en el cuadrado lumbar

Se conoce con este término al lugar donde se desencadena el dolor. La técnica inhibidora está basada en los 90 segundos que tarda la corriente nerviosa en llegar al cerebro. Si se corta durante ese período de tiempo esta corriente, se consigue un efecto anestesiante.

Según la zona a tratar, el paciente se colocará en supino o en prono. El terapeuta, una vez localizado el punto doloroso, sitúa el dedo medio o el pulgar encima. Pide al paciente que respire lenta y profundamente y que se mantenga relajado e inmóvil. (Es importante la inmovilidad total). El terapeuta presiona durante 90 segundos ininterrumpidamente en la zona de dolor.

TECNICA DE JONES

Puede considerarse una variante de la técnica anterior. Se utiliza cuando al presionar en el punto gatillo el dolor es excesivo. En ese caso es preciso llevar el músculo a una postura de máximo confort, que se logrará acortándolo.

Para aplicar esta técnica en el trapecio o en el angular del omóplato, el paciente debe estar en prono. El terapeuta, a un lado de la camilla, buscará la posición en la que la cabeza del paciente logra hacer ceder la tensión muscular, presio-

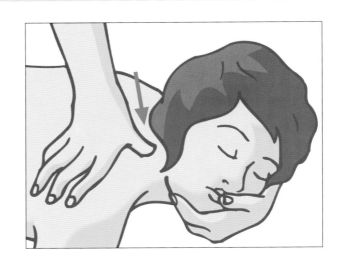

Trapecio

nando sobre el punto doloroso. Mantiene la presión 90 segundos. El paciente estará tumbado en la camilla en prono, cuando se aplique la técnica de Jones a los ligamentos Ilio-lumbares. El terapeuta, en el lado de la lesión, busca el punto

gatillo, mientras con la otra mano atrapa la pierna del lado lesionado realizando una extensión y abdukcción hasta encontrar el punto en que cede la tensión. Mantiene entonces la presión durante 90 segundos.

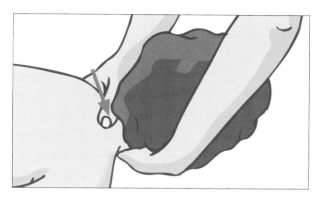

Angular del Omóplato

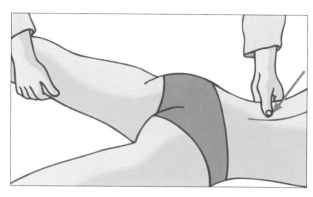

Ligamentos Ilio-lumbares

BOMBEOS

Se aplican específicamente a la columna vertebral, la articulación costo-esternal, y a los órganos internos por vía refleja a través de la parrilla costal.

Con esta técnica se pretende nutrir, drenar y activar la circulación de los tejidos.

Para aplicarla, es preciso sujetar los segmentos que se están tratando durante el inicio de la inspiración, soltándolos bruscamente antes de llegar a la inspiración máxima. Esta maniobra hace que la presión ejercida en la inspiración profunda bombee los tejidos, que reciben de esta manera un aporte brusco y rápido de nutrientes. Paralelamente, se liberan cartílagos o facetas articulares ligeramente superpuestas.

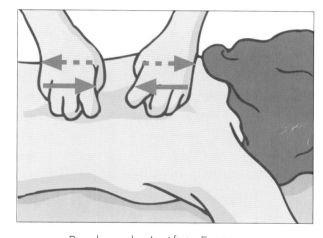

Bombeo de Apófisis Espinosas

El paciente estará en prono para realizar el bombeo de apófisis espinosas. El terapeuta, a un lado, atrapa las apófisis espinosas de las dos vertebras que requieran bombeos, con el índice y pulgar de ambas manos. Sujeta al principio de la fase de inspiración y suelta antes de la inspiración máxima.Para bombear varias vértebras se pueden utilizar las eminencias tenares.

En los bombeos adaptados a las escoliosis estructuradas el paciente deberá tumbarse en la camilla en posición de prono. El terapeuta se colocará del lado de la convexidad de la escoliosis, colocando ambas manos sobre las apófisis transversas de las vértebras de ese mismo lado, realizando movimientos de presión y empuje.

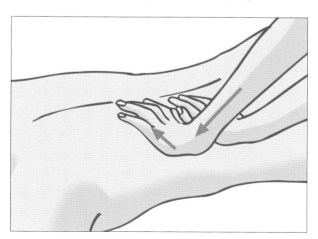

Bombeo de Escoliosis Estructuradas

Bombeos costales

Para realizar los bombeos costales superior e inferior, el paciente debe estar tumbado en supino y respirar con la boca abierta. El terapeuta se situará en la cabecera de la camilla para el bombeo costal superior, colocando las manos a ambos lados del esternón, sujetando la parrilla costal en el movimiento inspiratorio. Para el inferior, se sitúa a un lado de la camilla sujetando la parrilla costal inferior con ambas manos entrelazadas transversalmente. En ambos casos, soltará las manos antes de que el paciente realice la inspiración forzada máxima.

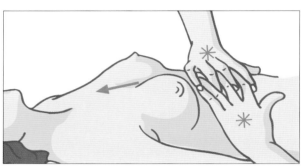

Superior

Inferior

ESPONDILOTERAPIA

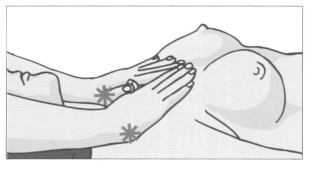

Espondiloterapia en una vértebra

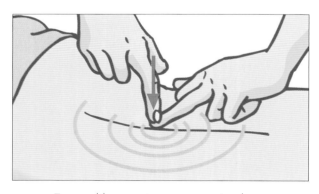

Espondiloterapia en varias vértebras

Esta técnica se utiliza para tonificar el sistema neurovegetativo por vía refleja, para lo cual se percute directamente sobre un segmento vertebral. La espondiloterapia se realiza cuando la zona está dolorosa al tacto y sirve para estimular el tejido y órgano inervado por el segmento percutido.

En la fase de inspiración se estimula el sistema simpático, en la de espiración el parasimpático y entre ambas fases respiratorias se considera neutro.

Puede realizarse sobre una o varias vértebras a la vez.

Para realizar la espondiloterapia sobre una vértebra, el paciente deberá estar en prono.

El terapeuta, a un lado de la camilla, coloca el dedo medio sobre la apófisis espinosa afectada. Con el mismo dedo de la otra mano, efectúa las percusiones sobre la uña del primero durante 5 segundos (aproximadamente 15 golpes).

Paciente y terapeuta en la posición descrita para una vértebra. La mano del terapeuta, extendida sobre el segmento a tratar, percutirá con el borde cubital del puño de la otra mano sobre ella. Se dan la misma cantidad de golpes.

PRESIONES

Esta manipulación está especialmente indicada en masaje deportivo y consiste en mantener durante varios segundos la presión sobre el vientre muscular, inhibiendo la contracción de las fibras.

Con el paciente en decúbito prono, el terapeuta, con los brazos totalmente estirados para transmitir el peso de su cuerpo a los músculos, apoya sobre la zona a tratar las eminencias tenar e hipotenar de una o ambas manos, ejerciendo una presión transversal a las fibras musculares.

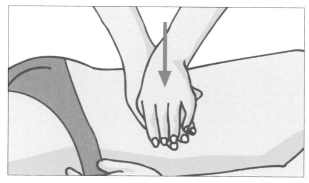

Presiones en el cuadrado lumbar

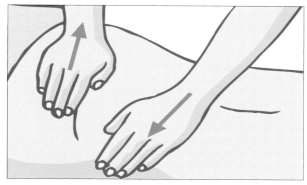

Presiones contrariadas del cuadrado lumbar

Para lograr una mayor superficie de estiramiento se realizan rotaciones de las manos, según se presiona, hacia uno u otro lado.

También se hacen presiones contrariadas, presionando con una mano el vientre muscular a inhibir, a la vez que con la otra se hace una presión en sentido contrario. Para no producir mucho dolor, estas presiones serán lentas y pausadas. En ambos casos, además de ayudar a normalizar el deslizamiento de las fascias y el drenaje de los tejidos, estas manipulaciones tienen un importante efecto relajante.

ESTIRAMIENTOS MUSCULARES CONTRARIADOS

Los estiramientos musculares contrariados tienen la misma finalidad que las presiones contrariadas ya descritas. En este caso, se utiliza un brazo de palanca (corto o largo) lo que permite ejercer una mayor presión con menos esfuerzo y mejores resultados.

También se utiliza en masaje deportivo y para musculaturas fuertes en general.

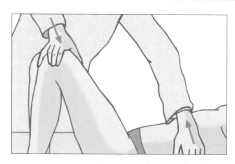

Estiramiento del cuadrado lumbar
con palanca larga

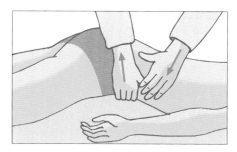

Estiramiento del cuadrado lumbar
con palanca corta

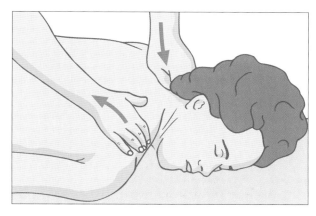

Estiramiento del trapecio con palanca corta

ESTIRAMIENTOS VERTEBRALES

Los estiramientos vertebrales tienen una gran repercusión en la nutrición de los discos intervertebrales. Al estirar la columna, además, se normaliza la posición del núcleo pulposo por succión, aumentando el espacio nuclear, mejora la circulación de la articulación y la alineación vertebral.

El paciente, con las piernas flexionadas, en posición de decúbito supino. El terapeuta, desde

la cabecera de la camilla, coge ambas rodillas presionando en la espiración hacia abajo y hacia delante.Con el paciente tumbado en supino, el terapeuta, desde la cabecera de la camilla, pone una mano a la altura del occipucio del paciente y con la otra sujeta la barbilla, realizando leves estiramientos aprovechando la fase de espiración del paciente.

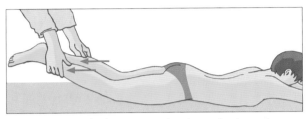

Estiramiento de la región lumbar de la columna

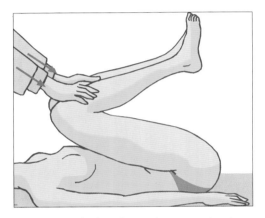

Estiramiento de la charnela sacro-lumbar en flexion máxima de cadera

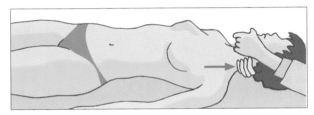

Estiramiento de la región cervical de la columna

PINZADO RODADO

Cuando el tejido está fibrotizado (adherido al hueso) esta técnica puede resultar dolorosa. Es muy útil en el diagnóstico de posibles problemas en la columna vertebral.

Tiene un efecto drenatorio y vascularizador importante. Esta técnica es parecida al pellizco de oleaje descrito en las Manipulaciones más importantes, sólo que en el pinzado rodado se levanta más el tejido

Se realiza en dos fases. En la primera, se pellizca la piel y tejidos adyacentes entre el pulgar y el resto de los dedos, que se desplazan rodando progresivamente mientras que transportan entre ellos un pellizco de tejido en forma de ola.

Cuando este tejido está fibrótico es preciso liberarlo y para ello se hace una tracción ascendente en la fase respiratoria de la espiración.

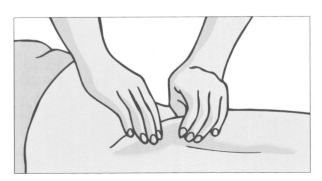

Pinzado rodado (Segunda fase)

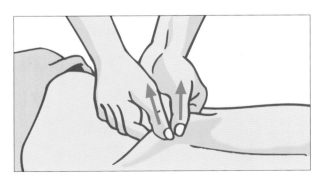

Pinzado rodado (Primera fase)

FRICCIÓN PULPO-PULGAR EN EL CANAL PARAVERTEBRAL

Esta técnica tiene unos efectos vasculares, anestesiantes y drenatorios considerables. Está especialmente indicada para la columna vertebral.

Para realizarla, los pulgares presionan a ambos lados de la columna en sentido ascendente, manteniéndose la presión mientras se deslizan los dedos.

Fricción pulpo-pulgar

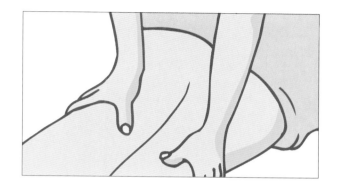

TRATAMIENTO DE FASCIAS

En nomenclatura anatómica se denomina fascia a una capa o banda de tejido fibroso. Es, entre otras cosas, la membrana que recubre la parte libre de los músculos.

Debido a que la musculatura de la espalda abarca grandes superficies, es importante el tratamiento de fascias, puesto que, si existe alguna disfunción muscular o articular, las fascias también resultan afectadas quedándose adheridas a los tejidos más profundos en vez de estar libres y flexibles.

El tratamiento requiere un diagnóstico previo para averiguar cuál es el lado afectado. Una vez realizado éste, la técnica se realiza en dos fases:

a) en el sentido de la lesión,

b) en el sentido de la corrección.

Siguiendo el ritmo de la respiración del paciente, puesto que a él se adapta el movimiento fisiológico de las fascias.

La cabeza del paciente estará, en la primera fase, rotada en el sentido de la lesión y en la segunda fase en el sentido de la corrección, para impedir que se aumente la tensión y para facilitar la realización de la técnica.

Para hacer el diagnóstico, el paciente estará tumbado en la camilla, en prono con la cabeza en posición neutra, es decir, apoyada en los brazos o en la camilla sin girarla a ninguno de los dos lados, porque cualquier otra posición tensa las fascias y falseará el diagnóstico.

El terapeuta coloca sus manos a ambos lados del canal paravertebral y le pide al paciente que respire lenta y profundamente. Comprueba, en el movimiento respiratorio, si el desplazamiento de las manos es simétrico. Si no lo es, en las siguientes respiraciones exagera el movimiento de las manos tanto en sentido ascendente como descendente. El lado de la lesión será aquél en el que el movimiento sea más fácil.

Para realizar el tratamiento, con el paciente en la misma postura que para el diagnóstico, se le pide que realice una respiración lenta y profunda. Las manos del terapeuta estarán en posición contrariada a ambos lados del canal paravertebral. Siguiendo el ritmo respiratorio, se realiza una presión contrariada, primero en el sentido de la lesión y luego, cambiando las manos de posición, en el sentido de corrección, hasta que se nota que ya no cede más. Esta técnica se puede hacer, también, utilizando los antebrazos en lugar de las manos, o con el canto de la mano sobre la columna si se quiere ser más selectivo.

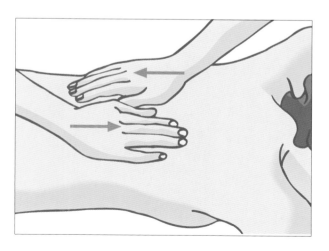

Tratamiento de fascias

CAPITULO V

Apuntes breves sobre anatomía

E s bastante habitual considerar el cuerpo humano como una serie de partes aisladas sin caer en la cuenta de que es una pieza sola o, en cualquier caso, un conjunto que trabaja solidariamente, y que no se debe desligar porque lo que le ocurre a la más pequeña de estas partes tiene relación con el resto. Un golpe dado en el dedo de un pie, o un esguince, llegan a tener repercusiones en sentido ascendente hasta la región cervical de la columna y la cabeza.

Si contemplamos el cuerpo humano con una visión mecánica, comprenderemos fácilmente estas repercusiones. Partiendo del ejemplo del esguince en un pie, es fácil comprender que el dolor va a hacer que se modifique la forma de pisar y de moverse al andar. Toda la cadena muscular relacionada directamente con la marcha tendrá que adaptarse para poder mantener el equilibrio. Pero también se involucrarán en esta rectificación el resto de los grupos musculares dorsales y cervicales, porque unos tirarán de los otros.

El cuerpo seguirá su tendencia instintiva para buscar la mayor comodidad sin perder el equilibrio y la horizontalidad de los ojos. Estas prioridades de equilibrio provocan posturas antiálgicas o no dolorosas que inevitablemente darán lugar a lesiones secundarias, que no se corregirán en tanto no se solucione la lesión primaria que las ha provocado.

Es como cuando un niño juega con bloques de madera. En el momento en que uno no está bien puesto, los que le siguen encima, para que la torre no se caiga, deberán ir compensando esa anomalía y adoptando posiciones extrañas. Si tuviesen la flexibilidad de los músculos, se retorcerían, estirarían o acortarían, según les conviniera para no caerse.

Por lo tanto, cuando exista una lesión, es imprescindible revisar las zonas próximas o de compensación, si se pretende hacer un trabajo serio y duradero. Además de estas alteraciones estructurales, también conviene tener en cuenta que, según la intensidad de la lesión, el funcionamiento de los tejidos se limita, y lo que en un principio es un problema funcional, que impide moverse con normalidad, llega a degenerar en alteraciones celulares de los tejidos implicados en la lesión. Así pues, las lesiones afectan, en un plazo más o menos largo, a la estructuras nerviosas, vasos sanguíneos, vísceras, huesos, ligamentos y articulaciones, músculos, piel y tejido conectivo:

Estructuras nerviosas: La lesión provoca irritación y compresión en los terminales nerviosos, disminuyendo o aumentando la conducción normal.

Vasos sanguíneos: Las funciones vasculares están regidas y coordinadas por el Sistema Nervioso Autónomo por lo que las alteraciones vasomotoras, por exceso o por defecto, condicionan el funcionamiento normal de los vasos sanguíneos. Las presiones directas sobre las paredes de los vasos sanguíneos o los defectos posturales de adaptación que sitúen la gravedad en dirección contraria del flujo sanguíneo normal, hacen que ese tejido esté mal nutrido.

Vísceras: Fundamentalmente les afectará la mecánica defectuosa de la columna vertebral. Se producirán impulsos vasomotores anormales dando lugar a una mala irrigación, congestiones venosas por posturas defectuosas y tensiones, y estiramientos anormales de los tejidos de sostén de las vísceras.

Huesos: Las presiones anormales continuas, llegan a deformar los huesos.

Ligamentos y articulaciones: Cada articulación tiene una manera específica de movimiento. Las presiones directas y los movimientos anormales, causan desgarros ligamentosos, irritación de las bolsas sinobiales, destrucción de cartílagos y, en términos generales, la degeneración de las superficies articulares.

Músculos: Cuando hay acortamiento muscular, existe la posibilidad de que se produzcan atrofias, alteraciones en las fibras (fibrositis), contracturas, dolores musculares (mialgias),

engrosamientos, etc.

Piel y tejido conectivo: Las presiones intermitentes dan lugar a un aumento de la estructura córnea y las cantimas provocan atrofia en la piel y enfermedades del colágeno.

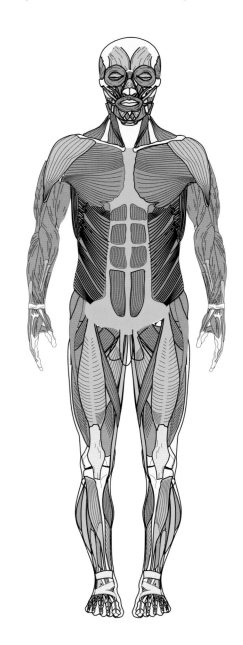

ELEMENTOS ANATÓMICOS MÁS IMPORTANTES

Retomando nuevamente la imagen del cuerpo humano desde la perspectiva de la mecánica, para que el sistema funcione, requiere una serie de elementos que, complementándose, dan forma al hombre o a cualquier animal, y le permiten moverse, entre otras cosas. Los huesos, ligamentos, tendones, músculos, tejido conectivo y fascias, son las partes anátomicas que hacen posible todo esto.

Los huesos son las piezas más duras del conjunto y van ensamblándose entre sí, formando articulaciones que facilitarán el movimiento, pero además tienen la misión de proteger algunas partes muy delicadas, como lo hace el cráneo con la masa encefálica o la columna vertebral con la médula espinal.

Dependiendo de la función que tenga asignada dentro del complejo anatómico, cada hueso tiene una forma específica y unas características diferentes, si bien es habitual clasificarlos en tres grandes bloques: largos, cortos y planos.

Los huesos largos tienen una parte central cilíndrica conocida como diáfisis, que está formada por tejido compacto y donde se encuentra la médula ósea, y dos extremos más voluminosos que la parte central, llamados epífisis, formados básicamente por tejido esponjoso y sobre los que se encuentran las superficies articulares recubiertas de cartílagos. La tibia, el peroné o el fémur pertenecen a este grupo de huesos largos.

Los huesos cortos tienen una masa central de tejido esponjoso, donse se aloja la médula ósea, que está revestida de tejido compacto, excepto en los puntos de correspondencia con las superficies articulares que, como en el caso de los huesos largos, están recubiertas de cartílago. Un ejemplo de este tipo de huesos son las vértebras.

Finalmente, los huesos planos están formados por tejido esponjoso revestido de dos capas de tejido compacto llamadas láminas o tablas externa e interna. Son la bóveda del cráneo, el esternón, etc. Para que puedan insertarse los tendones musculares, la parte externa de los huesos tiene algunas protuberancias o engrosamientos conocidas como apófisis o eminencias y cavidades o depresiones.

Los ligamentos son bandas de tejido fibroso que conectan huesos y cartílagos y que sirven para sostener y reforzar las articulaciones y limita sus movimientos. Cada articulación posee más de uno. Tienen una estructura de tejido fibroso denso con raras fibras elásticas, excepto en los ligamentos amarillos de la columna vertebral y en el de la nuca. Están tan fuertemente adheridos a los huesos, que resultaría más fácil romper el ligamento o el hueso que separarlos.

Los tendones son cordones fibrosos de tejido conjuntivo en los que terminan las fibras de los músculos. Sirven para que el músculo se inserte al hueso o a otra estructura. Son blancos, brillantes, de longitud y grosor variables y muy resistentes.

Los órganos activos del movimiento son los músculos. Tienen capacidad o tendencia a contraerse en respuesta a un estímulo adecuado, por lo que se dice que son contráctiles. Los músculos conocidos como rojos son estriados, con movimiento voluntario, y realizan su origen e inserción por medio de tendones. El otro grupo de

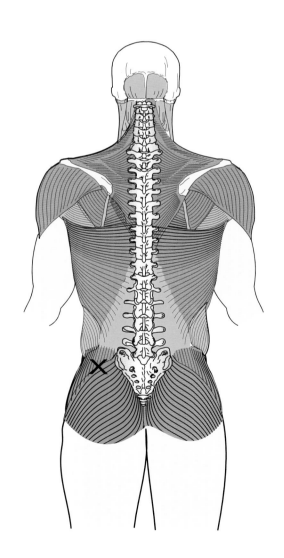

músculos, denominados blancos, son lisos, con movimiento involuntario propio de la vida vegetativa e intervienen en la constitución de las vísceras, formando en muchos casos la pared de los órganos huecos.

Si los músculos tienen su origen e inserción en los huesos, se llaman músculos esqueléticos, pero si están bajo la piel y se insertan en la dermis, reciben el nombre de músculos cutáneos.

Algunas veces los músculos tienen dos, tres o cuatro extremos o cabezas, denominándose en estos casos bíceps, tríceps o cuádriceps.

Los músculos esqueléticos hacen posible los movimientos de flexión, extensión, rotación, abducción, adducción o aducción, pronación y supinación. Con frecuencia, para realizar uno de estos movimientos, es preciso que se alíen varios músculos, hablándose en este caso de músculos asociados.

El tejido conectivo o conjuntivo es el que enlaza y sirve de sostén de las diversas estructuras del cuerpo. Está formado por fibroblastos, fibrocoglia, fibrillas de colágena y fibrillas elásticas. En él se desarrollan casi todas las reacciones de defensa del organismo cuando es atacado por sustancias extrañas.

En nomenclatura anatómica, el término fascia se utiliza para nombrar a una banda o capa de tejido fibroso, como sinónimo de aponeurosis y también se aplica a la membrana que recibe la parte libre de los músculos.

La fascia lata crural es la encargada de recubrir los músculos del muslo.

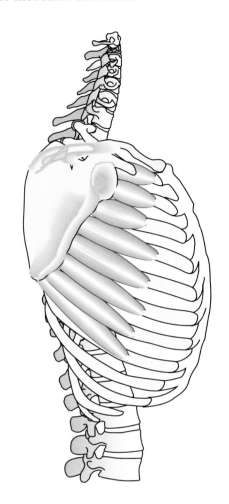

ACORTAMIENTOS MUSCULARES

El acortamiento de los distintos grupos musculares tiene una gran repercusión en las lesiones, en especial en las de la espalda, e involucra a otras estructuras. Mediante amasamientos, percusiones, y otras manipulaciones directas se consigue elastificar estos grupos musculares, pero además se utilizan otras técnicas que son más efectivas, sobre todo cuando están afectados músculos o grupos musculares profundos a los que no se tiene acceso de otra manera.

Dependiendo de la longitud del músculo, de su potencia o de la palanca sobre la que ejerza su acción, se puede recurrir a técnicas miotensivas, en las que se utiliza la tensión del músculo, o utilizar el peso del cuerpo del mismo paciente.

Se comprenden mejor las técnicas de estiramiento teniendo en cuenta el funcionamiento solidario de grupos musculares para lo cual puede considerarse esta división del cuerpo:

Extremidades inferiores y pelvis
Región dorsal de la columna y cintura escapular
Región cervical de la columna o cuello

Extremidades inferiores y pelvis

El hombre no siempre ha sido así. Su estructura física ha ido evolucionando y adaptándose en torno a un eje vertical, para contrarrestar la fuerza de la gravedad y las presiones que ejerce la resistencia del suelo durante la marcha. Tras esta tarea de adaptación al medio, en la que se invirtieron muchos miles de años, el sistema pélvico y las extremidades inferiores toman una nueva configuración con la bipedestación. Sobre ellas recae la responsabilidad del desplazamiento y son las que con más facilidad, al lesionarse, producirán en sentido ascendente, una serie de compensaciones estructurales para que el hombre se mantenga erguido.

Por supuesto, estas compensaciones van a repercutir en distintos grupos musculares que se irán adaptando desde los pies a la cabeza para que el homus erectus lo siga siendo. Es fácil comprender la relativa fragilidad de esta estructura y la facilidad de compensación de esta parte del cuerpo, simplemente con recordar que en cada uno de los coxales o huesos de la cadera se insertan 36 músculos y ocho en el sacro.

EXTREMIDADES INFERIORES Y PELVIS
GRADOS DE MOVILIDAD EN LOS GRUPOS MUSCULARES

CADERA

MOVIMIENTO DE FLEXIÓN-EXTENSIÓN

Paciente tumbado en supino con la parte del cuerpo que se vaya a comprobar al borde de la camilla y una de las piernas flexionadas. Los grados de movilidad a alcanzar por la otra, considerando la posición de partida 0º, serán, en dirección craneal, de 90º, sin que se levante de la camilla la articulación de la cadera. Cuando comience a despegarse estará forzando el movimiento, y se calculará la falta de movilidad. Volviendo la pierna a la posición de 0º, se comprobará el movimiento en dirección al suelo, con la pierna ligeramente fuera de la camilla, vigilando el despegue de la camilla de la cadera. La movilidad correcta en este caso es de 20º. Una vez comprobado un lado, se pasará al otro y se compararán entre sí.

Cadera. Flexión-extensión

FLEXIÓN (CON LA RODILLA EN FLEXIÓN)

El paciente tumbado en supino, con una pierna estirada y descansando en la camilla 0º. Al flexionar la otra, deberá lograr un arco de 135º. Menos grados indican acortamiento muscular. Se comprobará la otra pierna y se compararán entre sí.

Flexión (Rodilla en flexión)

ROTACIÓN

Se medirá la rotación con la pierna flexionada y mediante el juego de la rodilla. El paciente continúa en decúbito supino y la movilidad será de 45º en ambas direcciones. Siempre se efectúa la comprobación y confirmación de los dos lados.

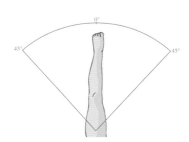

Rotación

ABDUCCIÓN-ADUCCIÓN

Continuando con el paciente en supino, se comprueba el movimiento en Aducción-Abducción. Las piernas estiradas y juntas. En este caso, los 0º se consideran partiendo del movimiento articular de la cadera. En abducción o separación de la extremidad se lograrán 45º, y en aducción con la pierna en dirección a la otra 15º. Como en casos anteriores, se comprueban las dos piernas y se comparan entre sí.

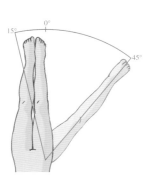

Abducción / Aducción

FLEXIÓN

Se cambiará al paciente de posición ya que la flexión se comprobará en decúbito prono. En esta posición, considerando los 0º el eje de la cadera, la pierna hará un recorrido de 130º. Se pueden flexionar ambas piernas a la vez comprobando así cual de las dos presenta más acortamiento.

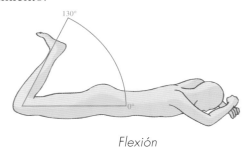

Flexión

EXTREMIDADES INFERIORES Y PELVIS MÚSCULOS MÁS IMPORTANTES

Los músculos que revisten mayor importancia para el quiromasaje terapéutico, en la mitad inferior del cuerpo, son los Isquiotibiales, que van del isquión o parte dorsal inferior del hueso ilíaco, a la tibia, y el glúteo mayor como grandes responsables de las alteraciones mecánicas del juego de la articulación pélvica, los abductores y aductores, rotadores internos y externos, cuádriceps, psoas, flexores, plantares, cuadrado lumbar y oblicuos.

Cada músculo o grupo muscular de la cadera, si es utilizado indebidamente, puede llegar a acortarse. La consecuencia inmediata es la restricción de movilidad en uno o ambos lados (unilateral o bilateral) afectando además a las articulaciones vecinas.

MÚSCULOS ISQUIOTIBIALES

El semitendinoso, semimembranoso y bíceps crural se localizan en la parte posterior del muslo, y componen el grupo de los isquiotibiales.

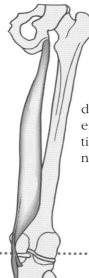

SEMIMEMBRANOSO

Va desde la tuberosidad Isquiática a insertarse en el cóndilo interno de la tibia. Hace flexionar la pierna y extender el muslo.

M. Semimembranoso

BÍCEPS CRURAL

El origen de este músculo está en la cara inferior interna de la tuberosidad isquiática. Se inserta en la cara externa de la cabeza del peroné, enviando una prolongación a la tuberosidad externa de la tibia. Su función es la de extensor del musloyflexoryrotadorinterno de la pierna.

M. Bíceps crural

SEMITENDINOSO

Tiene su origen en la tuberosidad Isquiática. Se inserta en la parte superior de la superficie interna de la tibia y su función es la de flexionar la pierna y extender el muslo.

M. Semitendinoso

GLÚTEO MAYOR

Este músculo tiene su origen en la superficie externa del ileón, superficie dorsal del sacro y coxis y ligamento sacrociático. Se inserta en la banda iliotibial de la fascia lata por encima del trocánter mayor, y en el surco que va del trocánter mayor a la línea áspera. Es uno de los principales músculos extensores y potente rotador externo, y uno de los responsables del acortamiento de la pierna.

M. Glúteo mayor

MÚSCULOS ABDUCTORES

Son los que se encargan de separar las extremidades inferiores.

Los más importantes son el glúteo mediano y el glúteo menor, aunque están ayudados en su función por el tensor de la fascia lata y el glúteo mayor.

GLÚTEO MEDIANO

Tiene su origen en la cara externa del Ileón entre las líneas glúteas anterior y posterior. Su función es la abducción del muslo. Se inserta en el trocánter mayor del fémur.

M. Glúteo mediano

GLÚTEO MENOR

Se origina en la cara externa del Ileón entre las líneas glúteas anterior e inferior. Tiene como función la abducción y rotación del muslo hacia adentro. Va a insertarse en el trocánter mayor del fémur.

M. Glúteo menor

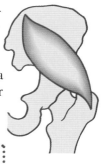

MÚSCULOS ADUCTORES

Su misión es aproximar las extremidades inferiores.

Están en este grupo los aductores mayor, mediano y menor, pectíneo, y recto interno del muslo.

ADUCTOR MAYOR

Se localiza en la cara interna del muslo. Su origen está en la rama inferior del pubis, rama del isquión, y tuberosidad isquiática. La función que hace es la aducción del muslo, en su parte profunda. Extensión del muslo, en su parte superficial. Su inserción está en línea áspera y tubérculo aductor del fémur.

M. Aductor mayor

ADUCTOR MEDIANO

Tiene su localización en la cara interna del muslo, y su origen en la cresta y sinfisis del pubis. Su función es la aducción, rotación y flexión del muslo. Va a insertarse en la línea áspera del fémur.

M. Aductor mediano

PECTÍNEO

También se localiza en la cara interna del muslo. Su origen está en la línea iliopectínea y espina del pubis. Realiza la función de flexión y aducción del muslo. Tiene su inserción en la parte del fémur distal al trocánter menor.

M. Pectíneo

ADUCTOR MENOR

Como en los anteriores, su localización es la cara interna del muslo. Su origen está en la superficie externa de la rama inferior del pubis. Tiene la función de aducción, rotación y flexión del muslo. Se inserta en la parte superior de la línea áspera del fémur.

M. Aductor menor

RECTO INTERNO DEL MUSLO

Como al resto de los músculos aductores se le localiza en la cara interna del muslo. Su origen está en la rama inferior del pubis. Hace que se realice la función de aducción del muslo y flexión de la rodilla. Su inserción está en la superficie interna de la diáfisis tibial.

M. Recto interno del muslo

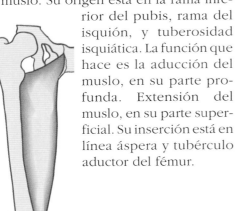

MÚSCULOS ROTADORES INTERNOS

Se origina en la cara externa del Ileón entre las líneas glúteas anterior e inferior. Tiene como función la abducción y rotación del muslo hacia adentro. Va a insertarse en el trocánter mayor del fémur.

MÚSCULOS ROTADORES EXTERNOS

Hacen girar hacia el exterior las extremidades inferiores. Son los obturadores externo e interno, cuadrado crural, piramidal de la pelvis, y géminos superior e inferior.

OBTURADOR EXTERNO

Tiene su origen en el pubis, isquión y superficie superior de la membrana obturatriz. Se encarga de la rotación externa y flexión del muslo y su inserción está en la fosa trocantérea del fémur.

M. Obturador externo

OBTURADOR INTERNO

Partiendo de la superficie pélvica del hueso ilíaco, borde del agujero obturador, ramas del isquión e inferior del pubis y superficie interna de la membrana obturatriz. Se inserta en el trocánter mayor del fémur. Su función es la de rotación externa del muslo y abducción.

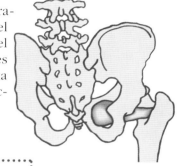

M. Obturador interno

CUADRADO CRURAL

Va desde la parte superior del borde externo o lateral de la tuberosidad isquiática a insertarse al tubérculo cuadrado del fémur. Su función es la aducción y rotación externa del muslo.

M. Cuadrado crural

PIRAMIDAL DE LA PELVIS

Originándose en el ileón y entre la segunda y la cuarta vértebras sacras, realiza la función de rotación externa del muslo. Va a insertarse en el borde superior del trocánter mayor del

M. Piramidal de la pelvis

GÉMINO SUPERIOR

Se origina en la cara externa de la espina isquiática y realiza la función de rotación externa del muslo. Va a insertarse en el trocánter mayor del fémur.

M. Gémino superior

GÉMINO INFERIOR

Partiendo de la superficie pélvica del hueso ilíaco, borde del agujero obturador, ramas del isquión e inferior del pubis y superficie interna de la membrana obturatriz. Se inserta en el trocánter mayor del fémur. Su función es la de rotación externa del muslo y abducción.

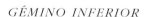

M. Gémino inferior

CUÁDRICEPS

El cuádriceps está formado por cuatro músculos que se localizan en la parte anterior del muslo. Son: recto anterior, crural, vasto interno y vasto externo.

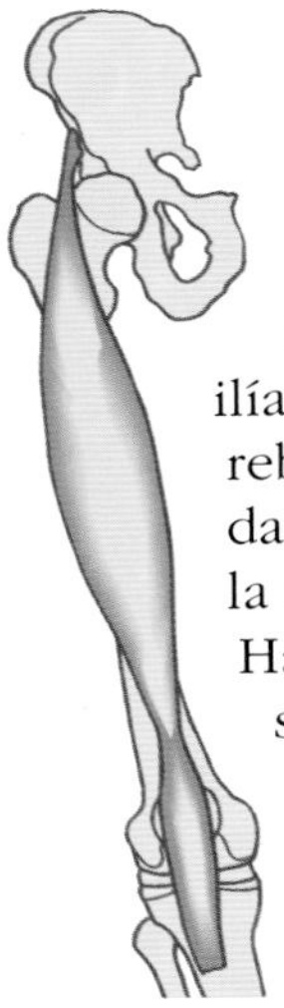

RECTO ANTERIOR

Con origen en la espina ilíaca anterior inferior y el reborde del acetábulo o cavidad cotiloidea. Se inserta en la rótula y tubérculo tibial. Hace la función de extensión de la pierna y flexión del muslo.

M. Recto anterior

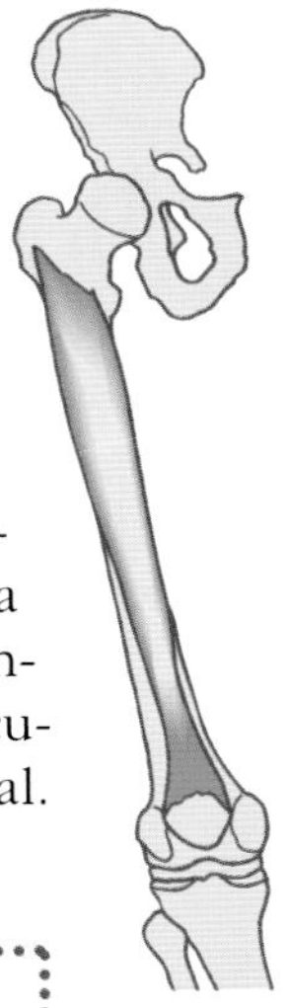

CRURAL

Tiene el origen en las caras anterior y externa del fémur. Realiza la función de extensión de la pierna y se inserta en la base de la rótula y tendón común del músculo cuádriceps crural.

M. Crural

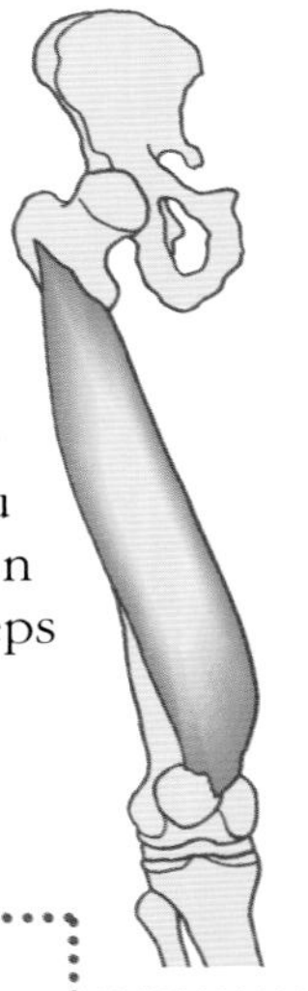

VASTO INTERNO

El origen de este músculo es la cara interna del fémur. Su función es la de extensión de la pierna, y su inserción la rótula y tendón común del músculo cuádriceps crural.

M. Vasto interno

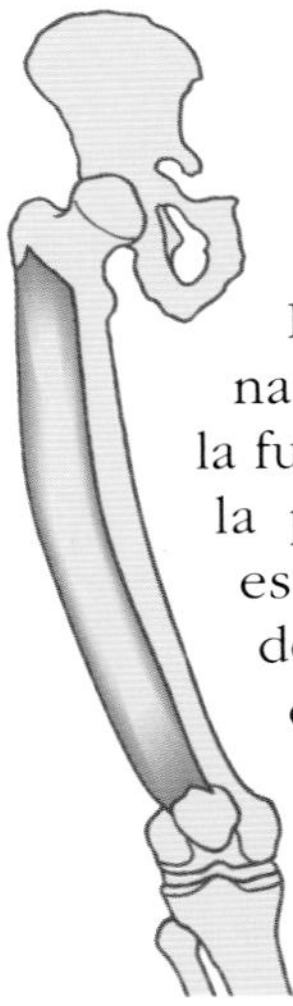

VASTO EXTERNO

Nace en la cara externa del fémur, haciendo la función de extensor de la pierna. Su inserción está en la rótula y tendón común del cuádriceps crural.

M. Vasto externo

PSOAS

Es un músculo largo y potente que, cuando se acorta, involucra directamente a la región lumbar de la columna. Una de sus partes se une al músculo ilíaco, por lo que, para su estudio, se desglosa en dos secciones: el psoas mayor y la porción ilíaca del psoas, o Psoasilíaco.

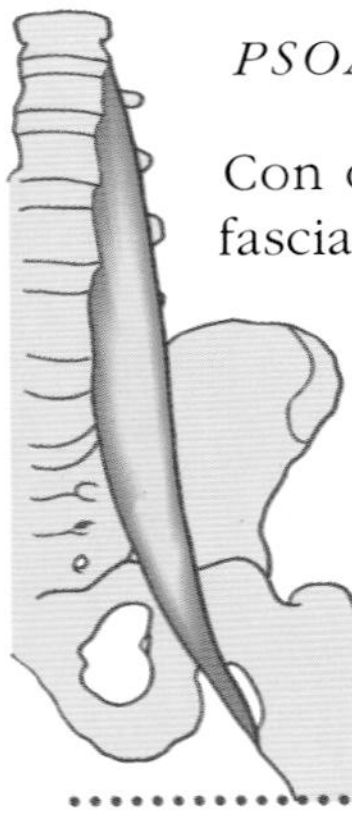

PSOAS MAYOR

Con origen en las vértebras y fascia lumbares. Se inserta en el trocánter menor del fémur y realiza la función de flexión del muslo.

M. Psoas mayor

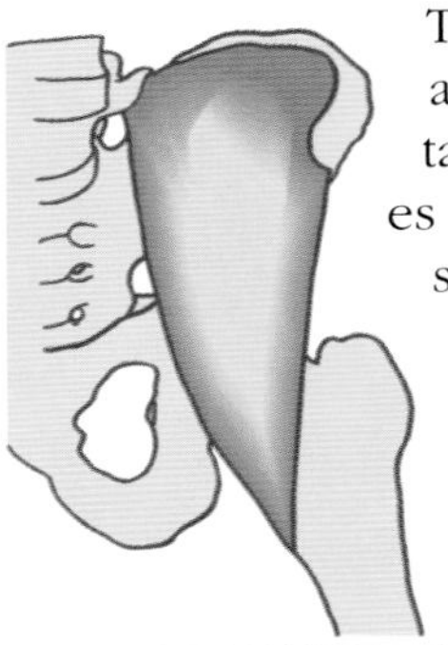

PORCIÓN ILÍACA DEL PSOAS O PSOASILÍACO

Tiene un triple origen en la fosa ilíaca superior, labio interno de la cresta ilíaca y base del sacro. Su función es la flexión del muslo. Va a insertarse en la cara externa del tendón del psoas mayor y cuerpo del fémur, por debajo del trocánter menor.

Porción ilíaca del M. psoas o M. psoasilíaco

FLEXORES PLANTARES

Están situados en la parte posterior de la pierna. Son los gemelos y sóleo.

GEMELOS (INTERNO Y EXTERNO)

El origen del gemelo interno es la superficie poplítea del fémur, parte superior del cóndilo interno y cápsula de la rodilla, mientras que el del gemelo externo es el cóndilo externo y cápsula de la rodilla. Se encargan de la flexión plantar, su aponeurosis se une con el tendón del músculo sóleo para formar el tendón del calcáneo o tendón de Aquiles.

M. Gemelos

SÓLEO

Su origen es el peroné, fascia poplítea y tibia. Su función, la flexión plantar de la articulación del tobillo. Se inserta en el calcáneo por el tendón de Aquiles.

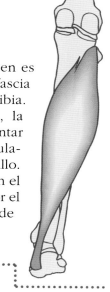

M. Sóleo

CUADRADO LUMBAR

Tiene su localización en la parte posterior de la espalda, en la zona lumbar y su origen en la cresta ilíaca, fascia toracolumbar, y vértebras lumbares. Se encarga de la flexión externa de las vértebras lumbares, tirando de la caja torácica hacia abajo, y se inserta en la costilla duodécima y apófisis transversas de las cuatro primeras vértebras lumbares.

M. Cuadrado lumbar

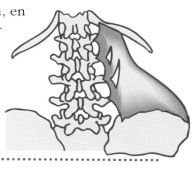

OBLICUOS

Los músculos oblicuos están situados en la parte anterior del tronco y son el oblicuo mayor y el oblicuo menor.

OBLICUO MAYOR

Con origen en los cartílagos costales de las ocho costillas inferiores e inserción en la cresta ilíaca, línea alba por la túnica del recto. Su función es la flexión y rotación de la columna vertebral y compresión de las vísceras abdominales.

M. Oblicuo mayor

OBLICUO MENOR

Tiene su origen en el ligamento inguinal, cresta ilíaca y aponeurosis lumbar. Su función es la de flexión y rotación de la columna vertebral y compresión de las vísceras abdominales. Se inserta en los cartílagos de la 7ª, 8ª y 9ª costilla, línea alba, y tendón conjunto del pubis.

M. Oblicuo menor

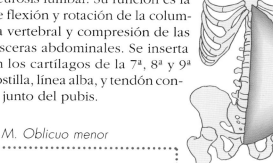

ESTIRAMIENTO POR MEDIO DE TÉCNICAS MIOTENSIVAS DE LA MUSCU-LATURA PÉLVICA Y EXTREMIDADES INFERIORES

Cuando se ha comprobado que existe tensión muscular o acortamiento de algún músculo, las técnicas miotensivas (de tensión muscular) permiten realizar los estiramientos sin que el paciente realice un gran esfuerzo y, a la vez, tome conciencia del funcionamiento de su organismo y evite futuras lesiones.

Para algunos grupos musculares se pueden utilizar las técnicas de inhibición, aunque son más aconsejables las miotensivas.

En las llamadas técnicas de inhibición, se elimina, mediante presión sostenida, la contracción de las fibras musculares.

Para realizar las técnicas miotensivas conviene tener en cuenta los siguientes pasos:
- Colocar el músculo o grupo muscular en el movimiento contrario al fisiológico.
- Buscar el ángulo de máxima tensión.

- Pedir al paciente que realice respiraciones lentas y profundas.
- Al inspirar, mientras el terapeuta resiste este movimiento, el paciente empuja la extremidad en la que se encuentran los músculos que se tratan de estirar. La presión del paciente irá en la dirección del movimiento fisiológico.
- En la espiración, se relajará el paciente y cederá la tensión muscular producida en la inspiración. Éste es el momento en el que el terapeuta deberá aprovechar para, empujando en el movimiento contrario al fisiológico del músculo, ir ganando movilidad.

Se irá repitiendo la operación aprovechando el ritmo respiratorio, hasta lograr el grado de estiramiento fisiológico máximo de ese músculo o grupo muscular.

COMPROBACIÓN DE ACORTAMIENTO DE LOS GRUPOS MUSCULARES DE LAS EXTREMIDADES INFERIORES Y PELVIS

ISQUIOTIBIALES

EN BIPEDESTACIÓN
El paciente, de pie, flexionará el tronco.
Los músculos estarán acortados si, a los pocos grados de flexión del tronco, las piernas tienden a flexionarse.

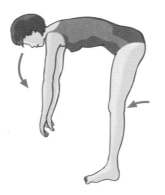

UNILATERAL
Paciente tumbado en la camilla, en supino.
El terapeuta al lado, coge una pierna extendida y la eleva despacio a la vez que comprueba, con la otra mano en la Espina Ilíaca Anterno Superior, (EIAS), el movimiento pélvico.
Con acortamiento, se moverá la EIAS. Se compara el ángulo de movilidad con el de la otra pierna.

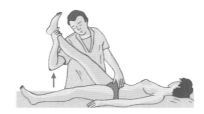

BILATERAL
Paciente en supino.
El terapeuta coge los dos pies del paciente, levantando progresivamente las piernas, a la vez que observa el comportamiento de los glúteos.

Si uno está más levantado que el otro, existe acortamiento de isquiotibiales de ese lado. Mirando las piernas lateralmente, sin perder esta posición, la rodilla de la pierna acortada estará más flexionada confirmando el acortamiento.

ABDUCTORES

Paciente en decúbito supino. Terapeuta a los pies de la camilla. Con una mano, sujeta un tobillo, mientras que con la otra toma la extremidad inferior intentando aproximar la pierna, ligeramente levantada, hacia el eje central del cuerpo.

En este movimiento se comprueba la movilidad pélvica. Los abductores acortados harán que a los pocos grados exista movimiento pélvico.

Se realiza la prueba con ambas piernas comparando el grado de acortamiento.

ADUCTORES

Paciente en supino.

Terapeuta a un lado de la camilla. Toma una pierna y con la otra mano sobre la EIAS contraria comprueba el comportamiento de la pelvis en el movimiento de aducción.

Si a los pocos grados de separación, la EIAS se mueve, esto será un síntoma de acortamiento muscular de los músculos aductores.

Para calibrar el grado de acortamiento, se realiza una prueba comparativa con la otra pierna.

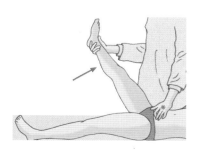

ROTADORES INTERNOS

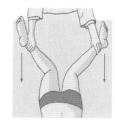

Paciente en decúbito prono. Piernas flexionadas.

Terapeuta a los pies de la camilla. Las manos sobre la parte interna de los tobillos, intentan llevar ambas piernas hacia los lados, comprobando el ángulo articular que permite la tensión muscular.

ROTADORES INTERNOS A 90º

Paciente en decúbito supino. Terapeuta a un lado de la camilla, hace flexionar a 90º la pierna del paciente más próxima a él y coge con una mano el pie y con la otra sujeta la rodilla. Realiza un movimiento de rotación externa de cadera.

El movimiento pélvico de los EIAS del lado contrario indica la tensión miofascial máxima del músculo en reposo.

ROTADORES EXTERNOS

Paciente en prono. Piernas flexionadas y cruzadas.

El terapeuta, con las manos sobre los tobillos, presiona en sentido descendente hasta notar la tensión miofascial máxima del músculo en fase de repo-

so. Comprueba los grados de movilidad.

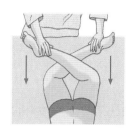

ROTADORES EXTERNOS A 90º

Paciente en supino. El terapeuta a un lado de la camilla, lleva la pierna del paciente más próxima a flexión de 90º. Coge con una mano el pie y con la otra la rodilla, llevando la pierna en rotación interna de cadera hasta ver que la EIAS del lado contrario se mueve, indicando la tensión miofascial máxima.

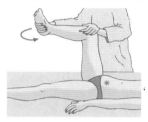

PIRAMIDAL DE LA PELVIS

Paciente en supino.

Si uno de los pies está más rotado hacia fuera que el otro, es un claro indicio de acortamiento del músculo piramidal (acortamiento unilateral). Pueden estarlo los dos (acortamiento bilateral).

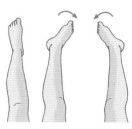

Acortamiento unilateral   *Acortamieto bilateral*

CUÁDRICEPS

Paciente en prono.

El terapeuta al lado, flexiona las rodillas del paciente al máximo, ejerciendo presión sobre los tobillos hasta encontrar un tope. La distancia de los talones a los glúteos determina la unilateralidad o bilateralidad del acortamiento y sus grados.

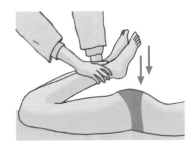

PSOAS

Paciente en supino.

El terapeuta, al lado de la camilla, lleva al paciente hacia una flexión máxima de cadera y rodilla, observando si la pierna que permanece en reposo se eleva

Si es así, indica tensión del Psoas.

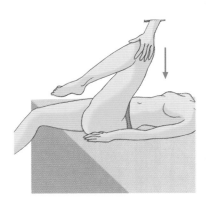

CUADRADOS LUMBARES

Paciente en supino.

El terapeuta, a un lado de la camilla, levanta las dos piernas del paciente y observa si la pelvis se mueve hacia un lado, indicando acortamiento del cuadrado lumbar del lado de la lateralización.

Si el acortamiento es bilateral, cuando se levantan las dos piernas, los glúteos se elevarán de la camilla.

Esta elevación estará más acentuada si los isquiotibiales están también acortados.

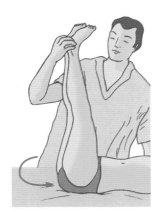

FLEXORES PLANTARES

Paciente en prono. Piernas flexionadas.

El terapeuta, a los pies de la camilla, con sus manos en la región metatarso-falángica, realiza una flexión de ambos tobillos, para comprobar el lado acortado y el grado de acortamiento.

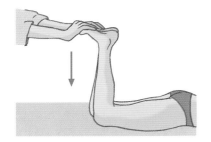

OBLICUOS

Paciente en supino.

Piernas flexionadas y cruzadas. El terapeuta, desde un lado de la camilla, presiona sobre las rodillas provocando una rotación. El acortamiento se confirma cuando el hombro del lado contrario a la rotación se levanta de la camilla.

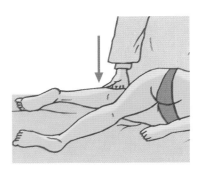

PRUEBA DE RESISTENCIA DE LOS ABDOMINALES

Paciente en supino.

El terapeuta, a un lado de la camilla, sujeta con una mano los pies y con la otra la región esternal.

Mientras el paciente intenta incorporar la mitad superior del cuerpo, el terapeuta le ofrece resistencia.

Así se prueba la debilidad muscular abodominal.

PRUEBA DE RESISTENCIA DE LA MUSCULATURA DORSAL

Paciente en prono con las manos en la nuca. El terapeuta, a un lado de la camilla, sujeta con una mano los pies y con la otra, apoyado en la zona dorsal, ofrece resistencia al intento de incorporarse del paciente, comprobando el grado de debilidad de la musculatura dorsal.

ISQUIOTIBIALES

Para realizar el estiramiento de este grupo muscular, el paciente estará tumbado en decúbito supino y el terapeuta del lado que se trata de estirar. En esta posición, el terapeuta coge con una mano el pie de la pierna a estirar y va levantándola hasta notar tensión muscular. A partir de este momento, comenzará a pedir al paciente que realice las respiraciones lentas y profundas empujando a la vez la pierna en dirección caudal. Aprovechando la fase de espiración, el terapeuta irá ganando movilidad progresivamente, hasta conseguir llegar al tope del movimiento fisiológico.

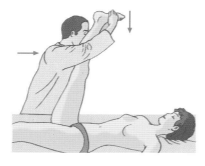

ROTADORES INTERNOS

Este grupo muscular debe estirarse considerando la posición de 0º y 90º.

En la primera, es decir, la del estirmiento en la posición de 0º, el paciente permanecerá en decúbito prono con la pierna a tratar flexionada en el mismo plano de la camilla.

El terapeuta estará en el lado del acortamiento muscular y, mirando en dirección a los pies del paciente, deberá presionar con el antebrazo, apoyado a lo largo de la pierna, en dirección al suelo.

Mientras que con el otro antebrazo, ejercerá presión para fijar la pelvis.

El paciente debe ejercer presión con la pierna en dirección al techo en la fase de inspiración. Mientras, el terapeuta ofrecerá resistencia y aprovechará la fase de espiración para ir ganando poco a poco grados de movilidad en la amplitud articular.

Cuando el estiramiento haya de realizarse a *personas débiles, con procesos degenerativos, o a niños,* conviene recurrir a una técnica más suave, que puede realizarse como sigue:

El paciente en decúbito supino.

El terapeuta sujeta con ambas manos la extremidad inferior que se trata de normalizar. Se lleva la pierna a la máxima tensión que permita el paciente.

Cuando se ve que el movimiento se bloquea, siguiendo el ritmo respiratorio, que se pedirá al paciente que sea lento y profundo, se estirará en rotación externa en la fase de espiración y se mantiene la movilidad ganada en la fase de inspiración.

Para elastificar los rotadores internos a 90º, el paciente deberá adoptar la posición de decúbito supino, con la pierna que se trate en un ángulo de 90º y la otra estirada.

El terapeuta, situado al lado que se deba estirar, con una mano coge la pierna apoyando el pie del paciente sobre su antebrazo en el pliegue de flexión del codo, mientras que con la otra mano sujeta la rodilla.

Respetando un ángulo de 90º del muslo con la camilla, el terapeuta pedirá al paciente que, a la vez que tome aire lenta y profundamente, empuje con el pie del lado que se está estirando en rotación interna.

Mientras, en la fase de espiración y relajación muscular él va ganando grados de movilidad con la pierna en rotación externa de cadera.

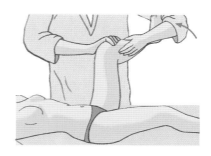

ROTADORES EXTERNOS

Como los rotadores internos, estos músculos han de ser estirados considerando la posición de 0º y 90º.

Para realizar el estiramiento a 0º el paciente reposará en la camilla en decúbito prono, manteniendo flexionada la pierna que se va a tratar.

El terapeuta estará situado al lado contrario y colocará la mano y un antebrazo en la parte externa de la pierna, mientras que con el otro antebrazo fija la pelvis apoyándose sobre la región glútea de la pierna que se va a movilizar

El paciente, en la fase de inspiración, tratará de llevar el pie en dirección al techo mientras el terapeuta resiste y, en la espiración, recupera movilidad llevando el pie en dirección al suelo.

ROTADORES EXTERNOS A 0º

También es posible hacer la recuperación de movilidad de estos músculos en personas débiles, o con procesos degenerativos, y en niños, como en el caso de los rotadores internos, pero utilizando una técnica más suave. El paciente estará en este caso en decúbito supino y el terapeuta al lado contrario al de la extremidad inferior a normalizar, sujetará la pierna con ambas manos. Aprovechando la fase de espiración, irá estirando poco a poco, previa puesta en tensión.

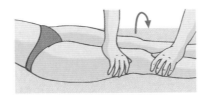

Cuando sea preciso realizar un estiramiento bilateral, el paciente estará tumbado en decúbito prono. El terapeuta, situado a los pies de la camilla, colocará sus antebrazos en la cara interna de las piernas sujetando las rodillas a la camilla.

El paciente, en la inspiración, tratará de juntar los pies, mientras el terapeuta ofrece resistencia al movimiento y va ganando elasticidad muscular presionando en dirección al suelo, en la fase de espiración.

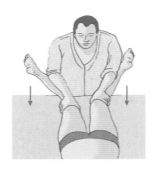

Bilateral

A 90º

Para realizar los estiramientos de los rotadores externos a 90º, el paciente estará tumbado en la camilla en posición de decúbito supino.

El terapeuta al lado contrario de la extremidad inferior que se va a estirar. La pierna del

lado del terapeuta permanece estirada, mientras que la del lado contrario se sitúa en un eje de 90º con respecto a la cadera.

El terapeuta coge con una mano la pierna flexionada, apoyando el pie sobre el antebrazo, a la altura del pliegue de flexión del codo, mientras con la otra mano sujeta la rodilla.

El paciente, en la fase de inspiración, deberá intentar llevar la pierna en rotación externa, mientras que el terapeuta ofrece resistencia y va efectuando el estiramiento, imprimiendo un movimiento de rotación interna de cadera en la fase de espiración.

PIRAMIDAL DE LA PELVIS

El paciente deberá permanecer tumbado en decúbito lateral sobre el lado contrario al que se le tratará y al borde de la camilla.

El terapeuta se sitúa frente a él, colocando una mano en la rodilla del lado que se está tratando y el brazo a lo largo de la pierna en su cara interna, con la pierna previamente flexionada.

El codo, o el antebrazo, libre deberá situarlo sobre el músculo para relajarlo por inhibición mientras que realiza el estiramiento con el brazo que inmoviliza la pierna, previa resistencia muscular en la fase de espiración.

ABDUCTORES

Paciente en decúbito supino con la pierna flexionada.

El terapeuta. situado en el lado que se ha de estirar, coloca una mano sobre la rodilla del paciente y carga el peso del cuerpo sobre la pierna para que el estiramiento sea más efectivo.

La otra mano le servirá para sujetarse en la camilla cuando haya de contrarrestar el movimiento del paciente que tratará de ir hacia el terapeuta en fase de inspiración.

Con la espiración, el terapeuta ejerce presión con su cuerpo hacia el suelo y hacia el lado contrario.

ADUCTORES

El paciente, en decúbito supino, llevará la pierna que se va a tratar a la posición de Abducción y flexión de cadera y rodilla. El terapeuta se sitúa del lado de la lesión, colocando una mano en la pierna, mientras que el antebrazo reposa sobre la rodilla.

La otra mano inmoviliza la pelvis situándose sobre la espina ilíaca antero superior (EIAS), del lado contrario.

El paciente, en fase de inspiración, ofrece resistencia con la pierna flexionada, mientras el terapeuta resiste la presión y aprovecha la fase de espiración para realizar el estiramiento llevando la pierna hacia el suelo.

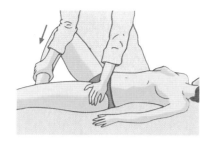

Cuando se quiera que el estiramiento sea bilateral, se puede recurrir a la siguiente técnica que también se utiliza para los rotadores internos.

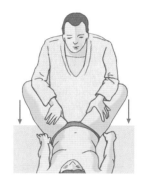

El paciente estará en decúbito supino, con las piernas flexionadas y en abducción.

El terapeuta se sitúa en el borde inferior de la camilla, colocando sus antebrazos sobre las piernas del paciente.

El estiramiento se realiza cuando el terapeuta realiza una presión en dirección al suelo, en fase de espiración, previa resistencia muscular en fase de inspiración.

PSOAS

Para estirar el Psoas, el paciente permanece en decúbito prono y el terapeuta se sitúa en el lado de la lesión.

Con una mano coge la pierna más próxima a él a la altura de la rodilla, manteniéndola flexionada, mientras que con la otra mano y el antebrazo inmo-

viliza la pelvis. El estiramiento se produce cuando, en fase de espiración, el terapeuta lleva la rodilla en dirección craneal, una vez que ha efectuado el movimiento de resistencia, en la fase de inspiración del paciente, que tratará de llevar la rodilla en dirección a la camilla.

El terapeuta puede poner su pierna flexionada debajo de la de su paciente para que le sirva de apoyo, facilitando el estiramiento.

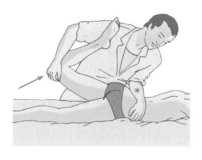

CUÁDRICEPS

El paciente deberá estar en decúbito prono, con la pierna o piernas flexionadas ya que esta técnica puede realizarse de forma bilateral. En el caso de que sea unilateral, el terapeuta se coloca al lado de la pierna flexionada, que será la que se va a utilizar para estirar el cuádriceps de ese mismo lado, apoyando el cuerpo sobre dicha pierna y presionando en la fase de espiración en dirección a la camilla.

Mientras que el paciente, en la fase de inspiración, ha empujado en el sentido contrario.

Cuando se realiza para ambos cuádriceps, se apoyan los pies del paciente en los hombros del terapeuta, que estará subido en la camilla a los pies del paciente.

Para realizar el estiramiento bilateral, no sólo se aprovecha de la fase de espiración, sino que también lo hace del peso de su cuerpo.

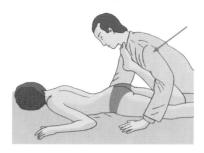

CUADRADOS LUMBARES

Para estirar los cuadrados lumbares, se puede recurrir a dos tipos de técnicas.

Como tienen tres tipos de fibras, costovertebrales, iliovertebrales e iliocostales, que van en distintas direcciones, se pueden estirar selectivamente o usando las técnicas que se describen en el capítulo de Manipulaciones Profundas, en la parte que hace referencia a los estiramientos.

En estiramientos selectivos, para las *fibras costovertebrales*, el paciente estará en sedestación con las manos en la nuca.

El terapeuta, detrás, coge el brazo del lado a estirar con una mano, y con la otra, apoyada sobre la zona dorsal del mismo lado, coloca el tronco en rotación y lateralización del mismo lado, pidiéndole al paciente que realice una inspiración profunda a la vez que resiste el movimiento contrario.

Va estirándose en la fase de espiración.

Si estiramos las fibras *iliovertebrales*, la técnica a emplear se realizara igual que la anterior, pero el paciente debe estar en lateralización y rotación contrarias.

Fibras costovertebrales

Fibras iliovertebrales

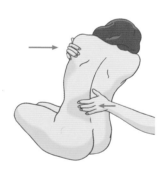

Fibras iliocostales

Las fibras *iliocostales* se estirarán con el paciente también en sedestación.

El terapeuta, al lado de la camilla, coloca una mano debajo de la axila del paciente y la otra en la zona lumbar contraria al lado a estirar, donde ya estará situado. En esta posición, se efectúa una presión contrariada, aprovechándose del peso del cuerpo del paciente. Se van

ganando grados de movilidad en la fase de aspiración, previa puesta en tensión en la inspiración.

OBLICUOS

Paciente en decúbito supino con las piernas flexionadas y cruzadas para estirar los músculos oblicuos. El terapeuta coloca una mano sobre el tobillo de la pierna cruzada, y la otra sobre el hombro del mismo lado. En esta posición, se lleva el tronco del paciente a rotación, pidiéndole que haga en la inspiración una presión contrariada, tratando de empujar la pierna mientras el hombro permanece bloqueado. En la fase de espiración, con la relajación muscular, se irán ganando grados de movilidad.

ESPINALES

En el estiramiento de estos músculos, la posición del paciente deberá ser sentado en la camilla con los pies apoyados sobre el abdomen del terapeuta, que se habrá situado a los pies de la camilla para poder coger los brazos del paciente tirando en dirección al terapeuta hasta la puesta en tensión. Previa resistencia muscular por parte del paciente, durante la fase de inspiración, el terapeuta se encargará de propiciar la flexión del tronco del paciente, estirando la musculatura espinal durante la fase de espiración.

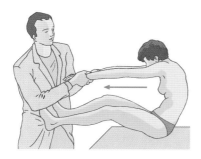

También se estiran los músculos espinales desde la posición de decúbito supino del paciente, con las piernas flexionadas y cruzadas. Pasa el terapeuta el brazo por debajo de las rodillas y va flexionando el tronco hasta la amplitud máxima que el paciente permita.

El estiramiento se hace, previa puesta en tensión y resistencia muscular, durante la fase de espiración.

Flexores plantares

Para elastificar los músculos gemelos y sóleo, encargados de la flexión plantar, se pueden usar dos técnicas: una con el paciente en decúbito prono y otra en supino. En la primera, el paciente tendrá la pierna flexionada. El terapeuta colocará una mano a la altura de la rodilla para inmovilizar esa pierna, y la otra sobre el talón, flexionando con el antebrazo hacia

el suelo. Los músculos se estirarán en la fase de espiración, tras la resistencia muscular que se efectúa en la inspiración.

La variante en prono requiere que el paciente saque las piernas fuera de la camilla. El terapeuta, a los pies de la camilla, coloca el pie del paciente sobre su muslo, realizando el estiramiento presionando hacia adelante con la pierna. Será en la fase de espiración, tras la resistencia muscular que se realiza en la inspiración.

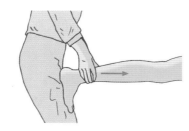

Con el paciente en supino, el terapeuta atrapa la rodilla del paciente y con la otra mano coge el talón, realizando con su antebrazo la presión sobre el pie, aprovechando el peso de su cuerpo para llevarlo en dirección craneal, en la fase de espiración, mientras se le ofrece resistencia al ir en dirección caudal en inspiración.

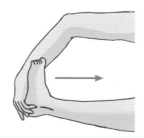

Tibiales

Paciente en decúbito supino. El terapeuta colocará la pierna del paciente en rotación externa con el pie girado hacia fuera, o posición de eversión. Con una mano atrapará la articulación tibiaostragalina o tobillo para fijarlo, mientras con la otra sujetará las articulaciones metatarsianas. El estiramiento se realiza con un movimiento de eversión más extensión plantar en la fase de espiración, cuando ya se ha aprovechado la fase de inspiración para efectuar la correspondiente resistencia muscular.

Peroneos

Paciente en supino. El terapeuta colocará la pierna del paciente en rotación interna con el pie girado hacia adentro o en posición de inversión. Como para los tibiales, ha de atrapar con una mano la articulación tibioastragalina para fijarlo y con la otra sujetará las articulaciones metatarsianas. El estiramiento se hace con un movimiento combinado de inversión y flexión plantar, en fase de aspiración, previa resistencia muscular en inspiración.

Región dorsal de la columna y cintura escapular

MÚSCULOS MÁS IMPORTANTES

No suele dársele mucha importancia a la zona dorsal, por considerar que no es una zona de riesgo, y esta actitud es errónea, porque ésta es precisamente la zona principal de compensación de lesiones de origen pélvico y cervical. Es una parte muy articulada para que pueda realizarse la función respiratoria que la mantiene en continuo movimiento desde el nacimiento hasta la muerte. Además, la parrilla costal, o costillas, tiene la misión de proteger delicados órganos vitales como son los pulmones y el corazón.

Todas estas circunstancias hacen que las estructuras dorsales, condicionadas por la respiración, deban estar compuestas por huesos finos, muchas articulaciones, músculos cortos y delgados, y zonas más elásticas o cartílagos. Esto hace que sea una estructura especialmente frágil a la que, por su ubicación en la parte central del cuerpo, irán las tensiones superiores e inferiores. Por lo tanto, contrariamente a lo que se suele pensar, la zona dorsal es la más débil.

La respiración condiciona especialmente a esta zona. Las restricciones de las costillas, al realizar los movimientos de inspiración-espiración, se refuerzan por varias causas, como son la escoliosis o curvatura lateral de la región dorsal de la columna, la cifosis o aumento de la convexidad de la curvatura dorsal, los bloqueos, subluxaciones y contracturas musculares.

Cuando hay debilidad en la musculatura dorsal y en la cintura escapular, se produce una serie de patrones posturales que determinan unas patologías concretas.

Es, por tanto, necesario, mantener la musculatura dorsal y de la cintura escapular lo más elástica posible. Cuando se da un masaje, a la vez que se rehabilita la zona lesionada, conviene revisar el funcionamiento de esta parte del cuerpo.

MÚSCULOS DE LA ZONA DORSAL

Los músculos de esta parte del cuerpo se conocen como músculos respiratorios. Pueden clasificarse en cuatro categorías: principales de la inspiración, accesorios de la inspiración, principales de la espiración y accesorios de la espiración.

MÚSCULOS PRINCIPALES DE LA INSPIRACIÓN
- *Intercostales internos*
- *Supracostales*
- *Diafragma*

MÚSCULOS PRINCIPALES DE LA ESPIRACIÓN
- *Intercostales internos*

MÚSCULOS ACCESORIOS DE LA INSPIRACIÓN
- *Esternocleidomastoideo*
- *Escalenos*
- *Pectorales*
- *Serrato Mayor y Menor superior*

MÚSCULOS ACCESORIOS DE LA ESPIRACIÓN
- *Recto Mayor del abdomen*
- *Oblicuos*
- *Porción inferior del músculo sacro-lumbar*
- *Serrato menor posterior e inferior*
- *Cuadrado lumbar*

MÚSCULOS PRINCIPALES DE LA INSPIRACIÓN

Cuando estos músculos se contraen, las costillas se elevan.

INTERCOSTALES INTERNOS

Tapizan los espacios inter-costales. Sus fibras van desde la parte cen-tral del cuerpo hacia los costa-dos; son por lo tanto oblicuas.

M. Intercostales internos

SUPRACOSTALES

También están compuestos por fibras oblicuas, que van en este caso desde el extremo superior de las apófisis trans-versas de las vér-tebras dorsales hsta la primera porción de la costilla subya-cente.

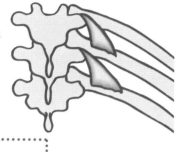

M. Supracostales

DIAFRAGMA

Es el más importante de los músculos de la inspiración y uno de los más importantes del cuerpo. Se inserta en el apéndice Xifoides (extremo inferior del esternón), cara interna de la 9ª costilla, y en la 3ª y 4ª vértebras lumbares. Sus partes tendino-sas se entrecruzan en la parte central o cúpula del diafragma

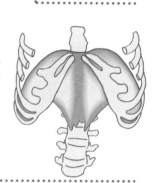

M. Diafragma

MÚSCULOS ACCESORIOS DE LA INSPIRACIÓN

Estos músculos sólo entran en funcionamiento en los movimientos amplios y potentes, cuando se fuerza la inspiración.

ESTERNOCLEIDOMASTOIDEO Y ESCALENOS

Cuando el cuello está rígido por la acción de otros músculos, el esternocleidomastoideo y los esca-lenos entran en funcionamiento al producirse la inspiración.

ESTERNOCLEIDOMASTOIDEO

Va desde la apófisis mastoi-des del occipital hasta el manu-brio del esternón.

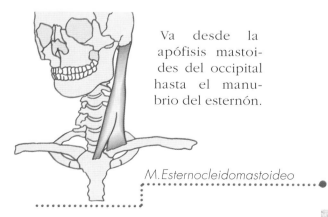

M. Esternocleidomastoideo

ESCALENOS

Su origen único está en la apófisis mastoides del occi-pital, por debajo del esterno-cleidomastoideo, aunque luego se divide en tres porciones:
Escaleno anterior: Parte media de la primera costilla.
Escaleno medio: Parte media de la primera y segunda costillas.
Escaleno posterior: Parte posterior de la primera y segunda costillas.

M. Escalenos

PECTORALES MAYOR Y MENOR

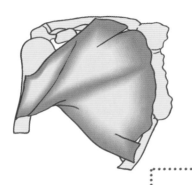

Estos músculos respiratorios entran en funcionamiento cuando se apoyan en la cintura escapular por estar las extremidades superiores en abducción.

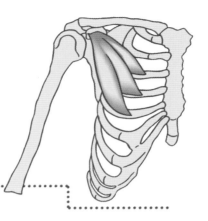

Pectoral Mayor • • *Pectoral Menor*

SERRATOS

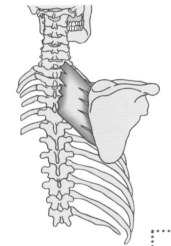

Ambos serratos, pero especialmente el mayor, actúan conjuntamente con los pectorales.

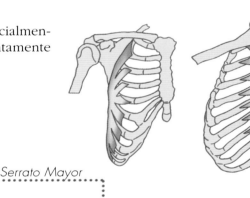

Serrato menor
Posterior superior • • *Serrato Mayor*

MÚSCULOS PRINCIPALES DE LA ESPIRACIÓN

Este grupo muscular está representado por los músculos intercostales externos, puesto que la espiración no es más que un fenómeno pasivo, de retorno del tórax sobre sí mismo por elasticidad de los elementos osteocartilaginosos.

INTERCOSTALES EXTERNOS

Los intercostales externos tapizan los espacios intercostales. Se localizan por delante de los intercostales internos. Sus fibras son oblicuas pero siguen la dirección contraria a los intercostales internos.

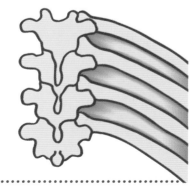

Intercostales externos
•

MÚSCULOS ACCESORIOS DE LA ESPIRACIÓN

El calificativo de accesorios aplicados a este grupo de músculos no quiere restarles importancia, sino que indica una cualidad. Estos músculos son muy potentes y condicionan la espiración forzada y el esfuerzo abdominal.

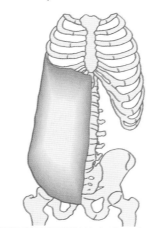

OBLICUOS

Hacen descender con fuerza el orificio inferior del tórax.

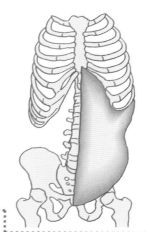

Oblicuo Mayor • • Oblicuo Menor

RECTO MAYOR DEL ABDOMEN

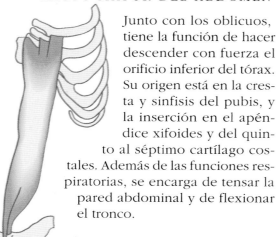

Junto con los oblicuos, tiene la función de hacer descender con fuerza el orificio inferior del tórax. Su origen está en la cresta y sinfisis del pubis, y la inserción en el apéndice xifoides y del quinto al séptimo cartílago costales. Además de las funciones respiratorias, se encarga de tensar la pared abdominal y de flexionar el tronco.

Recto Mayor del abdomen •

CUADRADO LUMBAR

Este músculo tiene su origen en la cresta ilíaca, fascia toracolumbar y vértebras lumbares. Se inserta en la duodécima costilla y apófisis transversas de las cuatro vértebras lumbares superiores. Interviene también en la flexión externa de las vértebras lumbares.

• Cuadrado Lumbar

SERRATO MENOR POSTERIOR INFERIOR

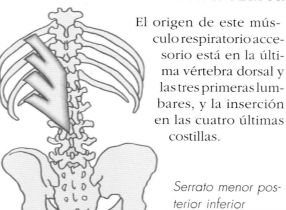

El origen de este músculo respiratorio accesorio está en la última vértebra dorsal y las tres primeras lumbares, y la inserción en las cuatro últimas costillas.

Serrato menor posterior inferior •

DORSAL ANCHO

Además de su función en fase de la espiración, como músculo accesorio, es abductor, extensor y cotador del brazo. Tiene su origen en las apófisis espinosas de las seis últimas vértebras dorsales, aponeurosis lumbodorsal y cresta ilíaca, y se inserta en la cresta del surco intertubercular del húmero.

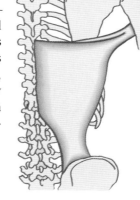

• Dorsal ancho

ELASTIFICACIÓN DE LA MUSCULATURA RESPIRATORIA

La elastificación costal o de la musculatura respiratoria se centra en la del grupo muscular que interviene en la inspiración y pretende ampliar la movilidad de las costillas.

DIAFRAGMA

El paciente estará tumbado en decúbito supino.

Deberá tener las piernas flexionadas para que la musculatura abdominal permanezca relajada y no ofrezca ninguna resistencia.

El terapeuta, desde la cabecera de la camilla, coloca sus dedos en los rebordes costales, pidiéndole al paciente que respire profundamente.

El paciente aprovechará la fase de inspiración para abrir la parrilla costal lateralmente, y mantiene la amplitud ganada cuando se produzca la fase de espiración.

Se repite la maniobra siete u ocho veces, volviendo a la posición de partida en la fase de inspiración, lentamente.

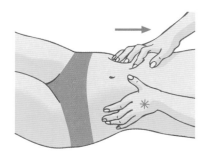

Fase de Inspiración

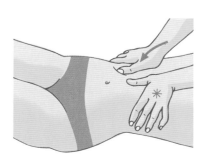

Fase de Espiración

LIGAMENTOS POSTERIORES DEL DIAFRAGMA

Paciente sentado en la camilla. El terapeuta, a su espalda, debe colocar la parte externa del dedo pulgar bajo la 12ª costilla dorsal.

El paciente realiza entonces una lateralización del tronco hacia el lado que se trata de elastificar.

Mientras tanto, el terapeuta introduce el dedo pulgar en dirección oblicua y craneal, buscando el ligamento superficial del diafragma.

Una vez localizado, se masajea en dirección columna-costado, lateralmente.

La manipulación bilateral se hará cuantas veces sean necesarias hasta tener el ligamento totalmente relajado.

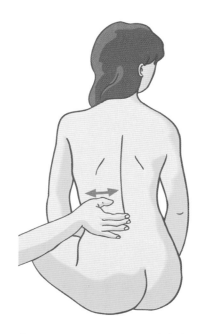

Ligamentos posteriores del diafragma

HEMICÚPULA DEL DIAFRAGMA

Puesto que esta maniobra es preciso realizarla unilateralmente, al elastificar la hemicú

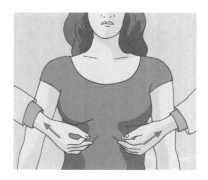

Esta maniobra se puede realizar también unilateralmente, sujetando la hemicúpula que no se va a elastificar.

- *Fase de Inspiración*
- *Elastificación Unilateral*

pula derecha es preciso recordar que se está trabajando sobre el hígado y que hay que tener un especial cuidado, porque si hay algún problema hepático, la zona estará muy sensible.

En cualquier caso, no conviene excluir la elastificación de este lado derecho porque, incluso, es la más importante de las dos y está muy indicada cuando existen problemas del aparato digestivo, ya que este tipo de elastificación favorece la vascularización de hígado, bazo, páncreas, vesícula biliar, etc.

Para realizar esta manipulación, el paciente permanecerá en decúbito lateral sobre el lado que se va a elastificar, con las piernas flexionadas y la cabeza ligeramente elevada, apoyándola sobre su mano.

Se pretende que toda la musculatura del lado que se va a tratar ofrezca la menor resistencia posible.

El terapeuta se sitúa a espaldas del paciente, inmovilizando con su propio cuerpo la hemicúpula que permanece en la parte superior y que es la que no se va a elastificar.

Con la mano contraria apoyada en los cartílagos costales de las últimas costillas, procederá a la elastificación en las fases siguientes:

1º Fase:
En la espiración sujeta el hemitórax contrario para inmovilizarlo y evitar que suba la parrilla costal.

2º Fase:
En inspiración, la mano que se encuentra sobre los cartílagos, empuja suavemente las costillas hacia la camilla, abriendo esa parte de la caja torácica.

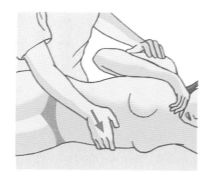

Hemicúpula diafragmática

INTERCOSTALES INTERNOS, EXTERNOS Y SUPRACOSTALES

Conviene tener muy en cuenta que la elastificación costal de los segmentos superiores en supino está contraindicada en todas las cardiopatías.

En cualquier caso, la presión que se ejercerá en esta elastificación ha de ser suave y siguiendo el movimiento respiratorio.

Existen varias modalidades para realizar estas elastificaciones, pero las más utilizadas son la técnica directa y la de palanca.

Técnica directa.
Para realizar la técnica directa, el paciente permanecerá en decúbito prono.

El terapeuta ha de estar a la cabecera de la camilla, colocando sus manos sobre la parte posterior de la parrilla costal, centrándose en los segmentos que trata de elastificar.

Se pide al paciente que respire lenta y profundamente, y va presionando en la fase de espiración a la vez que imprime un ligero ballesteo forzando el propio de las costillas.

Esta elastificación está indicada para los supracostales.

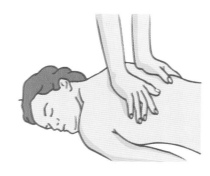

Supracostales
Técnica directa de elastificación

Tecnica de palanca.
La técnica por palanca puede hacerse con el paciente en decúbito lateral, en prono o en supino. En cualquiera de los casos anteriores, la elastificación se realiza de igual manera y lo único que cambia es la posición del paciente.

Para hacerla en decúbito supino, el terapeuta se sitúa a la cabecera de la camilla, coge el brazo del paciente del lado que se va a elastificar, para utilizarlo como palanca, y coloca el borde cubital de la mano libre presionando sobre los segmentos costales en inspiración, en dirección craneal, o en espiración, en dirección caudal.

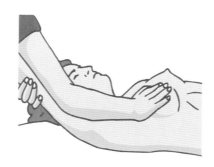

Técnica por palanca en supino

CINTURA ESCAPULAR

El tercio superior de la región dorsal de la columna está relacionado con los miembros superiores a través de la cintura escapular.

En la escápula, omóplato o paletilla, que de las tres maneras puede nombrarse a este hueso plano y triángular localizado en la parte posterior del hombro, se realizan cuatro tipos diferentes de movimientos:

1º.- Desplazamiento lateral del omóplato.

2º.- Movimientos de traslación lateral del omóplato.

3º.- Movimientos de traslación vertical del omóplato.

4º.- Movimientos de vasculación o campaneo del omóplato.

MUSCULATURA ESCAPULAR

La musculatura de esta parte del cuerpo está compuesta por el trapecio, romboides, angular del omóplato, serrato mayor, pectoral menor y subclavio.

TRAPECIO

Este gran músculo se encarga de elevar el hombro, rotar la escápula al levantar el hombro en abducción completa y flexión del brazo y tracciona el omóplato hacia atrás. Tiene su origen en la lima occipital superior, ligamento cervical posterior, apófisis espinosa de la 7ª cervical y de todas las dorsales. Se inserta en la clavícula, acromión y espina del omóplato.

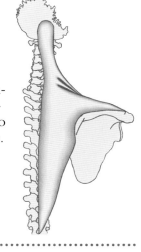

M. Trapecio

ROMBOIDES MAYOR

Se encarga de la retracción y elevación del omóplato. En las apófisis espinosas de la 2ª, 3ª, 4ª y 5ª vértebras torácicas tiene su origen, y va a insertarse en el borde interno del omóplato.

M. Romboides mayor

ROMBOIDES MENOR

Realiza la aducción y elevación del omóplato. Tiene su origen en las apófisis espinosas de la 2ª hasta la 5ª vértebras torácicas, y parte inferior del ligamento de la nuca. Se inserta en el borde interno del omóplato, a la altura de la raíz de la columna vertebral.

M. Romboides menor

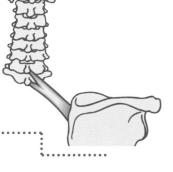

ANGULAR DEL OMÓPLATO

Tiene su origen en las apófisis transversas de las cuatro vértebras cervicales superiores y se inserta en el borde interno del omóplato. Es el encargado de elevar el omóplato.

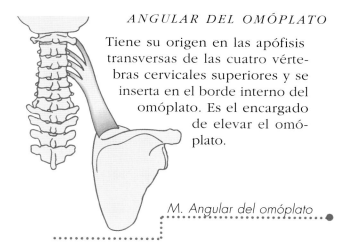

M. Angular del omóplato

SERRATO MAYOR

Realiza las acciones de tracción del omóplato para elevar el hombro durante la abducción del brazo. Su origen está en las 8 ó 9 costillas superiores, y se inserta en el borde interno del omóplato.

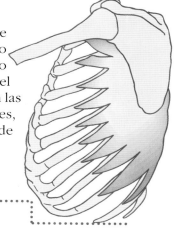

M. Serrato mayor

PECTORAL MENOR

Es el encargado de tirar del hombro hacia adelante y hacia abajo. Tiene su origen en la 3ª, 4ª y 5ª costillas y se inserta en la apófisis coracoides del omóplato.

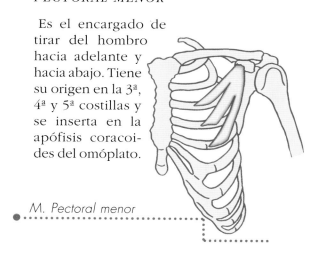

M. Pectoral menor

SUBCLAVIO

Tiene su origen en la 1ª costilla y su cartílago. Se inserta en la superficie inferior de la clavícula y es el responsable de la depresión del extremo externo de la clavícula.

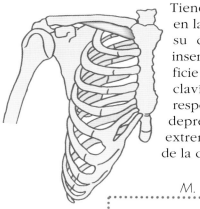

M. Subclavio

ARTICULACIÓN ESCAPULOTORÁCICA

Desde el punto de vista anatómico, la articulación escapulotorácica no es una verdadera articulación. Los elementos que la componen están sueltos, lo que permite una gran amplitud y variedad de movimientos en los brazos que, además, son exclusivos de la especie humana.

En el cinturón escapular hay que distinguir la zona anterior con la articulación esternoclavicular y la zona posterior, con el omóplato o escápula. En la zona anterior, la clavícula se une al esternón por uno de sus extremos y al acromión o apófisis acromial, que es una prolongación lateral de la espina del omóplato, por el otro. A la clavícula van a insertarse las porciones claviculares del trapecio, esternocleidomastoideo, pectoral mayor y deltoides.

El omóplato, situado en la parte posterior de la zona dorsal, es un hueso plano. Está unido a la clavícula por medio del acromión, y al húmero a través de la cavidad glenoidea formando la única articulación real de la zona.

El buen mantenimiento funcional de esta zona es primordial y difícil, puesto que el cinturón escapular está relacionado con el cuello, región dorsal de la columna, costillas y extremidades superiores, mediante la inserción de numerosos músculos, y no hay que excluir, al hacer un diagnóstico, la repercusión que sobre esta zona tienen los problemas emocionales.

Como ya queda dicho que la escapulotorácica no es una verdadera articulación, en su restablecimiento suelen emplearse técnicas pasivas en las que el paciente no tiene que hacer ninguna presión contra resistencia, y técnicas miotensivas o de fatigamiento muscular, que son las que se describirán.

ESTIRAMIENTOS DE LA MUSCULATURA ELEVADORA

Con el paciente en decúbito lateral, el terapeuta se sitúa frente a él y pasa un brazo por debajo del brazo del paciente que queda en esta posición, en la parte superior del cuerpo, sujetando el ángulo inferior de la escápula, mientras que con la otra mano sujeta la parte superior de este hueso. Se pide al paciente que eleve el hombro contra resistencia, en la fase de inspiración, y en la espiración o fase de relajación, el terapeuta aumentará la depresión escapular presionando en sentido descendente.

ESTIRAMIENTO DE LA MUSCULATURA INFERIOR

Se hace igual que para la musculatura superior, efectuando el movimiento escapular en sentido ascendente.

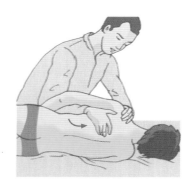

ESTIRAMIENTO DE LA MUSCULATURA LATERALIZADORA

El paciente estará en decúbito lateral como en las anteriores.

El terapeuta, frente a él, pasando su brazo por debajo del paciente como queda descrito para las anteriores elastificaciones, hace presa con los dedos en la parte interna de la escápula. En una primera fase, aprovechando el peso del cuerpo del terapeuta, se efectúa un movimiento descendente de la escápula.

En la segunda fase, se tira de la escápula hacia arriba, teniendo como resistencia el cuerpo del propio paciente.

Si se quiere hacer miotensiva (o por fatigamiento muscular), se pide al paciente que aproxime o separe la escápula contra resistencia, según convenga, y se van ganando grados de movilidad en la fase de reposo y en el sentido de corrección.

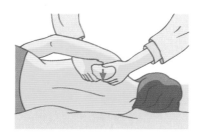

1ª Fase

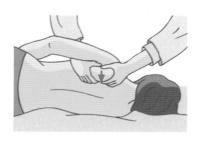

2ª Fase

ESTIRAMIENTO DE PECTORALES Y ROTADORES

Antes de realizar esta maniobra, es preciso comprobar de qué lado hay acortamiento muscular, para lo cual con el paciente en supino, el terapeuta se colocará a la cabecera de la camilla y cogerá ambas manos, realizando una flexión de hombro al estirar los brazos. El brazo más corto indica el lado con acortamiento muscular que será sobre el que se trabajará.

Cuando ya se ha comprobado el lado que hay que estirar, con el paciente en supino, el terapeuta se sitúa al lado contrario al que ha de estirar.

Con una mano, inmoviliza la escápula sobre la camilla y con la otra coge el brazo por encima del codo. En esta posición, se pide al paciente que vaya subiendo el brazo mientras que él ofrece resistencia y va ganando grados de movilidad en la relajación.

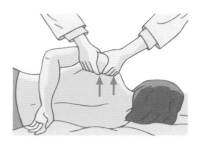

Comprobación

Estiramiento

ESTIRAMIENTO MUSCULAR GLOBAL

Paciente y terapeuta en las posiciones descritas. El terapeuta atrapa la parte inferior de la escápula con una mano y con la otra en la parte superior, hace una circunducción o giro completo escapular que incluye los tipos de desplazamientos ya citados. En esta movilización no interviene el paciente.

Región cervical de la columna y cuello

En la región cervical culminan todas las compensaciones de la columna vertebral y a ella van a parar gran parte de las tensiones que producen el estrés y los problemas emocionales y de origen nervioso.

El cuello es una zona importante de paso de nervios, arterias, etc., por lo que la región cervical de la columna es un lugar especialmente propenso, no sólo a lesiones que repercutan en la propia zona, sino que, además, desde las cervicales se irradian a diferentes partes del organismo.

Lo más característico de las alteraciones cervicales es el dolor de cabeza, pero también son producto de las lesiones cervicales muchos hombros y brazos dolorosos, trastornos de la vista y oídos, dolores en algunas partes del rostro, etc.

MÚSCULOS MÁS IMPORTANTES

Los principales músculos del cuello son:

- *Trapecio*
- *Esternocleidomastoideo*
- *Angular del omóplato*
- *Romboides menor*
- *Esplenios (de la cabeza y del cuello)*

- *Digástrico*
- *Rectos (lateral, posterior mayor y posterior menor de la cabeza)*
- *Escalenos (anterior, medio y posterior)*

TRAPECIO

El músculo trapecio tiene su origen en el tercio interno de la línea curva superior del occipital, ligamento de la nuca y apófisis espinosas de la séptima vértebra cervical y de todas las dorsales.

Se inserta en la clavícula, acromión y espina del omóplato. Se encarga de la rotación del omóplato para elevar el hombro con la abducción del brazo. También tiene a su cargo la tracción del omóplato hacia atrás.

M. Trapecio

ESTERNOCLEIDOMASTOIDEO

Una de las dos cabezas en las que este músculo tiene su origen, está en el esternón, mientras que la otra lo tiene en la clavícula.

Se inserta en la apófisis mastoides y línea superior de la nuca del hueso occipital.

Realiza la flexión de la columna vertebral y rotación de la cabeza.

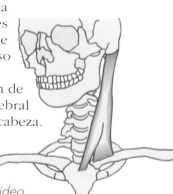

M. Esternocleidomastoideo

ANGULAR DEL OMÓPLATO

Con origen en las apófisis transversas de las cuatro vértebras cervicales superiores, va a insertarse en el borde interno del omóplato. Su función es la de elevar este hueso.

M. Angular del omóplato

ROMBOIDES MENOR

Tiene su origen en la apófisis espinosa de la séptima vértebra cervical y primera dorsal, y en la parte inferior del ligamento de la nuca. Se inserta en el borde interno del omóplato, colabora en la elevación y aducción de éste.

M. Romboides menor

ESPLENIOS DE LA CABEZA Y EL CUELLO

El esplenio de la cabeza tiene su origen en la mitad inferior del ligamento de la nuca, apófisis espinal de la séptima vértebra cervical y las tres vértebras dorsales superiores. Se inserta en el occipital y se encarga de la extensión y rotación de la cabeza.

El del cuello está en las apófisis espinosas de D3 a D6. Se inserta en las dos o tres primeras cervicales superiores y está involucrado en la extensión y rotación de cabeza y cuello.

M. Esplenios

DIGÁSTRICO

El vientre posterior de este músculo se origina en una ranura excavada en la cara profunda de la apófisis mastoides. El vientre anterior se fija en la cara posterior de la sinfisis del mentón.
Se inserta en el tendón intermedio sobre el hueso hioides. Eleva el hueso hioides y hace descender el maxilar inferior.

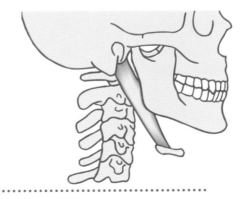

M. Digástrico

RECTO LATERAL DE LA CABEZA

Con origen en la superficie de la apófisis transversa del atlas, va a insertarse en la apófisis yugular del hueso occipital y se encarga de la flexión y sostén de la cabeza.

M. Recto lateral de la cabeza

RECTO POSTERIOR MAYOR DE LA CABEZA

Tiene le origen en la apófisis espinosa del axis y se inserta en el hueso occipital, encargándose de la extensión de la cabeza.

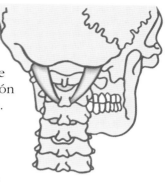

M. Recto posterior

ESCALENO POSTERIOR

Con origen en los tubérculos de las vértebras C4, C5 y C6, e inserción en la cara externa del borde superior de la segunda costilla, se encarga de elevar ésta.

M. Escaleno posterior

ESTILOGLOSO, ESTERNOCLEIDOHIOIDEO, ESTERNOTIROIDEO Y OMOHIOIDEO

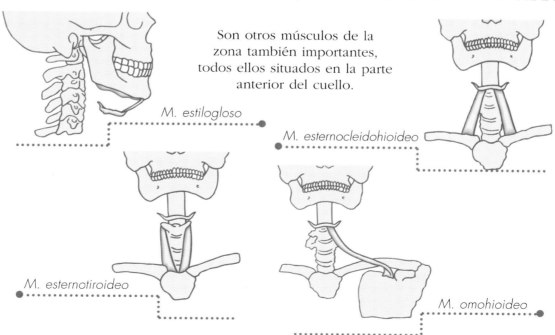

Son otros músculos de la zona también importantes, todos ellos situados en la parte anterior del cuello.

M. estilogloso

M. esternocleidohioideo

M. esternotiroideo

M. omohioideo

121

ELASTIFICACIÓN DE LOS MÚSCULOS DE LA REGIÓN CERVICAL Y CUELLO

MUSCULATURA EXTENSORA

El paciente se situará en decúbito supino. El terapeuta a la cabecera de la camilla, con los brazos cruzados, apoya las manos sobre los hombros del paciente, de manera que la izquierda repose sobre el hombro derecho y la derecha sobre el izquierdo.

La cabeza del paciente quedará así reposando sobre los brazos del terapeuta.

En la fase de inspiración, el paciente intentará echar la cabeza hacia atrás.

El terapeuta resiste la presión con sus brazos y va ganando movilidad, lentamente, en la fase de espiración.

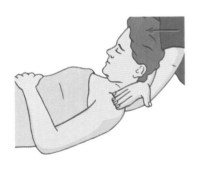

MUSCULATURA FLEXORA

Paciente en decúbito prono.

El masajista, desde la cabecera de la camilla, sujetará con una mano la zona dorsal alta del paciente.

Con la otra, coge el mentón, llevándolo suavemente a la posición de extensión, deteniéndose en el momento en que encuentre resistencia. Partiendo de esta posición, pide al paciente que trate de flexio-

nar el cuello al inspirar, mientras él le ofrece resistencia.

Va ganando, con mucho cuidado y lentitud, grados de movilidad en la fase de espiración o reposo.

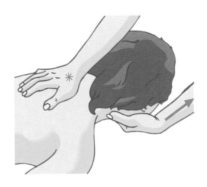

MUSCULATURA ROTADORA

Paciente en decúbito supino y terapeuta a la cabecera de la camilla. La cabeza del paciente estará girada hacia uno de los lados, sujetando el masajista con una mano el hombro, mientras que la otra estará apoyada en la región temporo-mandibular (entre el hueso temporal y la mandíbula). Utilizando, como en las anteriores, la resistencia y la respiración, se irán ganando grados de movilidad, primero de un lado y luego del otro.

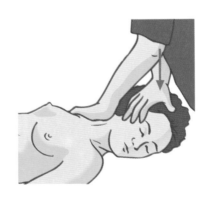

MUSCULATURA LATERALIZADORA

El paciente permanecerá en supino mientras que el terapeuta, quien se hallará situado detrás de su cabeza, coge con una mano el occipital y lateraliza la cabeza (primero a un lado y luego al otro), a la vez que apoya su cuerpo en la zona temporal para maniobrar con más comodidad.

Con la otra mano sobre el hombro contrario, al lado de la lateralización de la cabeza, inmoviliza el tronco para arrastrar éste durante el estiramiento muscular.

Mientras el paciente trata de llevar su cabeza en dirección al hombro que está fijado, en la inspiración, el terapeuta resiste el empuje y gana movilidad en la espiración.

REFLEXOTERAPIA

Petra Almazán

Masaje energético

*L*os datos históricos que poseemos respecto a la Reflexoterapia Podal no son contundentes. Las noticias acerca de los focos o puntos en los que se menciona su utilización resultan fascinantes al intentar interconexionar su aparición, cosa que sólo puede asociarse a la información captada por el subconsciente humano, y cuya fuente original serían los conocimientos acumulados a lo largo de la historia por el subconsciente colectivo.

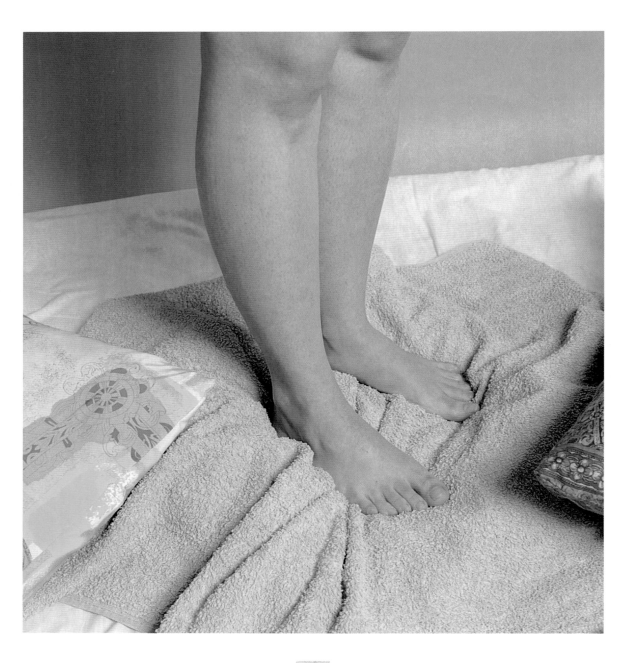

SE SABE QUE DESDE HACE aproximadamente 5.000 años, este método era practicado en zonas tan alejadas geográficamente como China, Egipto, India, Ceilán, Kenia y ciertas tribus de indios americanos, lo cual hace pensar en algún tipo de vinculación que sobrepasa el lógico entendimiento racional.

Hay enormes lagunas, con ausencia de datos concretos. La única huella tangible es una pintura encontrada en una pirámide, la tumba de Ankmahor, en Sakkarad, Egipto, denominada Tumba de los Médicos. Data aproximadamente del año 2330 a.C., según nos aclaran las indagaciones de Dwight C. Byers. En esta pintura pueden contemplarse cuatro personas, dos de ellas recibiendo masaje y dos aplicándolo en pies y manos, quedando constancia en los jeroglíficos de los efectos beneficiosos derivados de su acción.

En algunos casos, su historia se asocia al chamanismo, que es una forma peculiar de hechicería y magia que integra elementos médicos, técnicos y religiosos. El chamán o shamán (hechicero), posee una potencialidad superior a la habitual, que deriva del contacto y comunicación con las fuerzas originarias de la vida. Su lugar de origen se sitúa principalmente en Asia Central y Siberia, encontrándose otras ramas en América del Norte y del Sur, en Indonesia y en Oceanía. La mayoría de las sociedades primitivas han utilizado diversas técnicas y símbolos de origen chamánico, que en algunos casos se conservan entre indoeuropeos, chinos y tibetanos. Estos datos referentes al chamanismo, podrían aportar luz sobre la nebulosa historia de la Reflexoterapia Podal y aclarar en cierto modo los indicios encontrados respecto a su utilización en diversas partes de nuestro planeta, tan distantes y culturalmente tan diferentes.

Algunos autores citan ciertos sistemas de presión en pies y manos que eran utilizados como técnica terapéutica por algunos médicos centroeuropeos en la Edad Media. Incluso se menciona un personaje famoso, Benvenuto Cellini (1500-1571), escultor y orfebre florentino que utilizaba estos procedimientos para aliviar sus dolores reumáticos. Intentando relacionar este hecho con una posible procedencia oriental, quizá fuera debido a Marco Polo, explorador veneciano que en 1271 viajó a China y permaneció un año en Kan-cheu y luego

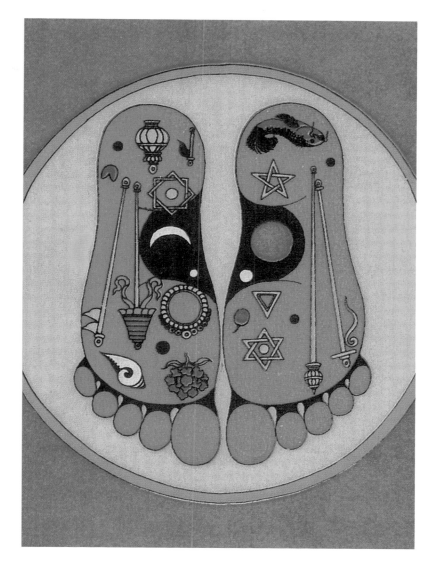

en Pekín, donde fue acogido bajo la protección del Gran Kan. Prolongó su estancia por espacio de dieciséis años en esas tierras, teniendo que realizar diversas misiones en el Yunnan, en Cochinchina, en el Tíbet y en las Indias. Curiosamente fue después de este contacto con Oriente, cuando en Europa comenzó a utilizarse este tipo de presión, como tratamiento de diversos órganos del cuerpo.

Pero fue definitivamente a primeros de este siglo, cuando resurgió de nuevo la Reflexoterapia Podal. Su artífice fue William H. Fitzgerald, doctor en otorrinolaringología que estando al frente del St. Francis Hospital, Hartford-Connecticut, descubrió el método chino de la terapia y atrajo la atención del colectivo médico el hecho de que presionando o masajeando sobre ciertas zonas del cuerpo, se producía un efecto normalizador de las funciones fisiológicas.

La bella composición brahmánica de estos pies de visnú, segunda de las tres divinidades de la Trimurti, documentan históricamente la presencia de la Reflexología Podal desde tiempos antiguos.

El Budismo aplicó su simbología al pie divino de Buda en un tipo de conexiones mucho más universales.

maestro», comenzó a establecer las primeras correspondencias anatómicas con los pies. Cada punto y cada reflejo eran cuidadosamente buscados y comprobados. Al principio eran aplicadas pequeñas bolitas de algodón que se mantenían fijadas en los pies del paciente en aquellos puntos o zonas sensibles a la palpación. Esto permitió observar las reacciones desencadenadas por el estímulo constante y la respuesta que se llegaba a producir en cada caso, dando una nueva orientación hacia la utilidad de reducir dicho estímulo, de tal forma que permitiera ir condicionando la respuesta progresivamente y adoptando el método de tratamiento más beneficioso. Renacía la Reflexoterapia Podal como técnica manual de masaje y presión con el pulgar. Durante varios años fueron cientos los pacientes tratados con éxito. Como fruto de su labor terapéutica, sus experiencias y descubrimientos en este campo, surgió una primera obra publicada en 1938 *Stories the feet can tell thru Reflexology* y posteriormente una segunda, *Stories the feet have told thru Reflexology.* Eunice D. Ingham dedicó por entero su vida a la investigación, práctica y difusión de esta técnica hasta muy avanzada edad. Gracias a su entrega y dedicación podemos disfrutar en nuestros días de esta gratificante e inocua terapia ancestral, siendo cada vez más las personas que pueden constatar la eficacia de su método.

Desarrolló su trabajo dividiendo el cuerpo en diez zonas longitudinales y tres transversales, dando origen a los primeros mapas de anatomía refleja. En 1917, publicó el libro *Zone therapy or relieving pain at home,* en el que explicó los éxitos obtenidos por este sistema.

Tras Fitzgerald, algunos colegas como Edwing Bowers, George Starr White y Joseph Selbey Riley, trabajaron en este campo, en especial fue este último el que más se interesó. Colaborando con él y con su esposa se hallaba Eunice D. Ing-ham (Stopfel), fisioterapeuta, quien animada y supervisada por Riley, al que ella describe como «su gran

EL TRATAMIENTO TERAPÉUTICO

Las técnicas terapéuticas milenarias como: Reflexoterapia, acupuntura, digitopuntura, auriculoterapia, shiatsu, moxibustión, etc., tienen sus raíces en oriente. En las culturas orientales se han dado siempre muestras de unos conocimientos antiquísimos en el dominio de todas las terapias relacionadas con la energía. De igual modo, en sus filosofías encontramos formas de equilibrio y armonización del cuerpo, mente y espíritu, con la ayuda de técnicas de concentración, meditación o movimiento, por ejemplo, las artes marciales, disciplinas de autoconocimiento y de defensa personal que encierran todo un saber evolutivo; el Yoga, sistema de mejoramiento personal que abarca el aspecto espiritual, emocional, mental y físico del ser humano; el T'ai Chi, que con sus movimientos relajados y fluidos estimulan la respiración, el flujo sanguíneo y el Chi o Ki (energía vital), nutriendo el cuerpo la mente y el espíritu. Todas ellas son sabiamente consideradas como parte de la medicina china, debido a su gran contribución en el equilibrio de la salud.

La cuna de la reencontrada Reflexoterapia Podal parece ser China. Según los datos que poseemos, fue un método chino desarrollado por Fitzgerald el que dio origen a su renacimiento actual. Además existen muestras en diversas culturas orientales de la importancia concedida al pie como el primer germen de vida que expresa el cuerpo entero y sus mutaciones. El pie de Buda, por ejemplo, posee connotaciones evolutivas, con la rueda solar o sagrada en el centro y diversos animales, figuras humanas en la posición de loto con diferentes posturas o mudras y una gran cantidad de objetos representativos repartidos por toda la superficie plantar. Igualmente encontramos grabados cuya procedencia parece ser hindú, mostrando los pies con dibujos ornamentales; su simbología debe estar relacionada con la conexión o relación existente entre el hombre y la tierra, al igual que en su filosofía se contempla el paralelismo perfecto entre el macrocosmos y el microcosmos.

Parece que existe una clara conexión entre

el olvido o desuso de la Reflexoterapia Podal y el surgimiento casual de la acupuntura. Hace miles de años, se observó que los soldados heridos por flechas, a la vez que se recuperaban de estas heridas, sanaban de enfermedades que habían padecido años atrás. Esto dio origen al descubrimiento de conexiones entre zonas de la superficie corporal con los órganos internos. Así empezó la práctica de la acupuntura, aplicando agujas sobre la piel imitando el efecto ocasionado por las flechas. Las primeras agujas utilizadas fueron de piedra pulida artificialmente, hueso o bambú, produciendose posteriormente un gran desarrollo que empezó a consolidar las bases de la medicina tradicional china, siendo recopiladas en una serie de libros que después de miles de años aún permanecen en vigor.

Al parecer, la Reflexoterapia Podal la utilizaban en sus orígenes los miembros que componían los primeros grupos o unidades familiares, comunidades, tribus, etc., como auxilio en el diagnóstico y cura de diversas alteraciones. Además se consideraba como un ritual que les permitía estar en armonía, al tiempo que brindaba protección, al ungirse los pies con plantas aromáticas

Al surgir la acupuntura, fueron dejándose de utilizar los métodos podales trasmitidos de generación en generación, orientando la investigación hacia una nueva concepción más amplificada: el cuerpo y sus meridianos. Hoy en día, gracias al conocimiento derivado de la acupuntura, tenemos una visión mucho más profunda y podemos incorporar los conocimientos energéticos proporcionados por la misma al campo de aplicación de la Reflexoterapia Podal.

La Reflexoterapia Podal se utilizaba ya en sus orígenes como auxilio en el diagnóstico y cura de diferentes alteraciones.

la Acupuntura se descubrió cuando soldados heridos por flechas se recuperaban y curaban de las afecciones que padecían. Se había descubierto la conexión entre las zonas de la superficie del cuerpo y los órganos internos.

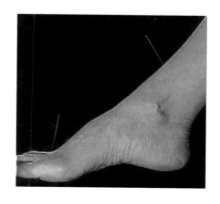

CAPÍTULO 1
El masaje podal

*L*a Reflexoterapia se define como una técnica terapéutica que se basa en la creación de ciertos
reflejos condicionados para modificar algunas funciones alteradas.
El término «reflejo» indica un fenómeno que aparece con carácter involuntario, en forma de
respuesta motora, secretora, etc. frente a un estímulo determinado, como consecuencia de una
especial actividad del sistema nervioso.

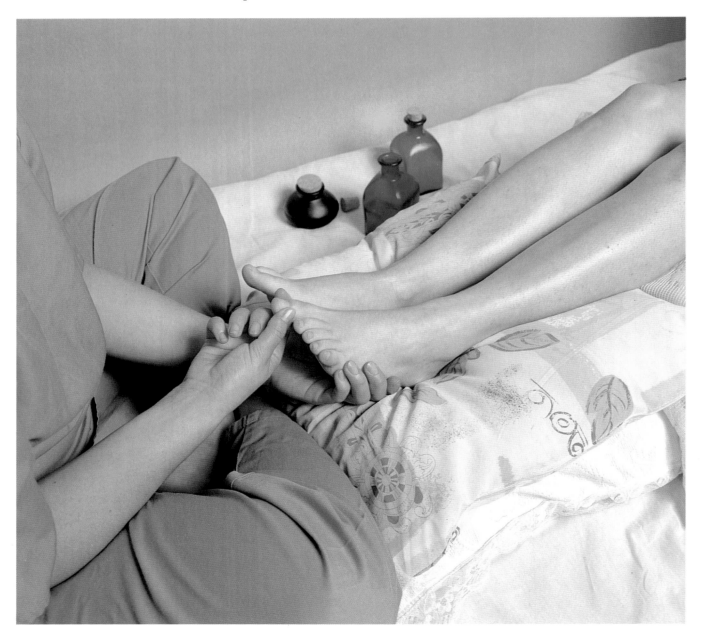

EN EL ESQUEMA BÁSICO de un reflejo involuntario sencillo intervienen una serie de estructuras nerviosas. Por ejemplo, imaginemos un estímulo casual, un pinchazo en un dedo, este pinchazo excita las terminaciones sensitivas de un paquete nervioso; dicha excitación es transmitida a un centro reflejo en la médula espinal y éste condiciona la respuesta de retirar la mano.

Existen principalmente dos tipos de reflejos: los innatos o instintivos y los condicionados o aprendidos. El conocimiento de los reflejos condicionados, principal fruto de los trabajos de su descubridor I. P. Pavlov, a primeros de siglo, es una fuente de investigación para la moderna escuela de fisiología soviética. La aparición de estos reflejos requiere cierto tipo de aprendizaje y se repiten cada vez que se estimula convenientemente a la persona. Es sobre estos reflejos condicionados sobre los que la Reflexoterapia Podal tiene un mayor campo de acción.

Las condiciones generales que regulan la actividad refleja vienen determinadas por una serie de leyes: unilateralidad, simetría, irradiación, generalización, suma de estímulos, coordinación y adaptación.

En cuanto a la Reflexoterapia Podal, como indica su nombre, es también una técnica terapéutica que consiste en la aplicación de masajes específicos, como método de estimulación, en puntos y áreas reflejas de los pies, con el fin de obtener la normalización de las funciones corporales. El estímulo es manual, sólo se emplean las manos desnudas, no se utiliza ningún tipo de artilugio mecánico, punzones, gomas u otros objetos.

Existen otros nombres que se aplican como definición de esta técnica, entre los más comunes están: terapia zonal, masaje zonal, simpaticoterapia, reflexología (traducción literal del término usado en inglés *reflexology),* o reflejoterapia (terapia del reflejo). Todos estos términos son utilizados para denominar una sola técnica; por un lado considero que pueden confundir al profano y hacerle pensar que se trata de terapias distintas en cada caso, y por otro lado, que no la definen o contemplan adecuadamente, ya que no explican de forma coherente sus bases y fundamentos esenciales. Se trata de una terapia, luego en su definición debe

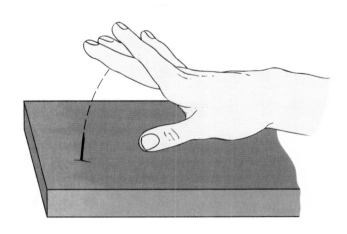

constar este término, cuya única aplicación se realiza en el pie (podal, relativo al pie) y que se basa principalmente, en los conocimientos que nos ofrece la reflexología (parte de la fisiología que estudia los reflejos). Por todo ello opino que el nombre más apropiado y que define mejor esta técnica es «Reflexoterapia Podal», ya que no somos fisiólogos expertos en reflexología, sino terapeutas especializados en la utilización podal de los reflejos, desde el más sencillo hasta el más complicado, pasando por todas sus leyes.

Definiéndola de un modo coloquial, podíamos decir que se trata de un sistema eficaz y sencillo de liberarnos de tensiones y molestias por medio de un gratificante e inocuo masaje en los pies. Personalmente, la definiría de forma concisa y escueta como una «técnica armónica del equilibrio».

¿QUÉ ES LA REFLEXOTERAPIA?

La concepción terapéutica de la Reflexoterapia Podal, como uno de los sistemas de curación natural, es de unidad; es decir, de un solo cuerpo o envoltura física que contiene todas las demás manifestaciones propias del ser humano.

El mecanismo del sistema nervioso responde ante los estímulos casusales en un perfecto circuito que conecta la médula espinal y la respuesta del elemento afectado.

Está contemplada dentro del campo de las medicinas naturales o alternativas, encuadrada en el apartado de las denominadas terapias manuales, alternativas o humanísticas, salud holística o integral. El objeto de todas estas disciplinas es «tratar al paciente y no a la enfermedad». Considerar todos los factores humanos es lo esencial, concibiendo a la persona como un todo dotado de cuerpo, y también de mente y espíritu, pero no sólo como la suma de síntomas y signos.

Por tanto, el enfoque es completo y global, un organismo compuesto de todas y cada una de sus partes, piel, huesos, músculos, tendones y ligamentos, fluidos, órganos, glándulas y sistemas, interactuando al unísono con un fin común, un perfecto estado de salud. Por salud se entiende, según la definición contemplada por la OMS (Organización Mundial de la Salud): «un estado completo de bienestar, en los planos físico, mental y social y no solamente la ausencia de enfermedad». Lo que significa homeostasis interna (conjunto de fenómenos de autorregulación, que conducen a mantener las propiedades esenciales del medio interno). En este proceso colaboran los diversos sistemas orgánicos y glandulares internos dirigidos y coordinados por el sistema nervioso central (autorregulación fisiológica), que a su vez interviene en la conservación de la homeostasis externa (actos intelectuales), siendo responsable del desarrollo psicológico, físico y social del individuo y de su perfecta armonía.

Terapéuticamente, la Reflexoterapia Podal se basa, fundamentalmente, en la observación y detección de todos aquellos detalles que están presentes en cada par de pies; por ejemplo, el color de la piel, temperatura, durezas, callos, manchas, lunares, verru-gas, ojos de gallo, papilomas, uñas encarnadas, erosiones, descamaciones, etc.; comprobar la flexibilidad y consistencia de los tejidos, huesos, tendones y ligamentos mediante el tacto; tener una visión informativa del estado de los sistemas circulatorio y linfático al descubrir zonas inflamadas o edematosas.

Todos éstos son signos sumamente importantes para un reflexoterapeuta, pero, además, por medio de la topografía refleja podemos realizar un minucioso estudio de los órganos, glándulas, estructura y sistemas, comprobar su funcionamiento y estado mediante la palpación de las áreas y puntos reflejos, y realizar el tratamiento a continuación.

A todo ello podemos añadir la identidad psicofísica implícita en los pies, los aspectos psicológicos nos manifiestan sutilmente rasgos de la personalidad del paciente, miedos, angustias, temores, tensiones, introversión, extroversión, etc., contribuyendo a que no se obvie ningún aspecto físico, mental o emocional, puesto que todos forman parte del mismo sujeto y son igualmente importantes. La información que los pies nos proporcionan es inestimable, certera y seria; los pies nunca mienten y siempre están dispuestos a modificar cualquier función equivocada, sólo hay que enseñarlos con paciencia y amor.

Estamos tan habituados a desmembrarlo todo, que en cierto modo parecemos olvidarnos de lo que somos: una única entidad, un todo. Cuando enfermamos o nos sentimos indispuestos, actuamos como si nuestro cuerpo fuera un conglomerado de fragmentos

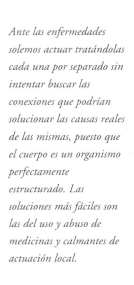

sin conexión. Obramos, generalmente, llevados por la tensión a la que nos vemos sometidos por la dinámica actual, lo cual genera estrés al encontrar dificultad de adaptación, pero no podemos parar; debemos seguir activos y necesitamos un remedio rápido.

Sin pensar realmente qué estamos haciendo con nuestra salud, tomamos algo para combatir el estrés, después nos duele la cabeza, nos sentimos indispuestos pero necesitamos seguir nuestra vida cotidiana, tomamos un calmante que alivie el dolor, para seguir realizando nuestras actividades. Más tarde nos molesta el estómago, pero rápidamente tomamos otro remedio que aligere la nueva indisposición en nuestro organismo. Seguidamente es posible que se desencadene otro síntoma, al que combatiremos con otro producto, y así sucesivamente. El problema inicial podría ser la consecuencia de infinitos factores, preocupaciones, nerviosismo, falta de descanso, o simplemente el hecho de llevar unos zapatos ajustados que compriman nuestros dedos, y que quizá se aliviarían con descalzarnos y presionarlos con nuestras manos. O procurando descansar, relajarnos y ocuparnos de los problemas —no preocuparnos por ellos—, pero recurrimos sencillamente a tomar algo que lo enmascare o palíe, y asunto olvidado.

Sería interesante cambiar el concepto de salud que tenemos y procurar racionalizar las cosas, sin utilizar alegremente y sin control la terapéutica medicamentosa que suele ser la que tenemos más a mano, pero no por ello la más idónea. Es importante que nos concienciemos de que somos una obra perfecta y de que si el cuerpo está sano la mente está sana. Cuando algo no va bien y sentimos un dolor debemos recapacitar, prestarnos atención, escucharnos, porque algo está funcionando erróneamente en nuestro interior. No hagamos, en cierto modo, lo que el avestruz, esconder la cabeza bajo el ala. Más vale prevenir que curar, como bien dice el refrán, y así poder evitar males mayores.

Por lo tanto, contemplemos la perspectiva que nos ofrece esencialmente la Reflexoterapia Podal: nuestros pies son la base, los cimientos sobre los que se apoya la estructura física de nuestro cuerpo que usaremos como casa y donde habitaremos hasta el final de nuestra vida. Si no cuidamos los cimientos o les sometemos a una serie de agresiones para las cuales no estaban diseñados inicialmente, la casa empieza a resquebrajarse, y si no buscamos soluciones, irremediablemente, se derrumba y cae.

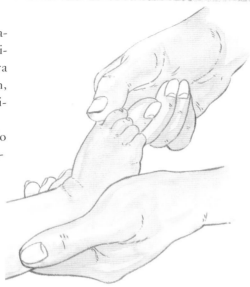

El cuidado amoroso de los pies de nuestros bebés es un fiel aliado para conservar y reforzar su salud.

¿QUIÉNES PUEDEN RECIBIR MASAJE?

Todas las personas, sin excepción. Incluso se ha practicado con buenos resultados con animales domésticos. El masaje es bien recibido

La aplicación del masaje requiere unos conocimientos previos, pero sobre todo una especial disposición interior.

por todos, desde un bebe recién nacido hasta una persona muy anciana, pasando por todas las etapas de crecimiento, pubertad, maduración, gestación, lactancia o menopausia.

Poder beneficiarse de algo tan natural e inocuo, es un regalo. Los bebes reciben el masaje con curiosidad; en algunas ocasiones lloran al principio, pero después se quedan muy tranquilos y relajados. Las mujeres embarazadas que reciben tratamiento durante la gestación, no sólamente se benefician ellas durante dicho período y a la hora del alumbramiento, sino que sus bebes son más despiertos, sociables, tranquilos y equilibrados, llamando considerablemente la atención a los terapeutas no muy experimentados en este campo. Los ancianos reciben de buen grado el masaje; aunque sienten generalmente mucho pudor con relación a sus pies, un suave masaje puede hacerles tener una vida más agradable y con mayor lucidez.

Durante el crecimiento ayuda a mantener un ritmo equilibrado del mismo, evitando posibles problemas de adaptación. En la pubertad resulta un medio útil de autoafirmación, ayudando a realizar naturalmente este cambio fisiológico tan importante. En la etapa de adulto, es inmejorable para mantenernos en buena armonía con nosotros mismos y con nuestro entorno, conservando el espíritu joven por más tiempo. En la menopausia es totalmente recomendable, evitando los problemas que generalmente conlleva, ya que de esta forma el cuerpo va adaptándose a su nueva situación de forma natural y progresiva. En el período de maduración es sumamente gratificante, retrasando el proceso de enveje-

cimiento y manteniendo un estado más activo y jovial.

En el caso de animales domésticos, es curioso observar cómo ellos buscan protección cuando tienen un problema y han sido tratados anteriormente, su instinto —yo diría su inteligencia innata— les hace buscar nuevamente a su benefactor cuando se sienten necesitados.

De igual forma podemos considerar libre de limitaciones esta práctica, en cuanto a personas sanas o enfermas. No hay necesidad de estar enfermo para recibir masaje, incluso resulta muy gratificante recibir un tratamiento podal cuando se está bien de salud, porque las zonas reflejas están poco sensibles y se disfruta sintiendo el efecto inmediato que produce el masaje de distensión en todas las zonas corporales. Debo añadir que aunque la persona esté completamente sana, siempre encontramos zonas sensibles en los pies, aunque muchas menos que en una enferma, pero indudablemente hay tensiones que están presentes en nuestra vida y como consecuencia éstas se manifiestan en los pies. Siempre encontraremos en esta técnica una aliada refleja para conservar y reforzar nuestra salud.

El alcance real de esta técnica es increíble, se está utilizando de forma preventiva con una eficacia demostrada. Las personas que habitualmente reciben masaje, se encuentran mejor preparadas interior y exteriormente para cualquier situación que se presente y tienen una mayor capacidad de respuesta ante cualquier factor de riesgo que comprometa su integridad. Las personas con dolencias o alteraciones mejoran considerablemente y su organismo va recuperando progresivamente su normalidad, la cual será inversamente proporcional al tiempo que haya sido mantenida dicha alteración. Generalmente, los puntos reflejos se alteran antes de que los síntomas se manifiesten, por lo que recibir asiduamente un masaje podal será de gran utilidad para mantenernos en forma, en el más amplio sentido de la palabra.

¿QUIÉNES PUEDEN PRACTICAR EL MASAJE?

Querer es poder, y todos podemos si queremos. Como hemos comentado al principio del capítulo, sólo se necesitan las manos para llevar a cabo el masaje. Las manos y el deseo de ayudar al prójimo, haciéndose extensivo a nosotros mismos. Porque dar es recibir. La calidez de unas manos dispuestas a dar es algo que siempre se recibe con placer. Hay personas que tienen manos sensibles y captan mejor los puntos reflejos; otras, por el contrario, no tienen el mismo grado de percepción y les cuesta algo más adaptarse, pero es sólo cuestión de tiempo y de práctica, y se puede aprender con paciencia. La calidad del tacto sale del interior, y viene dada por la disposición; aunque la práctica es un factor importante, todos los que deseemos tender la mano hacia nuestros semejantes, si lo hacemos con amor, comprobaremos cómo transmitimos ese tacto afable que da paz y reconforta a la persona necesitada.

Obviamente, se necesitan unos conocimientos y preparación previa para la aplicación del masaje que estarán en relación con las necesidades objetivas de cada persona. Según el nivel de aplicación al que queramos destinar nuestra práctica, así serán los conocimientos requeridos. Por supuesto deberemos someternos a diferentes grados de entrenamiento si nuestro objetivo es aliviar tensiones, estrés, ligeras indisposiciones o tratar problemas más serios y crónicos. De igual modo, si nuestra intención es ejercitar el masaje con nuestro círculo más íntimo de amistades o a nivel familiar, necesitaremos distinto enfoque que si deseamos formarnos como futuros reflexoterapeutas profesionales. Debemos prepararnos de acuerdo con el fin al que básicamente pensemos orientar nuestra práctica. Por tanto, dependerá de las metas que cada persona se proponga lograr, pudiendo acceder al mundo

reflejo todos aquellos que se sientan interesados por el ser humano.

Mi deseo es que encontréis el estímulo suficiente para ver en la Reflexoterapia Podal una técnica sencilla de reequilibrio. Leed con detenimiento todas las recomendaciones y consejos y mirad vuestros pies; dejad que ellos os hablen, que os cuenten aquello que sienten, tocadlos, sentidlos, acariciadlos, sois vosotros mismos pero en pequeño, aceptaros y seguramente sintáis la sensación de que vuestros pies hacen que empiecen a cambiar vuestras vidas.

MODO DE ACTUACIÓN

Los seres humanos han ido apartándose progresivamente de la naturaleza, dejando atrás el campo, las aldeas, los pueblos. Hemos ido adaptando nuestra vida a las grandes urbes, en las que todo está revestido y pavimentado sin dejarnos casi espacios abiertos donde podamos establecer contacto directo con el terreno. Hemos encarcelado nuestros pies en las celdas que dicta la moda, zapatos estrechos, tacones altos, realizados además con materiales inadecuados, y usamos calcetines o medias que están compuestos por fibras artificiales en su gran mayoría, con elásticos que actúan como torniquetes obstruyendo la circulación. Las calles asfaltadas, las aceras de cemento y el suelo de nuestras casas están fabricados con materiales sintéticos o tratados artificialmente con productos químicos. ¡Pobres pies, lo que tienen que soportar! Realmente son nuestros esclavos, y les tenemos vedada su libertad.

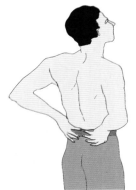

Los focos de dolor agudo manifiestan, llegados al límite, las pequeñas contracturas musculares que con frecuencia pasan desapercibidas.

Necesitamos renovar nuestro campo electromagnético, descargar la electricidad estática que acumulamos; para ello no hay nada mejor que pisar la tierra, pues ésta es la forma en la que se produce el intercambio fluídico preciso para mantener nuestra armonía. Pisar el suelo en el campo hace que las piedras, los guijarros, la arcilla o la arena del terreno estimulen nuestros pies al andar, desbloqueándolos y desentumeciéndolos, activando la circulación sanguínea y linfática, liberando las tensiones acumuladas en las terminaciones nerviosas, las contracturas musculares y, al mismo tiempo, limando sus durezas o asperezas de un modo natural, además de renovar su energía vital. Desligarnos del planeta ha llevado a desequilibrios, tanto al hombre como a la tierra, ésta evidencia el abandono a través del deterioro medio ambiental, y nosotros lo acusamos por medio de enfermedades. Quizá se trate de una forma muy sutil de pedirnos recíprocamente amor.

Podemos comprobar lo que representa pisar las playas con los pies desnudos, el césped de los jardines, las orillas de lagos o ríos, las rocas de las montaña o el campo. Constataremos que existen menos dolencias y achaques en general y que ello beneficia a todas nuestras funciones orgánicas. Observad la energía que fluye a raudales por vuestros pies al exponerlos al magnetismo terrestre, os sentiréis más íntegros, equilibrados y saludables.

El cuerpo humano está compuesto

Las exigencias familiares suelen ejercer fuerte presión, de ahí que necesitemos gran preparación física y mental ante las grandes tensiones que conviene prevenir. En estos casos se agradece un buen masaje podal.

principalmente por líquido, que se distribuye por los distintos emplazamientos: intracelular, intercelular o intersticial y plasmático, de acuerdo con sus nombres, constituyendo aproximadamente el 70% del peso total de un adulto sano. Este líquido interno está en relación continua y constante con todas y cada una de las células orgánicas, las nutre, oxigena y recoge sus desechos, funciones todas ellas necesarias para el mantenimiento de la vida.

Por tanto, todo en nuestro interior está interconexionado, los órganos o sistemas son los encargados de realizar las funciones de abastecimiento, oxigenación, excreción y transporte de las sustancias precisas en cada formación glandular, muscular, tisular y ósea. Para que todas las células que componen nuestros tejidos estén perfectamente sanas, es necesario que reciban los productos adecuados y puedan eliminar aquellos nocivos. Si todo este proceso se realiza adecuadamente, tendríamos a cada grupo celular ejecutando correctamente su función, con lo cual el organismo funcionaría como lo que es, una obra magistral de precisión. Beneficiándonos a todos los niveles, no solamente en el plano físico, sino en todos los demás aspectos implícitos en el ser humano, psíquicos, energéticos y espirituales.

La Reflexoterapia Podal contribuye a incrementar la energía a través de la manipulación de puntos y zonas alteradas. A ello se suma el hecho de que un terapeuta debidamente cualificado haga de canal-catalizador. Él actuará allí donde exista un bloqueo o retención, transmitiendo o liberando la energía, con lo cual el trabajo ganará en eficacia y efectividad. La libre circulación energética supondrá un aumento considerable de la vitalidad, estimulando las fuerzas curativas y protegiéndonos contra las agresiones externas.

La Reflexoterapia Podal actúa en la circulación sanguínea. Por un lado, debido al factor gravedad y por otro, a que los pies se encuentran en la zona más periférica del cuerpo se crean problemas en el retorno venoso y linfático. Además, tenemos en contra los obstáculos antes citados: calcetines, calzados, ropas ajustadas, o el permanecer largas horas sentados o de pie sin cambiar de postura. Todo ello impide la libre circulación de sangre y linfa y ocasiona que se vayan depositando sustancias de desecho, procedentes del metabolismo celular, las cuales no son recogidas adecuadamente por nuestros vasos sanguíneos, vénulas o capilares linfáticos, acumulándose en los tejidos. A veces estos sedimentos tienen forma de micro cristales, restos de ácido úrico, láctico, etc., que dañan las terminaciones nerviosas produciendo dolor.

Mediante el masaje todos los micro depósitos van siendo progresivamente reducidos a partículas más pequeñas, de tal forma que puedan ser recogidas por nuestros capilares e incorporadas al flujo sanguíneo o linfático, según el caso. También puede tratarse de nutrientes que se encuentren retenidos, pero que son precisos para realizar funciones vitales, y mientras permanecen acumulados en los pies no pueden ser utilizados por el cuerpo. A través del masaje se mejora la redistribución de nutrientes en todo el organismo.

La Reflexoterapia Podal, estimula la trasmisión nerviosa. Debido a las mencionadas sustancias de deshecho, toxinas y residuos catabólicos y metabólicos depositados en los tejidos, la red periférica nerviosa queda restringida. La información procedente de nuestros pies entra en el sistema nervioso central, a la altura de la zona lumbar o sacra. De igual forma, a través de ellas se trasmiten las órdenes procedentes de los centros superiores con destino a nuestros pies. Si existen bloqueos la interconexión queda truncada, produciéndose dificultades en el equilibrio eléctrico del cuerpo, lo que conlleva a un desajuste químico de nuestro medio interno y externo.

Cada día existen más tipos de indisposiciones denominadas psicosomáticas, debido a que no se puede determinar su origen y se desconoce la índole del factor ocasionante. El cuerpo es perfectamente sabio, si el ordenador central no tiene control sobre todas y cada una de las funciones corporales o existe un cortocircuito, no podrá hacer frente al mantenimiento de las mismas, así como no podrá atender debidamente las necesidades perentorias que se produzcan, por lo que

habrá zonas o áreas corporales que se escapen a la supervisión y se producirá la proliferación descontrolada de cualquier invasor anormal.

Diluir las toxinas favorecerá la comunicación entre el sistema nervioso central y periférico. La presión ejercida por el masaje va a producir una respuesta inmediata. Aun antes de que el mensaje llegue al encéfalo, se procese y desde allí se emita una orden, se va a producir un arco reflejo. Es decir, una reacción involuntaria, parecida a la que nos lleva a apartar la mano inmediatamente cuando tocamos un objeto candente. Más tarde los centros reflejos superiores actuarán en consecuencia, de forma automática. Desde el principio del masaje existen una serie de comandos reflejos que actuarán como aliados. He tenido la experiencia, en infinidad de ocasiones, de estar realizando una terapia y la persona que la recibía notaba en la zona corporal lo que estaba pasando en el pie. Si me hallaba en la zona refleja del intestino, columna, o en cualquier otra, me anunciaban que estaban sintiendo una especie de hormigueo, cosquilleo, calor u otra sensación en la zona corporal correspondiente. Han sido muchas y diferentes personas que desconocían por completo los mapas reflejos las que han manifestado estas sensaciones tan contundentes. Las que conocían los mapas o zonas reflejas se han sorprendido gratamente al constatar estas conexiones tan precisas.

INDICACIONES PRÁCTICAS DEL MASAJE PODAL

El masaje está indicado en todo tipo de alteraciones, tanto físicas como psíquicas, aun no habiendo ningún problema, como comentábamos antes. Nunca viene mal un masaje en los

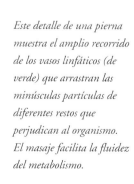

Este detalle de una pierna muestra el amplio recorrido de los vasos linfáticos (de verde) que arrastran las minúsculas partículas de diferentes restos que perjudican al organismo. El masaje facilita la fluidez del metabolismo.

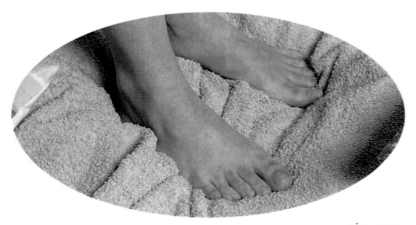

Una agradable sensación de relax en los pies equivale al descanso conseguido después de un sueño relajado.

Un masaje podal de forma esporádica ayuda a que el cuerpo encuentre de forma natural su equilibrio, desbloqueándose y liberándose de sobrecargas, tensiones y cansancio, renovando su vitalidad y reconfortándose desde lo más profundo. Normalmente un masaje equivale a un descanso similar al que proporcionan varias horas de sueño relajado, distendido y profundo. Después de una sesión de Reflexoterapia Podal queda una agradable sensación de relax duradera, pero si además el tratamiento ha sido realizado por terapeutas debidamente instruidos, la energía renovada aportará fuerza y vigor al paciente para reiniciar su actividad con un nuevo entusiasmo y dinamismo que será percibido por todas las personas de su entorno.

pies, puesto que la vida acelerada que llevamos y el ritmo trepidante de las grandes ciudades hace que, con frecuencia, nos sintamos sobrecargados de obligaciones, viéndonos abrumados por las prisas y con falta de tiempo para nosotros mismos, suprimimos horas de sueño y nos privamos de tranquilidad o descanso y ello nos induce a generar estrés.

Por otro lado, las exigencias familiares, profesionales o sociales, cada vez son mayores y requieren un continuo estado de alerta, un dinamismo sobrehumano, una gran preparación y esfuerzo mental; todo ello implica una mayor tensión, que podría llegar a estresarnos. Generalmente no nos damos cuenta de que esta serie de situaciones cotidianas van manifestándose en forma de pequeñas contracturas musculares en diversas zonas corporales que pasan desapercibidas inicialmente, pero que pueden ir consolidándose progresivamente hasta llegar a ocasionar un foco agudo de dolor.

Centrándonos en el aspecto terapéutico propiamente dicho, la Reflexoterapia Podal está indicada sola o combinada con otros métodos terapéuticos en infinidad de casos, por ejemplo:

— Alteraciones psicosomáticas: insomnio, ansiedad, depresión, estrés, nerviosismo, problemas de adaptación, hipertensión o hipotensión, taquicardias, problemas digestivos de origen nervioso, vértigos, vahídos, neuralgias, cefaleas, colon irritable, anorexia, etc.
— Trastornos motores, funcionales o sensitivos de columna vertebral, articulaciones y sistema musculoesquelético.
— Disfunciones metabólicas.
— Problemas digestivos: digestión, asimilación y excreción.
— Traumatismos, lesiones, contusiones.
— Deficiencias circulatorias o linfáticas.
— Problemas genito-urinarios.
— Desarreglos hormonales.
— Padecimientos cardiovasculares.
— Afecciones inmunodefensivas.
— Alteraciones del sistema nervioso central y periférico, tanto motoras como sensitivas.
— Deficiencias respiratorias.
— Pre o post operatorios.
— Dolores en general.
— Problemas relacionados con los órganos de los sentidos: visión, audición, olfato, gusto, tacto.
— Afecciones del sistema inmunológico.

La reflexología trata, además de patologías concretas, de estimular las fuerzas que autorregulan el organismo para conseguir el mejor funcionamiento del mismo. Sin embargo, existe patologías puntuales en las que su uso esté contraindicado.

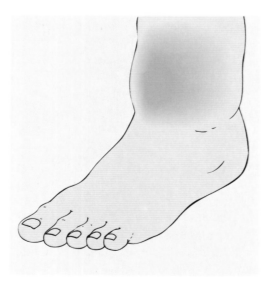

— Problemas estructurales: pies planos, cavos, juanetes, etc.

Debo añadir que cualquier disfunción puede llevar implícitos diversos factores, generalmente un problema en cualquier órgano o sistema complicará a otros que dependen o colaboran con él. Luego la Reflexoterapia Podal no trata específicamente ninguna enfermedad o patología concreta, su labor consiste en estimular las fuerzas autorreguladoras presentes en cada organismo para que éste modifique las funciones alteradas, lo cual beneficiará a todo el cuerpo.

CONTRAINDICACIONES DEL MASAJE PODAL

Es importante conocer, comprender y respetar las contraindicaciones que tiene la Reflexoterapia Podal. Todas ellas son temporales, es decir, no se debe aplicar el masaje mientras exista el problema, pero una vez subsanado, puede iniciarse o reanudar el tratamiento con toda normalidad. Si existe la menor sombra de duda, consultar siempre con el facultativo, él nos podrá aconsejar y orientar en cada caso.

— Flebitis, tromboflebitis en pies o piernas. El paciente con cualquiera de estas alteraciones debe estar totalmente restablecido y esperar dos o tres meses antes de comenzar un tratamiento podal. Es importante consultar con el médico.
— Urgencias que requieran tratamiento hospitalario.
— Infecciones agudas graves, con fiebres altas.
— Gangrena.
— Amenaza de aborto.
— Heridas y úlceras varicosas en pies o piernas.
— Infecciones mióticas externas del pie (hongos, pie de atleta).

FLEBITIS, TROMBOFLEBITIS O TROMBOSIS

No se debe aplicar el masaje podal a las personas con problemas inflamatorios o sospecha de flebitis, ya que podríamos producir una mayor inflamación en el vaso y tejidos colaterales, aumentando el riesgo de edema en el miembro o región afectada por la flebitis, así como la posible aparición de abscesos flebíticos. Esto podría degenerar, en los casos más graves, en una tromboflebitis con riesgo para la vida del paciente.

La flebitis o inflamación de una vena se debe frecuentemente a una infección asentada a nivel de un órgano vecino de la vena afecta; esta inflamación y la ralentización de la circulación pueden causar la coagulación local de la sangre (trombosis) presentándose un caso de tromboflebitis, que agrava el problema circulatorio y cuya complicación más temible sería la trombosis pulmonar. Otra complicación sería la proliferación de gérmenes en la sangre, que daría lugar a la septicemia. En este caso, con el masaje podal activaríamos la circulación, con el riesgo de provocar un accidente cardiorespiratorio.

De lo anteriormente expuesto, se deduce que los riesgos que se corren al tratar a una persona que padezca tromboflebitis con esta técnica son verdaderamente graves, por lo que el reflexoterapeuta debe evitar cualquier riesgo. La tromboflebitis es una enfermedad grave si afecta a un tronco venoso de cierto calibre, por el peligro de que el trombo se propague o se desprenda un fragmento, que puede ocasionar incluso una embolia pulmonar mortal.

Una trombosis es el proceso de formación y desarrollo de un trombo debido a la modificación de la pared vascular, de la corriente sanguínea y de la composición de la misma, que hacen a ésta más coagulable. Una vez que el trombo se ha formado no permanece como una estructura estática: puede crecer o desintegrarse, y otras veces el trombo se retrae de tal forma que no obstaculiza el paso de la corriente. Si este cuadro se presenta en pies o piernas, existe el riesgo de ser movilizado por la activa-

Algunos tipos de sintomatologías quedarían enmascaradas, si al intentar aliviarlas aplicáramos masajes que confundieran su diagnóstico. Existen ocasiones llamativamente significativas en las que se debe evitar el masaje Podal.

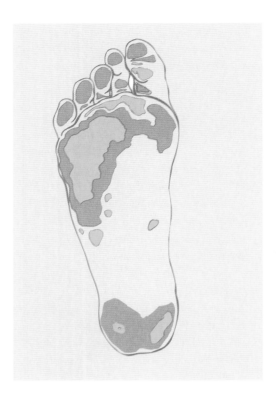

ción de la circulación que produce el masaje podal, con lo cual podría viajar fácilmente a través de las venas cuyo calibre va aumentando progresivamente en dirección al corazón, al llegar aquí es bombeado hacia los vasos pulmonares, donde el calibre empieza a estrecharse, pudiendo llegar a obstruir algún vaso pulmonar, lo cual provocaría un grave problema cardiocirculatorio. Como en los casos anteriores nunca se debe realizar un tratamiento.

URGENCIAS QUE REQUIERAN TRATAMIENTO HOSPITALARIO

Los reflexoterapeutas debemos abstenernos de intervenir en aquellas situaciones que por su gravedad requieran un tratamiento hospitalario inmediato, como: traumatismos graves, accidentes cardiovasculares o sospecha de posibles problemas serios en órganos internos (hemorragias, peritonitis, etc.). Podemos utilizar en este caso nuestros conocimientos energéticos de primeros auxilios, mientras acude el personal facultativo para atender al paciente o accidentado, pero nunca realizar un masaje ni en la zona refleja implicada ni general, ya que podemos enmascarar los síntomas.

Existen mujeres, que, durante el embarazo, sufren amenaza de aborto debido a diversos problemas. Así pues, es necesario recalcar que, en el caso de la mujer embarazada, no es recomendable el masaje reflejo debido a su posible peligro como desencadenante de contracciones.

INFECCIONES AGUDAS GRAVES CON FIEBRES ALTAS

Nunca se debe realizar un tratamiento a personas que presenten síntomas de infecciones graves con procesos febriles. La fiebre aumenta las combustiones intraorgánicas y, por tanto, la eliminación de catabolitos y toxinas bacterianas. Las toxinas nocivas circulantes irritan los centros termorreguladores. La temperatura considerada como fiebre oscila entre 38 ° y 43 °C, si llega a 44 ° ó 45 °C, el paciente muere en unas horas, por destrucción del tejido nervioso. Cuando la fiebre constituye un proceso de defensa no debe ser combatida, excepto si es muy duradera o elevada. Por lo que no es conveniente tratar mediante Reflexoterapia Podal ningún proceso febril, ya que, por un lado podría ocurrir, que se produjera un pico elevadísimo de temperatura con el consiguiente riesgo para el paciente, pudiendo ocasionar una crisis convulsiva. Por otro lado, podemos enmascarar el proceso induciendo a error a la hora de precisar el foco infeccioso. Cuando exista un cuadro infeccioso grave no debemos intervenir, ya que es imprescindible la rápida actuación del médico, el cual prescribirá la medicación adecuada para combatir la infección.

GANGRENA

Patológicamente la gangrena se considera como la mortificación local de un tejido o parte de un órgano, producida por causas físicas, químicas, tóxicas, infecciosas, circulatorias o nerviosas. Por ello es totalmente ilógico realizar un masaje sobre un miembro con gangrena. Existen varios tipos de gangrena, la húmeda y la gaseosa son de origen infeccioso, con el masaje podemos provocar la proliferación de gérmenes y microbios que comprometerían el estado general del paciente, sobre todo en la gaseosa, que se caracterizada por la producción de gas en el seno de los tejidos, y conduce frecuentemente a la muerte.

AMENAZA DE ABORTO

En ningún caso se debe tratar a nivel reflejo a una mujer que estando embarazada tenga tendencia a abortar o presente síntomas de amenaza. El masaje actúa estimulando o relajando, por lo que podrían producirse uno u otro efecto y desencadenarse contracciones, con riesgo de hacer peligrar el embarazo, o bien el efecto contrario ayudando a reforzar el embarazo y llevarlo a buen término.

El cuerpo es muy sabio y realizará en cada caso aquello que sea más natural, si el feto está bien constituido y el útero y la madre en condiciones de continuar el embarazo. Lo más normal es que éste continúe, pero si existe alguna deficiencia será suspendido, sobreviniendo el aborto espontáneo. Pero, ¿quién nos asegura que se ha hecho lo correcto en uno u otro caso? Es una temeridad arriesgarse a practicar un masaje reflejo podal, en este caso, pudiéndose utilizar técnicas que no impliquen ningún peligro.

Debo comentar aquí un caso que puede aclarar al lector la forma tan inteligente de actuación de la Reflexoterapia Podal. Como estamos ante una contraindicación, «la amenaza de aborto», se podría pensar que se puede utilizar como técnica abortiva; pues bien, el caso al que me refería era éste. Alguien pensó que se podría provocar, mediante la estimulación exagerada de la zona genital, un aborto espontáneo en un caso de embarazo no deseado. Pero nuestro cuerpo busca siempre su equilibrio y protege la vida, y el aborto no se produjo, a pesar de la incorrecta forma de utilizar una técnica terapéutica.

HERIDAS O ÚLCERAS VARICOSAS

En este caso hay que apelar al sentido común. Si existen heridas o úlceras debemos abstenernos de realizar un masaje, por cuestión de asepsia. En el caso de úlceras varicosas,

no sabemos si puede existir un pequeño coágulo que se pueda desprender o movilizar produciendo un grave problema.

INFECCIONES MICÓTICAS EXTERNAS DEL PIE

Cuando existe una infección externa hay dos riesgos: uno, extenderla por toda la superficie podal o incluso contagiar al otro pie; el otro, es el posible contagio de las manos del terapeuta.

Todos estos factores de riesgo tienen un curso de evolución que puede ser más o menos largo; a excepción de la gangrena hay que esperar el tiempo prudencial hasta que haya una normalización y consultar el caso con el médico que atienda al paciente. Más que como contraindicaciones, estimo que deberían ser contempladas como normas ineludibles que debemos respetar. Cumpliendo así el principio hipocrático: «Sobre todo, no dañar».

EFECTOS BENEFICIOSOS DEL MASAJE PODAL

Los beneficios que vamos a obtener con el masaje son muchos. Básicamente se pueden agrupar en lo que representaría las diez reglas de oro de la Reflexoterapia Podal:

— Induce a un profundo estado de relajación y bienestar.
— Estimula la energía vital, liberando los

El hábito del masaje en los pies suele resultar tan tonificante que hace que las personas tratadas sean más joviales y activas.

— Estimula la energía vital, liberando los bloqueos.

— Mejora la circulación, tanto a nivel local como general.

— Equilibra las trasmisiones nerviosas produciendo un perfecto ajuste del sistema de regulación homeostática y neurofuncional del mundo afectivo.

— Depura y limpia el organismo de sustancias tóxicas como catabolitos o materiales de deshecho y toxinas.

— Favorece la respiración y nutrición celular.

— Reduce el estrés, ayudando a una mejor adaptación.

— Normaliza las funciones orgánicas, glandulares y hormonales.

— Estimula las defensas del organismo.

— Alivia el dolor.

Además de lo descrito anteriormente, poseemos testimonios acumulados a lo largo de años de experiencia que enriquecen nuestro haber. Las personas tratadas se sienten más rejuvenecidas, activas, joviales, alegres, acusan menos el cansancio y poseen una mayor claridad mental, en pocas palabras, se cuidan, aceptan y quieren un poco más. Por tanto, también tienen mayor capacidad de cuidar, aceptar y querer más a los demás lo que se refleja en su relación con su ambiente. Puede parecer increíble para el lector que el hecho de recibir unos masajes en los pies pueda ejercer una transformación tan profunda. Pues bien, estamos ante una técnica que equilibra y armoniza interior y exteriormente y proporciona paz. Es fácil de comprobar, no hay más que sentirlo.

Durante el uso de tratamientos medicamentosos se hace desaconsejable el masaje Podal, puesto que su acción estaría obstaculizada por aquellos en aspectos de la sensibilidad o la psique.

INCOMPATIBILIDADES DEL MASAJE PODAL

Sólo existe un agente causal que pueda ser considerado como incompatible con la práctica de la Reflexoterapia Podal y éste es la ingestión habitual de fármacos: sedantes, excitantes, inhibidores o supresores del sistema nervioso. Mientras que la persona se encuentre en tratamiento medicamentoso, cuya función sea calmar el dolor o actuar sobre la sensibilidad o la psique, como analgésicos, antiespasmódicos, sedantes, barbitúricos, ansiolíticos, estimulantes, excitantes, relajantes, hipnóticos, anestésicos y algunos antiestamínicos, no procede realizar tratamiento.

Personalmente, en estos casos recomendaría optar por otra terapia no refleja. En caso de que la persona desee recibir un masaje podal por apetencia, o con el fin de ayudar a mejorar, por ejemplo, un problema circulatorio, debemos distanciar nuestra actuación lo más posible de la toma del medicamento, o bien tener en cuenta su tiempo de acción. Pero, repito, en este tipo de situaciones pueden utilizarse otras terapias que no actúen vía refleja y que, sin lugar a dudas, darán mejores resultados.

Excepto en los casos citados anteriormente, no existe ningún otro tipo de incompatibilidad medicamentosa con el empleo de la Reflexoterapia Podal. Siendo muy util su aporte y colaboración con cualquier otro tratamiento terapéutico bien sea alopático, homeopático, naturopático, etc., o con cualquiera de las técnicas comprendidas en ellos, como quiromasaje, quiropraxía, osteopatía, fisioterapia, bioenergética, acupuntura, digitopuntura, shiatsu, biorritmos, rolfing, electroterapia, mineralterapia, aromaterapia,

cromoterapia, hidroterapia, etc. Es importante reseñar el efecto potenciador observado cuando se utiliza Reflexoterapia Podal. Al complementarlas con otras terapias, necesitaremos menos sesiones para obtener los resultados deseados. Ambas aúnan sus efectos multiplicando el resultado final.

POSIBLES REACCIONES AL MASAJE

Generalmente, son necesarias alrededor de veinticuatro horas para que el cuerpo elimine todas las toxinas movilizadas por el masaje. En casos muy profundos o crónicos, es posible que sea necesario algo más de tiempo, dos o incluso tres días. Durante dicho período, el cuerpo reaccionará al estímulo recibido, pudiendo presentarse síntomas claros que nos muestren que algo está ocurriendo a nivel interno, depurando nuestro organismo y transformando los hábitos erróneos. Las formas más usuales, de percibir estas posibles reacciones secundarias al tratamiento son:

— Emisión de orina en cantidades superiores a las habituales, con coloración y olor más intensos.
— Energía, vitalidad y vigor superiores a lo común.
— Sed o hambre inusuales.
— Cansancio generalizado, sobre todo en casos crónicos. Necesidad de reposo y sueño.
— Sensación profunda de relajación. Sueño reparador.
— Evacuación de heces más cuantiosas, líquidas u oscuras.
— Disolución de gases, aumento de transpiración.
— Dolores esporádicos que ceden sin la necesidad de calmantes.
— Signos de acatarramiento, estornudos, expectoraciones leves, que pueden ser acompañados de febrícula.

Estos signos suelen presentarse aisladamente, es decir, cada paciente puede tener alguna de las reacciones anteriormente enumeradas, lo cual será indicativo de que nuestro cuerpo responde a la acción refleja de forma peculiar e individual, puesto que cada persona es un microcosmos. Siempre deben ser interpretados como positivos, puesto que el cuerpo ha de eliminar los malos tratos recibidos a través de los medios de que dispone, bien excretando las sustancias tóxicas o neutralizandolas, necesitando para ello un cierto tiempo.

Por tanto, dependiendo de los factores individuales, así serán las manifestaciones secundarias. Por ejemplo, si una persona padece un estreñimiento crónico, es normal que a partir de las seis u ocho horas siguientes al masaje se presenten evacuaciones intensas hasta que el intestino se limpie. Es conveniente tomar mucho líquido, sobre todo en los primeros días de iniciar el tratamiento, como ayuda al organismo en su misión depurativa. La cantidad de agua recomendada oscila alrededor de los dos litros diarios.

CAPÍTULO 2

Preparación para el masaje podal

Propiciar un ambiente cómodo y agradable es el mejor modo para llevar a cabo una sesión de Reflexoterapia Podal. El paciente debe sentirse lo más distendido y relajado posible, siendo conveniente cuidar todo tipo de detalles. Durante el desarrollo de la terapia se crea un clima de cooperación y empatía entre el terapeuta y el paciente, surgiendo en numerosas ocasiones de forma natural y espontánea una comunicación muy especial, por lo que debemos asegurarnos de estar libres de interrupciones o distracciones.

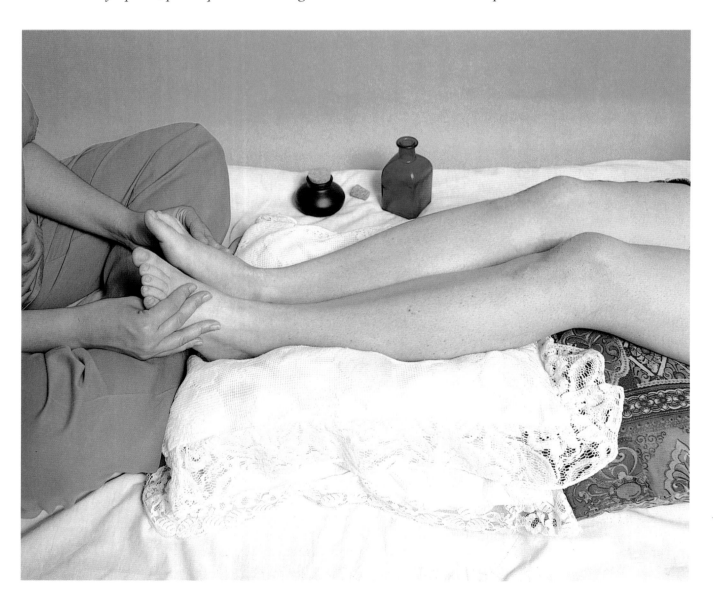

Nada ni nadie debe perturbar nunca una sesión, pues lo más importante es identificarse totalmente con la labor, estar en todo momento dispuesto al diálogo si surge, o permanecer callado si el paciente así lo requiere. Observar las necesidades y adaptarse a ellas es la mejor pauta de actuación. Cada paciente es un mundo y cada sesión una nueva dimensión con la que debemos familiarizarnos, intentando ser conscientes de las sugerencias verbales o mudas que se evidencien en el paciente.

Hay terapeutas que prefieren permanecer silenciosos durante el tratamiento y recomiendan al paciente que se relaje y se mantenga callado sintiendo el masaje; otros, por el contrario, prefieren comentar con el paciente lo que van revelando sus pies, haciéndoles partícipes de la sesión. Es una cuestión totalmente personal, cada terapeuta debe buscar la forma más apropiada de realizar su tarea, pero sin descuidar en ningún caso lo que el paciente demande: él será el más importante en todo momento. Mi criterio particular en este sentido, sin dejar de respetar otras opiniones, ha estado orientado en dirección a que el paciente participe de forma activa en la misión de curarse.

La interlocución surgida a partir de la sensibilidad manifestada en los puntos reflejos, verbal o sensitivamente, puede ayudar a desenmascarar el origen de la misma que incluso el paciente puede ignorar o haber olvidado. Por medio del tratamiento puede conseguirse que el padecimiento que sufre el paciente, si bien pudo iniciarse inconscientemente, debe concluirse de un modo consciente; es decir, si la persona no se involucra en el proceso de curación que ha emprendido, éste no conseguirá ser lo eficaz que debiera. Creo que todos, consciente o inconscientemente, somos responsables de nuestras actitudes, y es en ellas donde redica normalmente la causa de la enfermedad.

Es muy importante crear una atmósfera favorable y afectuosa en la que sea básico mantener la atención, ya que durante el proceso llegan momentos en los que el paciente puede entrar en una fase o punto crucial al disolverse las tensiones traumáticas sufridas en el pasado; aquí necesitará una gran dosis de intimidad y confidencialidad para solucionar sus conflictos. Se pueden presentar llantos imprevisibles, sollozos, suspiros, risas nerviosas, brotes de ira, congoja, emoción o alegría que el terapeuta deberá orientar dejándolas fluir con la mayor naturalidad, sin cortar la comunicación profunda que la persona está estableciendo en esos momentos con su interior.

Debemos actuar con suma discreción, respetar y mantener una actitud expectante ante las necesidades que puedan surgir, nuestro apoyo y comprensión serán la ayuda que el paciente necesite para realizar esa conexión tan importante que se puede llegar a producir entre mente y cuerpo.

Es recomendable instalar a la persona confortablemente, poniendo cojines o almohadas debajo de la cabeza, de tal manera que la cara esté siempre visible para el terapeuta, así podrá observar cualquier gesto de agrado, desagrado, dolor o angustia en el rostro, e indicar cualquier punto álgido o conflictivo que deberemos tratar con especial cuidado. Igualmente, es conveniente poner cojines debajo de las rodillas, de esta forma evitaremos tensión en la zona lumbar de la persona. Al levantar las rodillas, la columna vertebral descansará de una manera más cómoda y natural, consiguiendo que el paciente permanezca durante el tratamiento, en una postura tridimensional que haga más agradable la terapia y su aplicación. De esta forma, al no haber estiramiento muscular, los pies están más sueltos y distendidos proporcionándonos un mejor acoplamiento de nuestras manos a su estructura.

Debemos cubrir al paciente con una manta, toalla o sábana según la temperatura ambiental. Éste debe sentirse en todo momento lo más confortable posible, no debemos olvidar que al relajarse profundamente la temperatura del cuerpo baja y podría sentir frío; también se debe cubrir el pie que no se está trabajando. No es conveniente que la persona

Entre los factores fundamentales para el buen éxito del masaje está la creación de un ambiente distendido que facilite la plena relajación.

sienta frío en el cuerpo o en los pies, se debe intentar mantener una sensación cálida durante y después del tratamiento. Si la activación de la circulacion se está realizando adecuadamente, el paciente deberá ir percibiendo sutiles oleadas de calor, localizadas en las diversas zonas corporales cuyos reflejos se están trabajando. En ocasiones, al tratar una zona refleja conflictiva a nivel podal, se desencadena una sensación de frío intenso en la correspondiente zona corporal del paciente, debiendo ser neutralizada totalmente antes de concluir la sesión de trabajo. Es muy desagradable levantarse de la camilla con sensación de frío interno, y lo digo por propia experiencia.

Una música suave de fondo es idónea para crear un clima armónico, existen diversas grabaciones realizadas con fines terapéuticos que podemos elegir para nuestro trabajo. De acuerdo con las preferencias del paciente, y sus necesidades objetivas, podemos seleccionar entre gran cantidad de fenómenos naturales cuyo fondo puede ayudar a mejorar estados emocionales, mentales o físicos, como podrían ser el rumor de arroyos cristalinos, el sonido del viento o el canto de los pájaros en el campo. Es recomendable evitar prendas ajustadas, cinturones u otros objetos que compriman el cuerpo del paciente, y pedir a éste que se despoje del reloj, para evitar interferencias en el campo electromagnético personal. Las manos del reflexoterapeuta deberán tener las uñas bien cortas y convenientemente limadas para

no clavarlas en la piel. No se deben usar esmaltes, anillos, pulseras ni, por supuesto, reloj. Las manos deben estar desnudas y libres para poder trabajar cómodamente. Es importante lavarlas antes del masaje y naturalmente después, siempre con agua fría, esto ayudará a limpiarnos de la posible energía estática que se haya quedado en ellas. Nuestra postura debe ser lo más cómoda y relajada posible, debiendo mantener la espalda recta. Si algo nos aprieta es conveniente aflojarlo para sentirnos más libres. Es sumamente importante prepararnos para el tratamiento que vamos a realizar, adoptar la mejor disposición y procurarnos el mayor confort físico, para lo que debemos tener un asiento confortable. Si el terapeuta se siente a gusto física y mentalmente, esta sensación será percibida sin lugar a dudas por el paciente, contribuyendo a su bienestar. Si, por el contrario, se siente tenso, también será captado por la persona en forma de un desasosiego extraño. He podido comprobar personalmente que a través de las manos del terapeuta que realiza el masaje se transmiten una serie de sensaciones muy sutiles, reflejo de su estado anímico y que inducían a tensarse o relajarse, según los casos. Por ello hago hincapié en la gran responsabilidad que tenemos en este sentido, ya que un terapeuta puede, si no está debidamente cualificado, y aun de forma inconsciente, alterar al paciente, por lo que debe ocuparse especialmente de su preparación previa al masaje armonizando su interior.

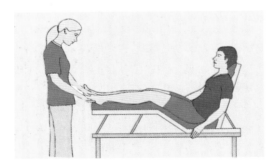

APLICACIÓN DE LA PRESIÓN CORRECTA

Una técnica terapéutica armónica, como es la Reflexoterapia Podal, no debe practicarse con una presión excesiva, ya que el paciente no está en condiciones de ser agredido, y debemos contribuir a su equilibrio y bienestar, no a desequilibrar más aún su medio interno por un uso excesivo de presión en el tratamiento. Una persona enferma presenta zonas reflejas con enorme sensibilidad, por lo que ejercer sobre ellas una presión demasiado fuerte es totalmente negativo, pudiendo ocasionar problemas de rechazo.

Debemos proceder con suma cautela, paciencia y amor. Sin prisas, el resultado final que conseguiremos será más efectivo, aunque para ello debamos emplear más tiempo de trabajo en una sesión.

Llevar a un paciente a un estado de dolor, es totalmente desaconsejable pues genera una situación de tensión y angustia contraproducente desde el punto de vista terapéutico. La persona estará deseando que se concluya la sesión, para liberarse del martirio que le supone, y después tendrá que sufrir una crisis curativa excesiva y antinatural que podrá llevarle a una situación comprometida.

Por ello creo que nunca debe consentirse un trabajo reflejo demasiado agresivo que pueda ocasionar, además de un dolor muy profundo, reacciones secundarias muy desagradables. El terapeuta obtendrá la valoración de la presión correcta a ejercer sobre el paciente de

El terapeuta deberá despojarse de cualquier elemento que interfiera su campo electromagnético, aplicando el masaje con manos y brazos totalmente desnudos.

acuerdo con las condiciones específicas y sensibilidad del mismo. Cada ser humano tiene un límite o umbral del dolor diferente que en ningún caso se debe superar, aunque nosotros obviamente no lo conocemos con anterioridad. Nuestro cometido esencial es adaptarnos a cada caso concreto, buscando el grado de complicidad necesario para actuar terapéuticamente, sin llegar a invadir o a comprometer la integridad del paciente.

Otro factor importante a tener en cuenta, y que justifica el no realizar una presión excesiva para llevar a cabo un buen tratamiento, es conocer que la red periférica nerviosa está en la piel, en la dermis situada inmediatamente debajo de la epidermis. La piel actúa, entre

El pensamiento puesto en fenómenos naturales que propicien el mejor estado emocional, tales como el rumor de fondo de arroyos cristalinos o la simulación de los gorjeos de los pájaros, facilitan también la predisposición hacia un mejor estado físico.

A través de la piel, los terapeutas consiguen estimular el sistema nervioso periférico.

otras funciones, como órgano sensorial para la percepción de presión, temperatura y dolor. Es, además, un órgano de expresión del sistema nervioso autónomo por lo que la situación emocional hace variar la resistencia eléctrica de la piel condicionando la secreción de sus glándulas. Es en este fenómeno en el que se basa el llamado «detector de mentiras».

Esta exposición evidencia la importancia sensitiva que posee la piel, por lo que los terapeutas llegamos a estimular suficientemente el sistema nervioso periférico presente en ella sin tener que presionar con una fuerza desmesurada. Excepto la piel del talón, que presenta un mayor grosor, en el resto del pie podemos encontrar estas terminaciones a una profundidad aproximada de un milímetro. Además, existe en estas terminaciones nerviosas, como hemos comentado, un potencial de energía electromagnética que irradia hasta el más sutil tejido orgánico, con lo cual tenemos otra razón más para concienciarnos de que realmente no es necesario presionar. Clavar los dedos sin moderación no tiene sentido; un refrán muy curioso que podemos aplicar en este caso es: «Más vale maña que fuerza».

Añadiremos que un estímulo excesivo retrae al paciente y le inhíbe, por ello debemos aplicar la presión de acuerdo con las características individuales de los pies que tengamos delante. Si es fuerte y musculoso, o si es blando y delicado si se trata de un niño o de una persona mayor. Debemos acomodarnos a las circunstancias personales del paciente. Tengamos presente que si producimos una sensación demasiado dolorosa o desagradable, la persona va a tratar de protegerse ante la agresión sufrida cerrándose al tratamiento, pudiendo bloquear su receptividad y c r e a r recelos y temores internos. Con ello estaríamos actuando de forma contraria a lo que pretendemos. Es importante que la persona se sienta integrada con la forma en la que el reflexoterapeuta

El terapeuta obtendrá la valoración de la posición correcta del paciente según manifieste su sensibilidad.

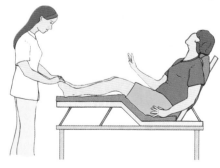

le aplica el tratamiento, sentirá confianza y se alcanzará una mayor efectividad.

Experiencias personales me han llevado a comprobar lo nefasto que puede ser recibir un masaje agresivo. En varias ocasiones he sufrido hematomas, inflamaciones considerables e incluso una flebitis producida por una excesiva presión sobre una vena que me hizo pasar muy malos ratos. Las manipulaciones incontroladas no ocasionan un mejor resultado reflejo, y pueden producir alteraciones adicionales.

MANIFESTACIONES DE LAS ZONAS ALTERADAS

Es fácil deducir por los comentarios anteriores, que las zonas alteradas suelen ser dolorosas o sensibles al tacto. Las deficiencias pueden ser percibidas de muy diversas formas, más o menos intensas, dependiendo de la zona refleja de que se trate o bien del problema en dicho lugar. Generalmente, la persona siente la sensación de una uña clavándose en su piel, obviamente esto no es posible, ya que el terapeuta debe llevar siempre las uñas bien cortadas y limadas convenientemente a fin de no se claven en ninguna manipulación. Por tanto, el dolor es producido por las cristalizaciones existentes en la zona refleja, no por nuestra uña. Con el masaje, al ir disolviendo progresivamente dichas cristalizaciones, se producen molestias muy singulares propias de este sistema terapéutico percibiendo el paciente, según el caso, diversas sensaciones que generalmente nos trasmite de forma peculiar. Hay ocasiones que, en puntos específicos del pie, la sensación dolorosa es especialmente punzante, como ocurre en la zona correspondiente a las glándulas suprarrenales o al plexo solar en una persona estresada, cansada o con problemas.

La sensibilidad localizada en una zona podal puede ser debida a diversas alteraciones en la zona corporal que refleja; desde una tensión, contracción o retención hasta un amplio espectro de condicionamientos. Esto deberá ser interpretado por un reflexoterapeuta, que marcará las trayectorias, directrices y pautas que deben establecerse para emprender el tratamiento más conveniente, a fin de eliminar los bloqueos presentes en dicha alteración. No debemos aventurarnos en diagnósticos que puedan inducir a error o a preocupar al paciente.

Respecto a los distintos tipos de anormalidades que podemos percibir en los pies, encontramos granulaciones de muy variada forma y magnitud. El tejido subcutáneo es invadido por sustancias de consistencia más o menos diminuta. Podemos sentir bajo nuestros dedos la sensación de estar tocando partículas dentro de una bolsita, tales como azúcar, sal fina o gruesa, arroz, etc. También puede haber zonas endurecidas, como si los tejidos estuviesen comprimidos, sin que existan callosidades externas. Se pueden encontrar zonas inflamadas o edematosas resultantes de acumulación de líquido en los tejidos. Todas estas manifestaciones son importantes y, dependiendo de la zona o zonas reflejas en las que se asienten o bien de su estado, indicarán las áreas conflictivas o problemáticas que concurren en cada paciente y su estado general. El viaje de nuestras manos a través de los pies es una interesante experiencia que nos enseña las vinculaciones tan complejas que existen dentro de cada uno.

Las durezas, callosidades, verrugas y lunares son otro tipo de manifestaciones que, a menudo, anuncian un bloqueo, pasado, presente o futuro. Advierten de una debilidad en la zona, tendencia a futuras alteraciones o señales grabadas por traumas del pasado que afectan el presente. Todos estos signos son importantes y no deben ser ignorados por un reflexoterapeuta, pues cada uno lleva un mensaje que debemos descifrar para intentar eliminar las causas desencadenantes.

SUSTANCIAS ÚTILES PARA EL MASAJE

La práctica de la Reflexoterapia Podal sin ningún tipo de sustancia que ayude a realizar el masaje es algo molesto, tanto para el paciente como para el terapeuta. Por ello debemos emplear una sustancia que nos facilite nuestro trabajo y cuide los pies; se recomienda la utilización de aceites vegetales, cuyo uso está totalmente justificado dada su efectividad para el masaje. Por un lado, necesitamos un medio lubrificante con el que puedan llevarse a cabo los movimientos sin irritar la piel y que propicie el deslizamiento de nuestros dedos por la superficie podal de manera uniforme; por otro lado, gracias a los conocimientos que nos proporciona la Aromaterapia, que consiste en usar los aceites esenciales obtenidos de plantas aromáticas y sus principios activos en la normalización de la salud, incrementaremos nuestra labor, aprovechando los efectos curativos contenidos en cada esencia.

Hay terapeutas que emplean sustancias como vaselina, polvos de talco, crema hidratante y aceites corporales que no resultan apropiados desde el punto de vista terapéutico ni desde el práctico, ya que es incómodo realizar un tratamiento con estas sustancias que tienen grandes inconvenientes. Largos años de experiencia avalan la utilidad de emplear sustancias naturales que aporten propiedades terapéuticas; la piel es un órgano vivo, por tanto es importante utilizar en ella productos inocuos que no taponen los poros y permitan una correcta respiración celular. Los pies son generalmente las zonas menos cuidadas del cuerpo, y suelen estar resecos, por lo que un masaje

Las manos del terapeuta debe estar preparadas para evitar cualquier sufrimiento al paciente; las uñas estarán bien cortadas y limadas con el fin de que no se le claven durante el masaje.

Las diferentes plantas aromáticas dan lugar a distintos aceites esenciales que facilitan el deslizamiento de la mano y dan más efectividad al masaje.

sin un producto emulsionante resulta incómodo y molesto.

Existen en el mercado aceites minerales, pero éstos tienen un poder de penetración muy bajo y por tanto no son muy recomendables. Los vegetales ligeros son los ideales para nuestros propósitos, ya que penetran fácilmente. Es importante que sean de buena calidad para acelerar los efectos curativos y para que sirvan de vehículo apropiado a las esencias que añadiremos. Para ello es conveniente utilizar un buen aceite base, para ayudar en nuestra labor terapéutica, a la vez que es un modo muy útil para cuidar los pies proporcionándoles el medio natural de hidratación que tanto necesitan. Podríamos emplear, por ejemplo: almendras dulces, hueso de melocotón, sésamo o pepita de uva, entre otros.

La utilización de las plantas es tan antigua como la humanidad. Los bálsamos utilizados durante miles de años por todas las culturas con fines curativos estaban constituidos básicamente con aceites esenciales o esencias de plantas; es decir, sustancias con fuerza vital propia capaz de cambiar, restaurar y conservar los tejidos orgánicos tratados con ellas. Los aceites esenciales están compuestos por sustancias volátiles que se encuentran en las células vegetales, tienen una compleja composición química y son solubles en grasas, por lo que se mezclan perfectamente con los aceites vegetales.

Se han demostrado ciertas acciones terapéuticas en una serie de aceites esenciales, ya sean estimulantes, reguladores o sedantes que afectan a mente y cuerpo. A continuación veamos algunas de sus propiedades terapéuticas; antiespasmódicas (manzanilla, espliego, melisa, romero), antiinflamatorias (manzanilla, espliego), carminativas y digestivas (menta, melisa, hinojo, anís), favorecedoras de la regeneración celular (espliego, amaro), emenagogas u hormonales (salvia, geranio), antisépticas y astringentes (limón, cedro), antipruriginosas (menta), rubefacientes (romero, tomillo), balsámicas (eucalipto), antibacterianas (tomillo, espliego), toni-

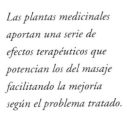

Las plantas medicinales aportan una serie de efectos terapéuticos que potencian los del masaje facilitando la mejoría según el problema tratado.

ficantes (romero, albahaca), sedantes (espliego, melisa, azahar), calmantes (espliego, clavo, geranio), antidepresivas (melisa, azahar, jazmín), diuréticas (romero, espliego), etc.

Estas plantas tienen, además de las indicadas, otras propiedades que contribuyen a potenciar nuestra labor. Entre las más frecuentemente utilizadas por sus efectos y usos están: espliego, romero y melisa.

Por ser aromáticas, las esencias tienen dos propiedades, por un lado la aplicación aromaterápica y, por otro, el problema de olor en los pies, en caso de existir, queda totalmente eliminado. Además, gracias a su poder antiséptico común a todas ellas, se evita que nuestras manos se contagien de cualquier agente nocivo. Unas gotas de la mezcla en cada pie será suficiente para realizar un perfecto masaje, quedando además la superficie del mismo perfectamente hidratada y con una sensación cálida. El excedernos en la cantidad complicará nuestra labor, ya que las manos resbalaran y perderán el tacto necesario para localizar correctamente los depósitos cristalinos. Algo útil en estas circunstancias será tener a mano una toallita, para limpiar el pie y que no quede demasiado grasiento.

FRECUENCIA Y DURACIÓN DEL MASAJE

Los masajes pueden aplicarse generalmente a diario, dependiendo del problema, o en días alternos. Es conveniente dejar que el organismo depure, recicle y excrete todas las sustancias disueltas por la acción del masaje. Si la dolencia es crónica, el organismo necesitará más tiempo para eliminar los sedimentos que si se trata de una aguda. Por norma es recomendable esperar a que transcurran al menos veinticuatro horas entre un masaje y otro, pudiendo ser ampliado el periodo a 2 ó 3 días si se trata de casos crónicos o de personas con alteraciones considerables.

El terapeuta, en base a criterios que deberá establecer individualmente de acuerdo al paciente y el caso, buscará el modo más conveniente de realizar el tratamiento. Uno, dos o tres masajes semanales pueden ser una buena pauta para conseguir unos resultados óptimos. Así permitiremos que el cuerpo vaya recuperando poco a poco y de forma natural su equilibrio armónico. Cada sesión o cada tratamiento constituirá un paso más hacia la recuperación del bienestar perdido, pero debemos también contemplar las reacciones que se presenten en el paciente y dependiendo de ellas fijar la pauta a seguir.

En cuanto a la duración de una sesión de trabajo, podrá establecerse alrededor de una hora como norma general, aunque dependiendo del caso y de las condiciones adicionales, podrá variarse sin detrimento de los resultados.

En caso de los niños, la sesión será más breve, sobre todo si son muy pequeños. Sus pies son diminutos y se recorren con gran rapidez y, generalmente, no aguantan sesiones largas. Igualmente los ancianos con alteraciones múltiples deberán recibir sesiones más cortas. Sus pies están enjutos y tienen menos consistencia muscular, con lo que nuestra acción quedará más limitada. Por el contrario, la sesión podrá alargarse en casos en que se presenten muchas zonas alteradas a tratar, que deberán ser trabajadas con cuidado y progresivamente.

Debemos recordar que el masaje debe realizarse siempre íntegro. Trataremos todas las zonas y puntos reflejos de los dos pies en cada sesión, insistiendo en aquellas que requieran mayor atención. Si no lo hacemos así, estaríamos utilizando mal una técnica integral y empleándola de forma sintomática, no etiológica, que es como podemos poner en acción sus verdaderos efectos

terapéuticos.

Cada persona es un caso único, no hay dos iguales; por ello, tampoco hay dos sesiones iguales. Ni aun trabajando con la misma persona, existe la rutina de encontrar exactamente los pies iguales de un día a otro. Por ello, en cada tratamiento utilizaremos nuestros conocimientos para poder realizar una terapéutica etiológica: descubriendo, investigando y localizando los resortes ocultos de una alteración y reequilibrándolos coherentemente. Cada sesión será para nosotros un nuevo aliciente instructivo que nos proporcionará muchas satisfacciones.

Debemos tener en cuenta que a veces los bloqueos o dolencias llevan años con nosotros, por ello el cuerpo necesita tiempo para reajustarse.

No debemos forzarlo ocasionando reacciones demasiado bruscas. Por tanto, el tiempo que debemos emplear en conseguir ese reajuste está suficientemente justificado a fin de alcanzar el bienestar y equilibrio del ser humano.

EL LAVADO DE PIES

Es muy común encontrar personas que sienten un pudor excesivo con relación a sus pies, les violenta el sudor, el olor y cualquier formación o deformación que consideren poco estética. A menudo expresan la sensación desagradable que sienten al mostrar los pies desnudos y la necesidad de lavárselos antes de recibir el masaje, creyendo que con ello van a dar una mejor imagen de sí mismos, sobre todo si acuden a la sesión después de haber hecho trabajar a sus pies durante horas.

Nuestra forma de actuar debe ser tranquilizadora, advirtiéndoles del inconveniente que supone para la terapia lavar los pies inmediatamente antes de recibirla. Es recomendable que

La duracion del masaje depende del objetivo y de la persona a tratar, aunque siempre conviene realizarlo de una forma íntegra.

Aflojar el pie de la presión de zapatos, calcetines, etc., será el primer paso para una correcta ejecución de la Reflexoterapia Podal.

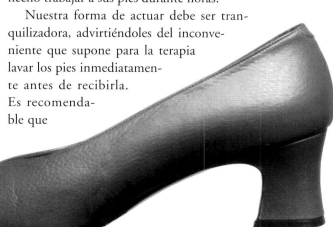

El lavado de pies es beneficioso, pero cuando se ha recibido un masaje no conviene hacerlo hasta pasadas más de seis horas de su aplicación.

transcurran al menos dos horas desde el último lavado hasta que se reciba el masaje, pero ello no supone que la persona deba estar cohibida durante el desarrollo del mismo. Para mayor tranquilidad del receptor, el posible mal olor o sudor se soluciona aplicando un aceite vegetal con alguna esencia aromática y limpiando el pie posteriormente con un pañuelo de papel. De este modo, se soluciona el problema tanto de olor como de sudor, en caso de existir, y la persona se sentirá más cómoda.

A ser posible, no deben lavarse los pies hasta pasadas de 6 a 8 horas desde la aplicación del masaje. Esto servirá para asegurar que los aceites esenciales han sido completamente absorbidos por la piel. Aunque parezca que han penetrado totalmente, su acción no concluirá hasta después de trascurrido este tiempo. Además, debemos tener en cuenta que todas las micropartículas desprendidas con el masaje deben ser recogidas totalmente por la circulación sanguínea y linfática, para que se produzca su reciclaje y depuración.

Si lavamos nuestros pies tanto con agua caliente como con fría, puede haber alteraciones, dando lugar a reacciones inesperadas. Por ejemplo, el agua caliente puede acelerar el proceso de eliminación, mientras que el agua fría lo puede inhibir, al dilatar o contraer respectivamente los vasos linfáticos y sanguíneos. Por ello es recomendable conservar estos márgenes temporales para que de ninguna forma se altere el proceso natural curativo activado por el masaje.

El lavado de pies antes del masaje produce una transformación del medio interno, una vasodilatación si utilizamos agua caliente o vasoconstricción si es

fría. Los pies podrían variar en cuanto al tono muscular y consistencia, lo que podría conducirnos a error en la apreciación de las zonas correctas o alteradas. De igual modo, debemos considerar negativa la utilización de colonias, lociones o alcohol para limpiar los pies previamente al masaje; pueden alterar su estado natural y por ello no es recomendable su uso ni antes ni después de una sesión de Reflexoterapia Podal.

PREPARACIÓN DEL PIE

Aflojar el pie de las compresiones ocasionadas por los zapatos, calcetines o demás prendas será el primer paso imprescindible para una correcta ejecución posterior de la Reflexoterapia Podal. Normalmente, este modo de preparación ayudará a que las zonas reflejas se encuentren en su forma natural, facilitando un mejor resultado en el tratamiento de las mismas. Se deben tomar los pies entre las manos para establecer un primer contacto y desentumecerlos de la postura obligada a que se les somete durante largas horas; sólo unos instantes bastarán para este fin. Sin perder contacto con los pies, se friccionarán las manos y se extenderá el producto de manera uniforme por los pies.

No debemos olvidar el espacio interdigital. A continuación realizaremos un masaje general del pie a modo de calentamiento, lo desbloquearemos y movilizaremos en todas las direcciones para relajarlo, de tal forma que nos asegure un mayor aprovechamiento y actuación de la técnica refleja. Con estos ejercicios salvamos las posibles limitaciones articulares, sobre todo las existentes a nivel maleolar o tobillos, facilitando que la circulación en esta zona sea más activa. Además, es una forma agradable de comenzar un tratamiento podal.

MASAJE GENERAL

Después de aplicar la emulsión preparada al efecto y extenderla como se ha indicado, comenzaremos a realizar un masaje de calentamiento deslizando los dedos, friccionando el pie en todas direcciones y extensión con el fin de remover la masa muscular.

Proceded con pausa, sin prisas, frotando el pie con firmeza y suavidad, empleando movimientos enérgicos y evitando los rápidos e inseguros que puedan inducir a cosquillas. Se trata de ablandar los tejidos que normalmente están tensos y rígidos.

Las personas que tengan conocimientos o practiquen cualquier tipo de masaje terapéutico, pueden obtener mejores resultados en el masaje general del pie consiguiendo a través de sus técnicas un mayor relajamiento podal, así como preparándolos para obtener mejores resultados en el masaje reflejo propiamente dicho.

DESBLOQUEOS

Entendemos como desbloqueo la ruptura de las posibles limitaciones no estructurales que puedan existir, dando así al pie mayor flexibilidad.

Podríamos hablar de estiramiento porque éste es el efecto que se va a producir, y se harán tracciones en el pie siempre sin sobrepasar los límites anatómicos de cada persona. A nivel maleolar (tobillos) se producirá una extensión de la flexura anterior que se controlará mediante el antebrazo para evitar que pueda llegar a existir una hiperextensión; a continuación se presionará hacia la persona empujando desde la planta. Con estas flexiones se produce un estiramiento de los músculos y tendones de la pierna.

Este mismo efecto ha de producirse en la zona superior del pie, en la unión de los metatarsianos con los dedos. Debemos empujar hacia la persona y después hacia nosotros. Este ejercicio proporcionará un estiramiento de músculos y tendones en el dorso y en la planta del pie.

MOVILIZACIONES

Consiste en realizar giros a derecha e izquierda en las zonas articulares más importantes: tobillos y unión de los huesos largos del pie (metatarsianos) con los dedos. Una mano fija una parte de la articulación, mientras la otra realiza las rotaciones. Éstas deben ser lo más amplias y completas posible.

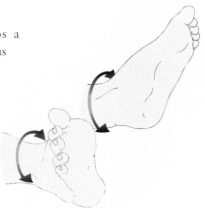

Después movilizaremos todos los dedos, realizando con una mano tracciones suaves hacia nosotros, sujetando su base (articulación metatarsofalángica) con la otra mano. Después de la tracción iremos realizando en cada uno de ellos rotaciones en los dos sentidos.

La realización completa de estos ejercicios de masaje general, desbloqueos y movilizaciones pueden ocuparnos unos tres minutos en cada pie, cuando se ha adquirido destreza y hábito en su práctica. Al principio, como es lógico, estos minutos pueden ser algunos más, pero, aun así, el tiempo empleado será insignificante si lo comparamos con los beneficios que, como hemos comprobado, son inconmensurables. Es de suma importancia tener en cuenta que, así como podemos propiciar el proceso curativo, una incorrecta aplicación de estas técnicas puede perjudicar dicho proceso.

Las movilizaciones consisten en realizar giros a derecha e izquierda en las zonas articulares más importantes.

LA CONFIGURACIÓN DEL PIE

El pie constituye una de las estructuras mecánicas más perfectas, una magistral obra de ingeniería. Está dotado de un gran sincronismo en todos sus movimientos y de una

El pie tiene una función muy importante, porque no sólo es el soporte de todo el cuerpo, sino que debe actuar como nivelador del peso del mismo; de ahí sus tres puntos de apoyo: dos en el metatarso y uno en el talón.

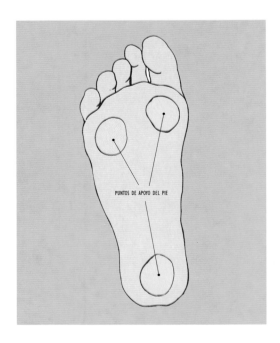

PUNTOS DE APOYO DEL PIE

Los dedos, proporcionalmente más largos en la mujer que en el varón, no tienen nombre, excepto el gordo que anatómicamente se conoce como el ortejo mayor, por lo que les adjudicaremos el número correspondiente al metatarsiano con el que se relacionan para nombrarlos; el primer metatarsiano (dedo gordo), el quinto metatarsiano (dedo pequeño).

El pie está constituido por un esqueleto óseo en el que se distinguen tres partes: la posterior o tarso, formada por el calcáneo, astrágalo, escafoides, cuboides y las tres cuñas; la media o metatarso constituida por los cinco metatarsianos y la anterior o dedos, formada por las falanges, en número de tres para cada dedo (falange proximal, media y distal). Se excluye el dedo gordo que posee dos, la proximal y la distal, ocasionalmente pueden existir uno o más huesos sesamoideos.

Completando su estructura se encuentran fuertes tendones procedentes de los músculos de la pierna, músculos propios, ligamentos que contribuyen a fijar las piezas óseas, tejido adiposo que constituye las almohadillas sobre las cuales se reparte el peso corporal, vasos sanguíneos y linfáticos, nervios, vainas tendinosas, fascias y piel. Todos los músculos de la planta del pie están cubiertos por la aponeurosis plantar fuerte y densa, formada por dos fascículos que provienen de la tuberosidad del calcáneo y se extienden hacia los dedos. El papel fundamental de esta aponeurosis es el mantenimiento de la bóveda plantar longitudinal (arco longitudinal), protegiendo a vasos y nervios de las presiones.

gran resistencia, gracias a la cual responde cuando es sometido a presiones o tracciones considerables durante el desarrollo de las actividades que le son propias: andar, saltar, correr. Sirve de soporte, sostén y equilibrio al cuerpo, cuyo peso está repartido proporcionalmente en tres puntos de apoyo, dos anteriores situados en el metatarso y el tercero en el talón. En su estructura se integran algunos músculos nervios y vasos de la pierna.

En el pie sano se distinguen dos arcos plantares, longitudinal y transverso anterior, y varias zonas que denominaremos zona plantar o planta, zona maleolar o tobillo, que comprende el maleolo interno o tibial y el maleolo externo o peroneo; y zona dorsal o dorso, que consta del empeine o tarso y el antepie formado por el metatarso y dedos.

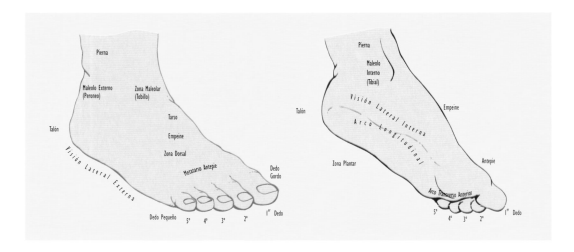

Zonas del pie.

HUESOS DEL PIE

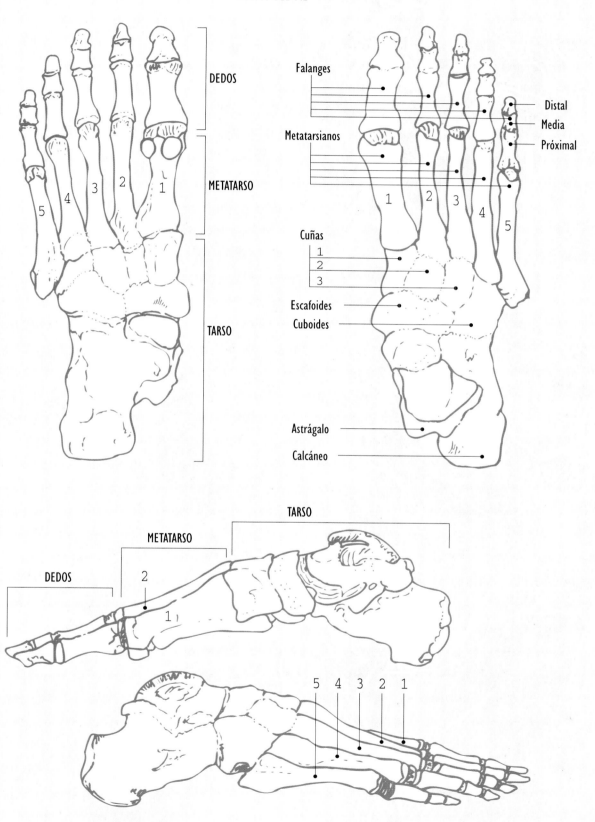

Falanges
Distal
Media
Próximal

Metatarsianos

DEDOS

METATARSO

TARSO

Cuñas
1
2
3

Escafoides
Cuboides

Astrágalo
Calcáneo

TARSO

METATARSO

DEDOS

CAPÍTULO 3

Las correspondencias reflejas

P ara entender con claridad las relaciones existentes entre nuestro cuerpo y los pies, debemos establecer que cada pie representa la mitad del cuerpo, de tal forma que en el pie izquierdo está localizada la parte izquierda, mientras que en el pie derecho está localizada la derecha.

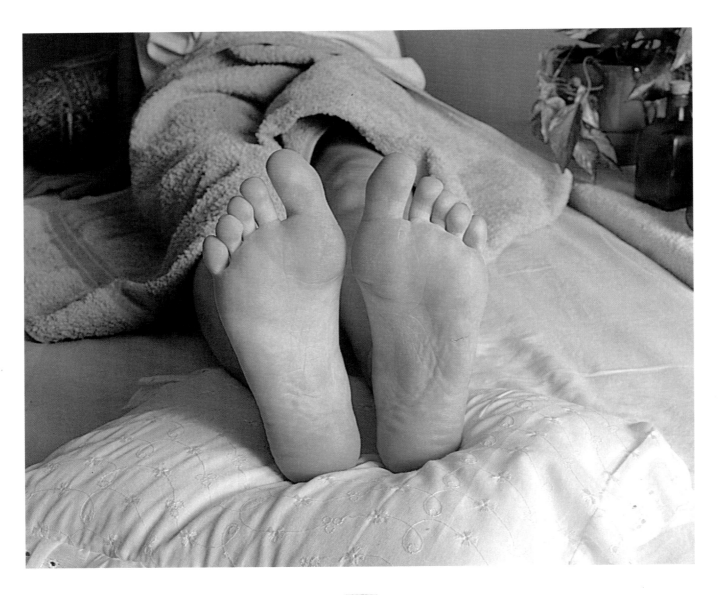

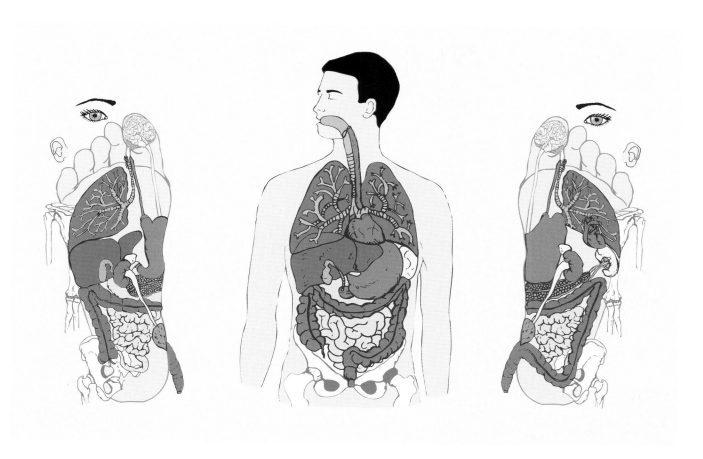

LAS PLANTAS DE LOS PIES son una especie de fotograma holográfico donde están plasmados todos los órganos internos que componen el cuerpo humano, con su emplazamiento y localización anatómica-refleja. La distribución de los órganos internos en el cuerpo está perfectamente integrada y se acoplan unos a otros superponiéndose.

La visión que nos muestran los pies es una proyección refleja, por lo que debemos comprender que cuando palpamos un área en los pies estamos recibiendo una información mucho más extensa y completa y no sólo referida al órgano; además, nos indican cómo se hallan los tejidos y demás estructuras que protegen, envuelven y mantienen cada órgano en su lugar correcto.

Los mapas reflejos están todos realizados de forma orientativa y aproximada, y no guardan una escala proporcional en cuanto a la relación de los pies con los órganos reflejados en ellos. Por lo que al llevar a la práctica la interpretación de los mismos, dicha escala variará en función del tamaño de unos y otros.

Cada ser humano tiene una estructura diferente con respecto a su complexión física, por lo que sus pies, como parte integrante de ésta, tiene también un determinado tamaño. Luego en cada persona tendremos una escala propia, única y exclusiva; así pues, la situación exacta refleja tendrá que contemplarse a la vista de estas variaciones. No es lo mismo trabajar sobre unos pies desproporcionados con el tamaño del cuerpo, que con unos que guarden una relación equilibrada. De igual modo no tendrá la misma superficie de representación podal el pie de un niño, que el de un adulto.

Existe una representación gráfica que se establece entre el cuerpo y los pies formando éstos un holograma tridimensional, con diversos ángulos y perspectivas como podremos apreciar más adelante. No sólo tenemos una perspectiva podal, tenemos varias que nos facilitan una visión más completa de su sentido global.

Como estamos en un mundo tridimensional, los dos pies nos permiten establecer un triángulo con relación al cuerpo, con lo cual, toda manipulación que realicemos en ellos repercutirá favorablemente sobre el

Las plantas de los pies son una especie de fotograma holográfico donde están plasmados todos los órganos internos del cuerpo.

estado de éste y viceversa, y todo lo que ocurra en nuestros pies podrá alterar las funciones fisiológicas corporales. Este triángulo funciona en ambas direcciones de la misma forma. Si existe cualquier disfunción orgánica se reflejará en la zona correspondiente en los pies y, a la inversa, si tenemos cualquier anomalía en una zona podal, afectará al área u órgano correspondiente en el cuerpo. Por ejemplo, un problema en la zona superior de la espalda producirá una sensibilidad dolorosa en la zona refleja, pudiendo llegar a desarrollar un juanete. De igual modo, si se produjera cualquier lesión o compresión en el pie que degenerara en un juanete, podríamos comprobar que en la zona alta de la espalda se manifiesta dolor o cualquier signo de alteración local.

La columna vertebral, eje y sostén de nuestra estructura, está presente a nivel reflejo en ambos pies, en el borde interno a lo largo del arco longitudinal, primer metatarsiano. El área de representación de la columna vertebral y los órganos que ocupan la porción central del cuerpo, está desdoblada y amplificada en la zona longitudinal del borde interno de los dos pies. En el borde externo, zona del quinto metatarsiano, están localizados los brazos y hombros, con su característica de lateralidad en cada caso. Los tobillos o maleolos son la representación exacta de nuestra pelvis; maleolo interno-sínfisis púbica, maleolo externo-cadera. Y ambos juntos representan la articulación sacro-iliaca de cada mitad del cuerpo. Los órganos internos como pul-

món, corazón, hígado y estómago se reflejan de acuerdo a su ubicación anatómica precisa, en la zona más musculosa de las plantas de los pies: corazón-pie izquierdo; hígado-pie derecho. Los órganos pares como el pulmón o los riñones se manifiestan en ambos pies: pulmón derecho-pie derecho; pulmón izquierdo-pie izquierdo. Los órganos que ocupan la parte central del cuerpo como el estómago los hallamos en ambos pies en la zona del borde interno. El dorso del pie muestra el tórax en el antepie y el abdomen en el empeine. La caja torácica la forman los huesos largos del pie o metatarsianos.

La visión lateral que nos muestran nuestros pies encuadrando en ellos las figuras representativas masculina y femenina respectivamente, puede servir sin lugar a dudas para dar sentido a la frase: «Una imagen vale más que mil palabras». Dada la similitud existente entre el contorno podal y la silueta de la persona sentada, tenemos aquí otro fotograma holográfico tridimensional.

DIVISIONES REFLEJAS

Para poder ubicar exactamente la posición de las zonas reflejas en los pies, tomamos como referencia las divisiones anatomo-topográficas que estableció Fitzgerald, las cuales seccionan el cuerpo en 10 bandas longitudinales que terminan en cada una de las uniones interdigitales de la manos y de los pies. Cada banda representa una

Esquema representativo que nos muestra el encuadre de las figuras masculina y femenina en las formas de los pies.

zona corporal y los órganos presentes en cada una de estas bandas estarán exactamente reflejados en la misma banda de los pies. A excepción de la cabeza, como muestra la figura.

La configuración de este diagrama pretende ofrecen una visión clara en cuanto a la lateralidad del cuerpo. Cada banda tiene longitudinalmente su correspondencia con el cuerpo, pero no con la cabeza, como hablaremos más tarde al explicar los reflejos cruzados. Para que resulte más descriptivo he querido rayar solamente la mitad izquierda, así puede apreciarse el detalle de estas cinco bandas que pasan a corresponderse en sentido contrario a su lateralidad en la zona de la cabeza.

Además de las diez bandas longitudinales que nos proporcionan un gran soporte orientativo, disponemos de otras tres transversales que nos ayudan a delimitar más aún las zonas reflejas, proporcionándonos un perfecto encuadre de las zonas correspondientes corporales con las podales, separando los tres bloques principales: cabeza, tórax y abdomen.

Si contemplamos la figura de la página siguiente que nos muestra el aspecto plantar de los pies con el trazado de las líneas longitudinales y transversales, podemos observar la similitud existente con las líneas terrestres: meridianos (círculos mayores que pasan por los polos: bandas longitudinales) y paralelos (círculos menores, paralelos al ecuador: bandas transversales).

Curiosamente tenemos aquí la manifestación visual de una de las leyes de correspondencias reflejas, el microcosmos, en este caso los pies, se corresponde y comunica con el macrocosmos: globo terráqueo.

REFLEJOS CRUZADOS

Como podemos observar, las zonas reflejas siguen su lateralidad izquierda y al llegar a la cabeza se cruzan al lado opuesto estando orientadas en sentido ordinal de 1 a 5 hacia la derecha. Lo que pone de manifiesto que la parte derecha de la cabeza está representada en los dedos del pie izquierdo y, al contrario,

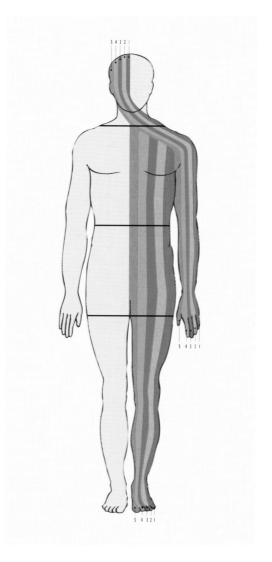

Esquema de las divisiones anatomo-topográficas que estableció Fitzgerald.

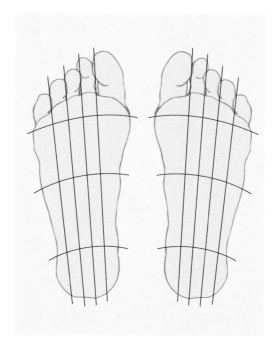

Manifestación visual de las leyes de las correspondencias reflejas que relacionan los pies con el globo terráqueo.

157

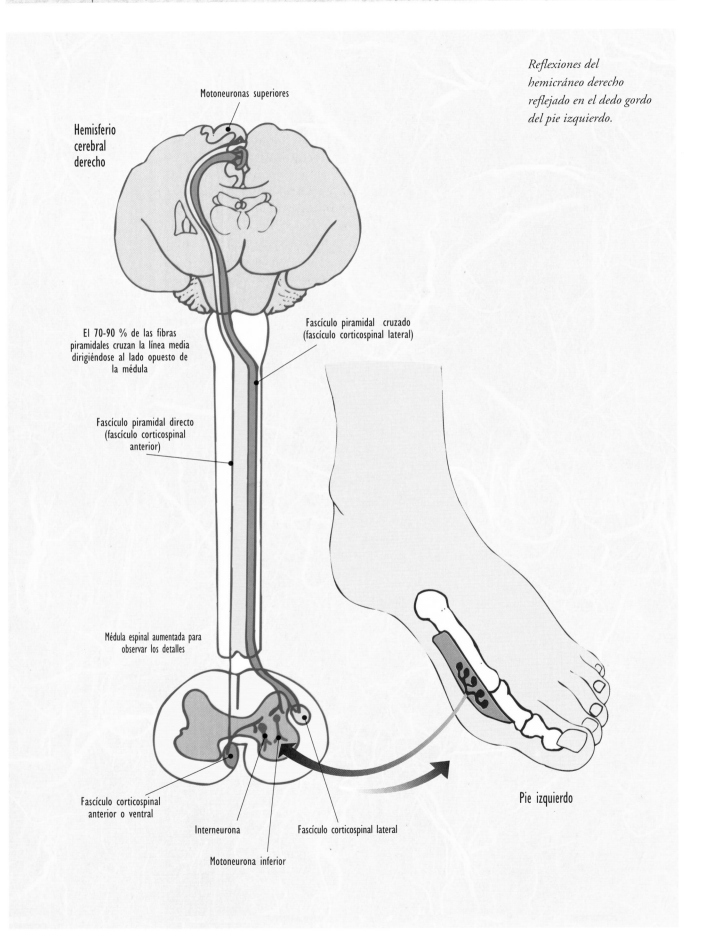

Reflexiones del hemicráneo derecho reflejado en el dedo gordo del pie izquierdo.

Motoneuronas superiores

Hemisferio cerebral derecho

Fascículo piramidal cruzado (fascículo corticospinal lateral)

El 70-90 % de las fibras piramidales cruzan la línea media dirigiéndose al lado opuesto de la médula

Fascículo piramidal directo (fascículo corticospinal anterior)

Médula espinal aumentada para observar los detalles

Fascículo corticospinal anterior o ventral

Interneurona

Fascículo corticospinal lateral

Motoneurona inferior

Pie izquierdo

que la parte izquierda esta representada en los dedos del pie derecho.

Anatómicamente, las áreas corticales controlan la actividad del músculo esquelético que ocupa el lado opuesto del organismo. Con lo que el hemisferio derecho rige las funciones del lado izquierdo del cuerpo, mientras que las de la parte derecha del cuerpo corren a cargo del hemisferio izquierdo. De ahí que en casos de accidentes cerebro-vasculares se manifiesten hemiplejías: hemi (mitad), plejía (parálisis), en la zona contraria del cuerpo que inerva el área cerebral donde ha sido originado dicho accidente.

Concretando, tenemos que el hemicráneo derecho está reflejado, con todas sus características, en el dedo gordo del pie izquierdo (cabeza en general), mientras que el dedo gordo del pie derecho refleja las del hemicráneo izquierdo. Los dedos 2º y 3º (ojos), y 4º y 5º (oídos), obedecen normalmente a una representación cruzada y otra lateral. Ello se debe a la organización específica que tiene lugar a nivel de la corteza visual y auditiva, localizadas en el lóbulo occipital y temporal respectivamente, teniendo cada área cortical sus peculiaridades individuales. Esto explica la controversia existente sobre estas áreas en cuanto a si los reflejos están cruzados o no. La boca, mandíbulas, maxilares, dientes, muelas, nariz, senos nasales y demás estructuras están reflejadas igualmente de forma cruzada.

También en este apartado debemos tener presente que existen personas diestras y zurdas con manifestaciones curiosas en cuanto a sus reflejos, lo que está contemplado en la relación existente de dominancia hemisférica.

ÁREAS DE CORRELACIÓN

Como hemos explicado, existen leyes de correspondencias reflejas, como la de la unilateralidad, la simetría, la irradiación o la generalización, que dependiendo del estímulo van a actuar en uno u otro sentido.

Por tanto, llamamos áreas de correlación a aquellas que tienen una correspondencia o relación recíproca, esto se da en zonas o partes de nuestro organismo y más habitualmente en miembros a nivel de las articulaciones, por lo que se establecen unos puntos de conexión importantísimos que nos facilitan nuestra labor en casos de encontrarnos con vendajes, escayolas, inmovilizaciones u otras alteraciones que impidan tratar directamente la zona: heridas, inflamaciones o esguinces.

Las áreas de correlación dan lugar a unas relaciones generales que podemos utilizar aplicando la ley de la unilateralidad en casos de lesiones leves y que son las siguientes:

Brazo derecho-Pierna derecha.
Brazo izquierdo-Pierna izquierda.
Tórax-Abdomen.

Y a otras más concretas:

Pie-Mano.
Tobillo-Muñeca.
Rodilla-Codo.
Cadera-Hombro.

Estas áreas se interrelacionan mutuamente, pero existen además otras zonas de correspondencia aparte de las laterales, las contralaterales que se explican por la ley de

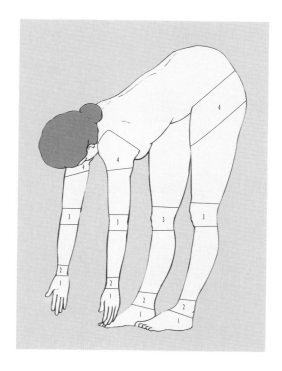

Areas de correlación entre la parte superior e inferior del cuerpo.

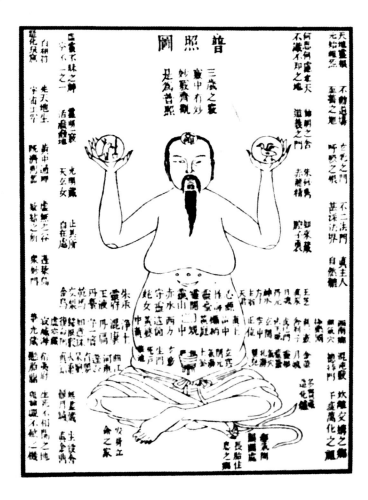

Las culturas orientales conocían ya la importancia del Chakra del flexo solar conocidos por nosotros como la «boca del estómago». Este punto está situado en el epigastrio y posee una especial sensibilidad debido a que por él cruzan las diferentes ramas nerviosas.

Rodilla lateral, la rodilla del mismo lado de la fractura.

La manipulación de estas dos zonas producirá una considerable mejoría sobre la zona lesionada, ayudando a su recuperación de forma efectiva. De igual modo que mediante la manipulación de los dos pies, se produce una considerable estabilización de las funciones psicofísicas alteradas en el cuerpo.

Debemos buscar la zona exacta refleja correspondiente a la zona lesionada que presentará una clara sensibilidad o dolor al tacto. Aplicaremos masaje suavemente insistiendo hasta que la molestia local remita lo más posible. Debemos realizar el masaje con suma atención en los dos puntos implicados, insistiendo en los más álgidos. Al ser un tratamiento de shock, podemos repetirlo dos o tres veces al día o cuando haya dolor; diez o quince minutos bastarán para conseguir nuestros fines. La zona lesionada se aliviará con este método, y el tiempo de recuperación será mucho más rápido en comparación con el habitual.

Nuestro cuerpo responde a cualquier alteración tratando de compensar o adaptarse lo más posible, por lo que en lesiones muy intensas todo el organismo puede verse afectado cumpliéndose la ley de la generalización. Es fácil, por tanto, comprender que además de la zona implicada, otras áreas tienen que soportar una serie de inconvenientes que le son extraños, como dolor, inflamación o problema circulatorio, por lo que encontraremos problemas secundarios a la lesión inicial. El cuerpo humano presenta planos simétricos relacionados entre sí: mitad derecha y mitad izquierda; mitad superior y mitad inferior; mitad anterior y mitad posterior, los cuales debemos examinar siempre que existan

la simetría: si existe una lesión intensa, la manifestación refleja puede afectar a los miembros homónimos contralaterales, por ello es importante tener en cuenta las relaciones a las que pueden dar lugar:

Mano derecha-Mano izquierda
Muñeca derecha-Muñeca izquierda.
Codo derecho-Codo izquierdo.
Hombro derecho-Hombro izquierdo.
Pie derecho-Pie izquierdo.
Tobillo derecho-Tobillo izquierdo.
Rodilla derecha-Rodilla izquierda.
Cadera derecha-Cadera izquierda.

Tenemos, por tanto, áreas de correlación laterales y contralaterales que podemos manipular en caso de lesión y que nos proporcionan lo que denominamos «triángulo de ayuda» que puede ser utilizado siempre.

Ejemplo:
«Fractura de codo», triángulo de ayuda:
Codo contralateral, el opuesto a la fractura.

lesiones, pues encontraremos manifestaciones que justifiquen su correlación.

CÓMO EMPEZAR Y TERMINAR EL MASAJE REFLEJO

Después de realizar el masaje general o de calentamiento, desbloqueos y movilizaciones se empieza a realizar el masaje reflejo podal propiamente dicho. Para ello es importante y conveniente trabajar en primer lugar el punto diana que tiene una decisiva actuación sobre las tensiones: el plexo solar. Está situado en la zona plantar en la porción superior del metatarso bajo el arco transverso, entre el segundo y tercer metatarsiano, donde se inicia el arco longitudinal.

El plexo solar, llamado también plexo celíaco, pertenece al sistema nervioso autónomo o vegetativo. Las ramas nerviosas en su trayectoria hacia la zona que inervan se entrecruzan y fusionan formando plexos. Anatómicamente está situado en el epigastrio, en la zona posterior del estómago e inferior al diafragma, está constituido por el nervio esplénico mayor y menor, nervio vago, nervio frénico, ganglios celíacos o semilunares. Inerva los órganos de la cavidad abdominal, de él salen plexos secundarios como el frénico, suprarrenal, renal, espermático, esplénico, hepático, gástrico superior, mesentérico superior y aórtico abdominal. Este punto tiene una importancia primordial, como podemos deducir por lo anteriormente expuesto y por ser precisamente el lugar donde se entrecruzan, fusionan y salen los troncos destinados a inervar órganos vitales además de los gastrointestinales. Generalmente su sensibilidad es muy alta, y está afectado aproximadamente en un 90% de las personas a las que se les explora. Por ello se trabajará siempre en primer lugar.

Además, tenemos aquí otro factor importante a tener en cuenta por su potencial energético y espiritual: «el Chakra del plexo solar». Este centro es conoci-

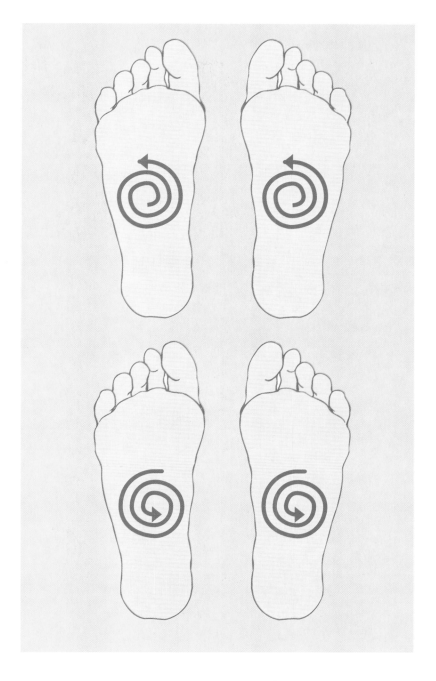

do por las culturas orientales desde la más remota antigüedad, las connotaciones que tiene son relevantes: centro del temperamento, de la autorrealización, del ego. Este centro se impresiona con las vibraciones externas pudiendo llegar a bloquear funciones fisiológicas. Su ubicación para los orientales coincide con la asignada en occidente.

Todos hemos sentido alguna vez en la «boca del estómago» (forma coloquial de hablar del plexo solar), una serie de sensaciones diversas y que más bien serían pro-

El pie izquierdo es el mejor receptor de estímulos, por ello es el idóneo para iniciar el masaje debiéndose realizar en él todas las manipulaciones previas.

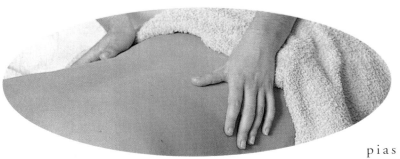

La aplicación de una técnica terapéutica precisa sobre todo de una excelente disposición que surge del interior del masajista sea cual sea la zona del cuerpo a tratar. Es imprescindible también cuando se trata de Reflexología Podal.

pias del cerebro, como sede de la consciencia. Por ejemplo, cuando recibimos un gran susto el impacto se percibe exactamente aquí, en la boca del estómago. Observad este hecho y empezaréis a vislumbrar la importancia que tiene nuestro plexo solar.

Nerviosismos, miedos, tensiones, alegrías, estrés, ansiedad, excitación, preocupaciones, sustos o disgustos impresionan el plexo solar. Si la situación es mantenida puede llegar a bloquear este centro, produciéndose consecuentemente una serie de disfunciones fisiológicas relacionadas con el mismo, como es fácil deducir basándonos en los órganos y áreas que inerva. Hay que poner un especial cuidado en el tratamiento reflejo de este punto y ser generosos en el tiempo empleado en él, ya que verá compensada con creces su manipulación precisa.

La manifestación puede ser percibida en forma de endurecimiento profundo, granulaciones, abultamiento y enrojecimiento. El paciente, al ser manipulado sentirá una sensibilidad especial de molestia, y a la vez de liberación y relajación. La sensación se va percibiendo de forma gradual y expandiéndose a todo el organismo. Algo así como si estuvieran rompiéndose nuestras ataduras, o descargándose lastres del pasado. A medida que insistimos en el masaje, nuestros dedos irán percibiendo suavidad, distensión, libertad y, a veces, podremos observar que la zona empieza a transpirar debilmente, indicándonos que se están disolviendo emociones retenidas, y en ocasiones hasta se escapan suspiros.

Por tanto, nuestra labor será muy delicada y el trabajo no lo podemos realizar de una vez, pues quién sabe desde cuándo persiste esta situación. Por ello debemos tratarle al menos tres veces durante el masaje.

Al principio del mismo (primer punto), en el medio reforzando su distensión y al final (último punto) con el fin de armonizar a la persona en el caso de que haya quedado alguna tensión oculta sin tratar. Realizaremos este trabajo primero en un pie y después en el otro, aunque normalmente encontraremos más sensible el izquierdo.

En casos de personas tensas, nerviosas y estresadas, que a veces sienten un malestar y ansiedad que no saben precisar, es de gran utilidad trabajar el plexo solar durante unos minutos en cada pie. Esta práctica producirá una distensión y un relax muy efectivos que se sentirán inmediatamente, pudiéndose repetir tantas veces como sea necesario. También como tratamiento de shock en lipotimias, desvanecimientos y sustos producidos por agresiones o traumatismos obtendremos unos resultados muy beneficiosos y ayudaremos a la persona a recuperarse rápidamente.

PIE IZQUIERDO - PIE DERECHO

A lo largo de mi experiencia tanto terapéutica como didáctica, he comprobado que resulta más efectivo trabajar primero el pie izquierdo, debiéndose realizar en él todas las manipulaciones previas (masaje general, desbloqueos y movilizaciones), correspondientes al plexo solar y todos los puntos y zonas reflejas comprendidas en el mismo, terminando nuevamente con el plexo solar como hemos indicado. Después pasaremos al pie derecho, siguiendo la misma secuencia.

El pie izquierdo corresponde al polo magnético del cuerpo; es el receptor, el psíquico, y nos muestra el pasado. Mientras que el pie derecho es el polo eléctrico, el transmisor, el físico, el presente. Por esto es conveniente empezar por el pie izquierdo, porque además de ser el que mejor va a recibir los estímulos reflejos, es el que tiene relación con todo lo que ha ocurrido a lo largo de nuestra existencia, de nuestra historia personal. También debemos mencionar el hecho de ser el que mejor va a contribuir a la estimulación de la circulación, por estar situada la bomba impulsora de sangre (corazón) en el lado izquierdo, reflejándose en este pie.

Otro factor importante es el bazo, que también está situado en la zona izquierda y tiene una relación muy estrecha con el sistema linfático, y por tanto, con el inmunodefensivo. Desde el principio del masaje las toxinas, que van siendo disueltas por acción de la Reflexoterapia Podal, podrán ir siendo incorporadas al sistema circulatorio o linfático, y éstos a su vez las dirigirán hacia los órganos que van a intervenir en su reciclaje, neutralización y excreción, según el caso. Además, los ganglios linfáticos presentes en este sistema actúan de filtros biológicos y fagocitan las sustancias nocivas que circulan por la linfa, antes de que ésta se una a la circulación general sanguínea.

Otro de los motivos que justifican el trabajo con el pie izquierdo es su relación con el lado derecho del cerebro, psique. Debido a los factores ambientales que rigen nuestra época (hiperactividad, competitividad, preocupaciones, atascos, horarios ajustados, prisas constantes) van propagándose a pasos agigantados las enfermedades denominadas «psicosomáticas», a las cuales no se les encuentra causa orgánica.

En infinidad de casos he podido comprobar que el origen de una alteración tenía una clara relación con el pie izquierdo. Éste mostraba una sensibilidad fuera de lo común al tacto, cuando la zona relacionada con el problema debía localizarse en el pie derecho.

Tales manifestaciones me han llevado a identificar el bloqueo y a comprobar la efectividad del tratamiento al comenzar primero por el pie izquierdo, ya que en general muchas de las anomalías tienen un gran componente psicológico implícito en ellas. De hecho, cada vez se están descubriendo más problemas secundarios por causas estresantes o emocionales. Incluso enfermedades muy profundas o graves pueden estar latentes en el organismo durante años y éste las puede estar manteniendo controladas hasta que un shock emocional fuerte desequilibra

El tipo de masaje se hará de forma inversa a la actividad del paciente. En los casos de personas hiperactivas, el masaje deberá hacerse de forma cadenciosa para que resulte sedante.

Los pulgares son los dedos básicamente utilizados en los masajes; en tanto una mano actúa con la debida cadencia descompresiva, la otra debe envolver el pie cobijándolo.

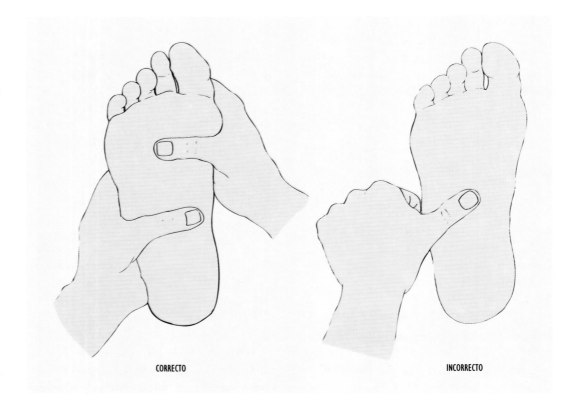

CORRECTO   INCORRECTO

nuestro sistema de control homeostático. Éste puede ser el factor detonante de un desastre orgánico impresionante que puede comprometer nuestra vida.

TÉCNICAS REFLEJAS

El tener conocimiento de una técnica y saber cómo utilizarla no es suficiente para realizar un trabajo correctamente. Mi percepción durante estos años en las tareas didácticas me ha hecho constatar que son imprescindibles ciertos conocimientos anatómicos, fisiológicos, patológicos, energéticos, y hasta filosóficos, para la cualificación de un terapeuta. Pero hace falta algo que no se aprende en libros ni escuelas, porque es innato: tener buena disposición; «poner el alma y el corazón en ello», tener vocación, en definitiva, como el mejor medio de expresión del espíritu humano para plasmar en los tratamientos esa entrega que los haga totalmente holísticos e integrales.

Nuestra percepción individual varía de forma muy particular en cada uno de noso-tros. Debemos dar a la técnica la importancia que tiene, pero sin obsesionarnos por ella. Si tenemos que atender a métodos complejos y complicados que requieran una excesiva atención, podemos apartarnos de lo más valioso, de estar presentes en cada uno de los actos de nuestra vida y, por tanto, en cada uno de los tratamientos. Vivir cada instante en toda su magnitud, concentrando todos nuestros objetivos en la atención al paciente de forma global, haciendo que la secuencia del tratamiento sea lógica y natural sin permitir que nos dispersemos de nuestra meta. Luego vamos a simplificar las cosas, a dejar a un lado las complicaciones, pues la sencillez facilita la comprensión de la verdad, dando luz a nuestro trabajo.

En toda técnica energética refleja se emplean básicamente dos tipos de movimientos circulares:

Tonificante: En sentido de las agujas del reloj.

— Tiene un efecto estimulante.

— Se efectúa en deficiencias energéticas.

Dispersante: En sentido contrario a las agujas del reloj.

— Produce un efecto sedante.

— Se efectúa en excesos energéticos.

Para poder utilizar este tipo de masaje acertadamente, necesitaríamos tener unos amplios conocimientos de acupuntura y medicina china a fin de poder determinar en qué punto o zona debemos tonificar o dispersar. Nos podríamos valer de un instrumento de electroacupuntura, el cual mide mediante células fotoeléctricas la actividad energética; pero sería una labor extremadamente complicada.

Por otro lado, hay que tener presente que las zonas reflejas funcionan energéticamente en sentido inverso a las del resto del organismo, por lo que si necesitamos tonificar debemos dispersar y viceversa. Sería conveniente que las personas que no tengan conocimientos de estas técnicas no las utilicen, ya que pueden perjudicar al paciente.

Sabemos que la energía está en continuo movimiento rotatorio, por lo que se regula de forma automática. Cuando llega al grado máximo de expansión, se condensa, y cuando llega al grado máximo de condensación, se expande, por lo que el movimiento natural de la misma no se realiza con normalidad si existe bloqueo, tanto por defecto como por exceso. Debemos conseguir un movimiento equilibrante que regule y armonice la zona desalojando los excesos y llenando los vacíos.

Para que un masaje resulte en general tonificante (personas apáticas, cansancio excesivo, con bajo tono muscular o energético) le imprimiremos un ritmo activo y dinámico. Para que resulte sedante (personas estresadas, hiperactivas o excitadas) realizaremos el masaje con un ritmo cadencioso y pausado.

Si empleamos la lógica veremos que es fácil realizar el tratamiento adecuado a la situación presente en cada área refleja. Si un punto está sobrecargado o tenso (especialmente doloroso), lo habitual es que se deba a un estancamiento o bloqueo (energético, circulatorio, nervioso, por toxinas o cristalizaciones)

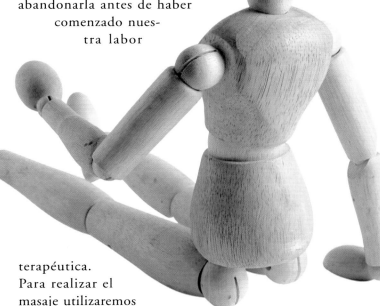

que tienen el tejido singularmente sensibilizado. Luego debemos realizar un masaje dispersante y sedante, ya que la hiperfunción de la zona debe ser neutralizada. Para ello debemos realizar un trabajo con ritmo cadencioso sin causar molestias gravosas a la persona, así como actuar con suma cautela y suavidad pausadamente, y a medida que la zona vaya permitiéndonos su acceso natural la molestia irá dispensándose progresivamente. De este modo podemos llegar al punto exacto origen del problema y eliminarlo. Actuando de otro modo, el dolor puede llegar a ser tan agudo que no podamos permanecer más que unos instantes en la zona, teniendo que abandonarla antes de haber comenzado nuestra labor terapéutica.

Para realizar el masaje utilizaremos básicamente los pulga-

Una mala aplicación del masaje con movimientos inadecuados o una situación errónea de la postura de las manos puede producir un empeoramiento del problema y una agudización del dolor.

El cuerpo humano no está formado por partes inconexas, sino por un numeroso conjunto de elementos de diferente índole que cumplen su función en total armonía con el resto, de ahí la importancia de las áreas reflexológicas.

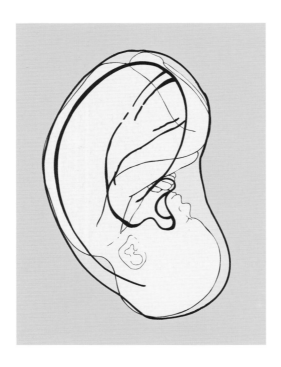

res, y más concretamente su borde externo. El resto de la mano y los demás dedos hacen la función de palanca permaneciendo apoyados descansando sobre el pie y sirviéndonos de asidero al mismo. La mano que no trabaja envuelve el pie, sujetándolo, dándole cobijo, moviéndole y adaptándole a las manipulaciones que la otra mano deba realizar. Nunca trabajéis con una mano sola o en el aire, quiero decir sin asirse al pie, ya que forzaréis excesivamente la articulación de la primera falange del dedo. Además, el tratamiento completo ha de realizarse manteniendo una presión uniforme, y si no adaptamos bien nuestras manos y dedos podemos fatigarnos inútilmente perdiendo bastante efectividad. Un mal acoplamiento o posturas forzadas repercutirán negativamente en el desarrollo de la sesión, tanto para nosotros como para nuestro paciente.

FORMAS DE MASAJE

Las técnicas específicas que se utilizan en el tratamiento podal son básicamente tres. Para su conveniente utilización sería recomendable un adiestramiento especial que nos permitiría llevar a cabo un tratamiento eficaz.

BOMBEO

Como su nombre indica se trata de bombear (presión-descompresión) con el pulgar en una zona o punto reflejo, produciendo un movimiento ondulante.

BOMBEO Y ARRASTRE

Se trata de producir un bombeo y a la vez arrastrar intentando emular el movimiento de las olas, que en la playa arrastran la arena hacia el mar.

CAMINITO

La llamamos así cariñosamente y porque se emplean diminutos movimientos a fin de no dejar ninguna zona sin ser recorrida en su totalidad o «puntos muertos».

Se trata, pues, de caminar por la superficie podal con el dedo pulgar (borde externo) y lateralmente.

El caminito es una técnica que podemos realizar con los demás dedos.

Esta variante será útil cuando se trate de áreas extensas reflejas, o en las «áreas de correlación».

Es una modalidad para no sobrecargar el pulgar y darle un merecido descanso de vez en cuando, ya que por su disposición anatómica, por su mayor libertad de movimientos y, además, por resultar el más potente y flexible, el pulgar es el dedo más utilizado en todo el tratamiento reflejo podal.

ÁREAS REFLEJAS CORPORALES

Aparte de las que encontramos en los pies existen otras áreas reflejas en nuestro organismo, en las cuales están representado o proyectado topográficamente el conjunto global de todos los órganos que componen nuestro cuerpo, dando lugar a otras zonas donde con diversas técnicas se lleva a cabo la terapia refleja:

LAS MANOS: Poseen una representación muy similar a la de los pies, pero su acción refleja queda bastante más limitada debido a que su situación superior permite sólo una vía de intervención, la directa, faltando la metamérica que condiciona muchas de las respuestas obtenidas en el tratamiento podal. Su utilización, sin embargo, puede resultar muy importante en relación con áreas reflejas de cabeza y cuello.

LA ESPALDA: La inervación radicular de la piel permite la actuación en el plano reflejo, influenciando directamente al sistema neurovegetativo y por mediación de éste a los principales sistemas del organismo.

TÓRAX Y ABDOMEN: Esta técnica se denomina también «dermalgia refleja visceral torácico-abdominal», siendo consideradas zonas de proyección o reflejas del sistema de inervación visceral.

REFLEXOTERAPIA VERTEBRAL O ESPONDILOTERAPIA: Consiste en percutir o ejercer presión en puntos

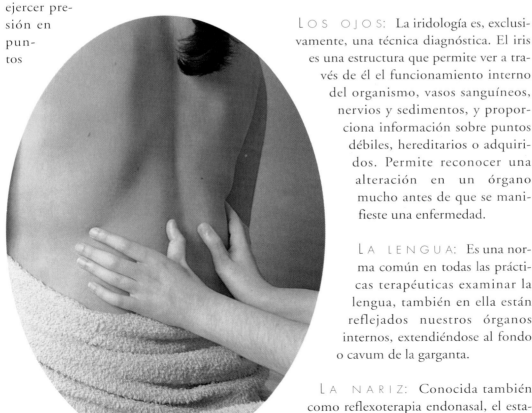

A diferencia de los pies, la acción refleja de las manos es mucho menos amplia, limitándose su uso sobre todo a áreas de cabeza y cuello.

situados a lo largo de la columna vertebral. Cada vértebra está relacionada con ciertos órganos y funciones corporales precisas.

LAS OREJAS: La auriculoterapia o auriculomedicina es el estudio del pabellón de la oreja. La imagen proyectada es la fetal, se encuentra a nivel reflejo la cabeza se encuentra representada en el lóbulo.

LOS OJOS: La iridología es, exclusivamente, una técnica diagnóstica. El iris es una estructura que permite ver a través de él el funcionamiento interno del organismo, vasos sanguíneos, nervios y sedimentos, y proporciona información sobre puntos débiles, hereditarios o adquiridos. Permite reconocer una alteración en un órgano mucho antes de que se manifieste una enfermedad.

LA LENGUA: Es una norma común en todas las prácticas terapéuticas examinar la lengua, también en ella están reflejados nuestros órganos internos, extendiéndose al fondo o cavum de la garganta.

LA NARIZ: Conocida también como reflexoterapia endonasal, el estado de la mucosa rinofaríngea es representativo del estado general.

CAPÍTULO 4

La topografía general del pie

*P*ara facilitar la visión real de las zonas reflejas nada puede ser más ilustrativo que el dibujo del órgano que representan éstas. Pero dada la compleja distribución anatómica, debemos tener presente que los órganos, internamente, se superponen y distribuyen acoplándose perfectamente unos a otros.

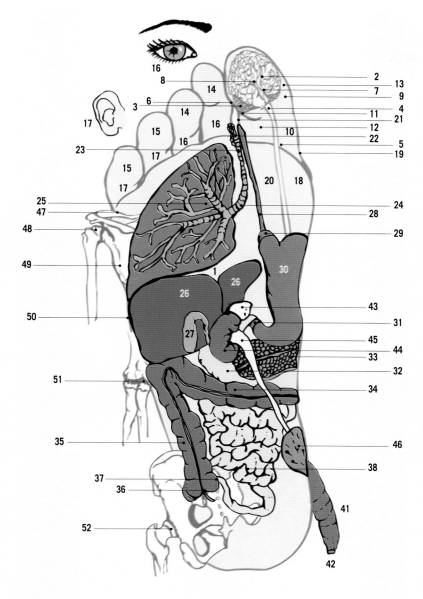

Esquema de los órganos reflejados en la planta del pie derecho.

1. Plexo solar	12. Músculos cuello	21. Faringe	32. Duodeno	45. Uréter
2. Cerebro		22. Laringe	33. Páncreas	46. Vejiga
3. Cerebelo	13. Senos frontales	23. Tráquea	34. Colon transv.	47. C. escapular
4. Tronco encéfalo	14. S. esfenoidales	24. Bronquios	35. Colon ascend.	48. Hombro
5. Médula	15. Senos maxilares	25. Pulmón	36. Apéndice	49. G.L. axilares
6. Trigémino		26. Hígado	37. Vál. Íleo-cecal	50. Brazo
7. Hipófisis	16. Ojo	27. Vesícula	38. Int. delgado	51. Codo
8. Epífisis	17. Oído	28. Esófago	41. Recto	52. Cadera
9. Nariz	18. Tiroides	29. Cardias	42. Ano	
10. Mandíbula	19. Paratiroides	30. Estómago	43. Suprarrenales	
11. Nuca	20. Timo	31. Píloro	44. Riñón	

A NIVEL REFLEJO PODAL (planta) ocurre lo mismo, pero gráficamente están representados en una sola dimensión. Por ello quiero resaltar que aunque la presente topografía esta ajustada a la realidad anatómica lo más fielmente posible, existen pequeñas variaciones que hacen más fácil la comprensión y visualización global.

Planta del pie izquierdo y esquema de los órganos reflejos.

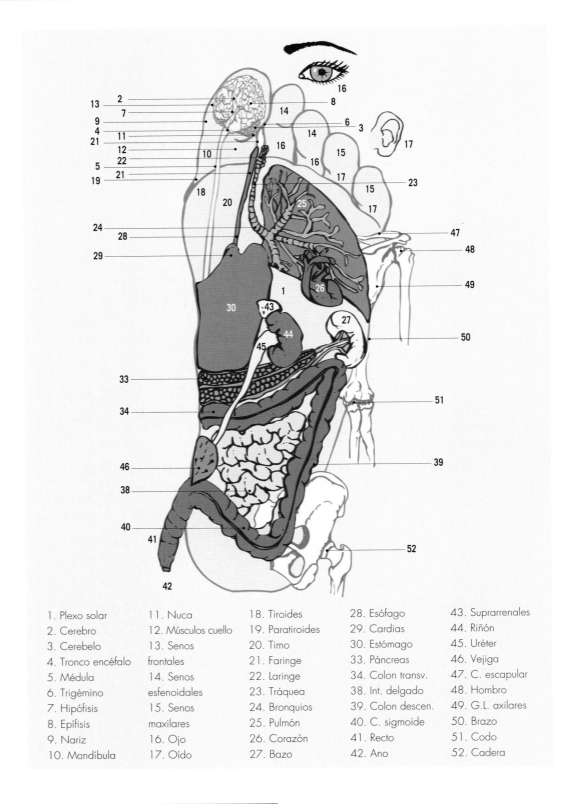

1. Plexo solar
2. Cerebro
3. Cerebelo
4. Tronco encéfalo
5. Médula
6. Trigémino
7. Hipófisis
8. Epífisis
9. Nariz
10. Mandíbula
11. Nuca
12. Músculos cuello
13. Senos frontales
14. Senos esfenoidales
15. Senos maxilares
16. Ojo
17. Oído
18. Tiroides
19. Paratiroides
20. Timo
21. Faringe
22. Laringe
23. Tráquea
24. Bronquios
25. Pulmón
26. Corazón
27. Bazo
28. Esófago
29. Cardias
30. Estómago
33. Páncreas
34. Colon transv.
38. Int. delgado
39. Colon descen.
40. C. sigmoide
41. Recto
42. Ano
43. Suprarrenales
44. Riñón
45. Uréter
46. Vejiga
47. C. escapular
48. Hombro
49. G.L. axilares
50. Brazo
51. Codo
52. Cadera

INTRODUCCIÓN A LOS SISTEMAS REFLEJOS Y SU DESARROLLO

Después de ver la topografía general, que nos sitúa a nivel orientativo en una comprensión completa, vamos a ir desmenuzando este puzzle en fragmentos que nos permitan localizar de una manera más concisa los sistemas que lo componen. Para poderlos estudiar de forma individual, dada la importancia que cada uno conlleva, haremos una introducción que nos sitúe en posición de repasar nuestro cuerpo y todas las partes que lo componen.

Esquema reflexológico del dorso de ambos pies.

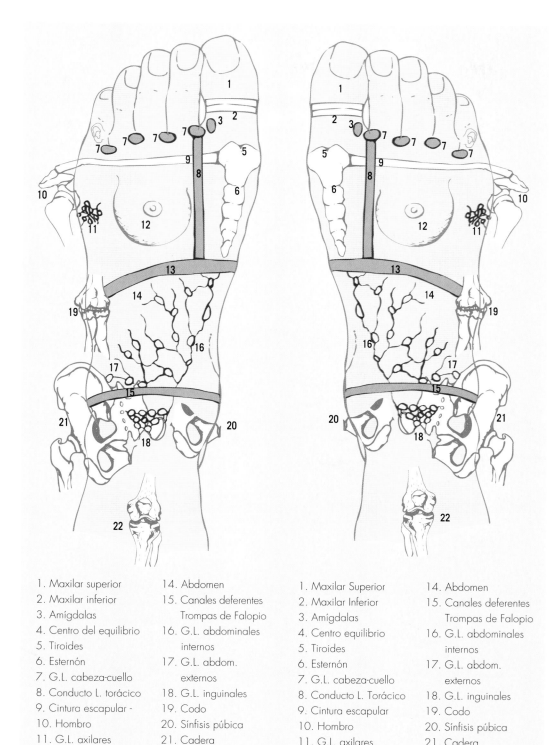

1. Maxilar superior	14. Abdomen
2. Maxilar inferior	15. Canales deferentes Trompas de Falopio
3. Amígdalas	16. G.L. abdominales internos
4. Centro del equilibrio	17. G.L. abdom. externos
5. Tiroides	
6. Esternón	18. G.L. inguinales
7. G.L. cabeza-cuello	19. Codo
8. Conducto L. torácico	20. Sínfisis púbica
9. Cintura escapular -	21. Cadera
10. Hombro	22. Rodilla
11. G.L. axilares	
12. Mama	
13. Diafragma	

1. Maxilar Superior	14. Abdomen
2. Maxilar Inferior	15. Canales deferentes Trompas de Falopio
3. Amígdalas	16. G.L. abdominales internos
4. Centro equilibrio	17. G.L. abdom. externos
5. Tiroides	
6. Esternón	18. G.L. inguinales
7. G.L. cabeza-cuello	19. Codo
8. Conducto L. Torácico	20. Sínfisis púbica
9. Cintura escapular	21. Cadera
10. Hombro	22. Rodilla
11. G.L. axilares	23. Circulación
12. Mama	
13. Diafragma	

Creo por tanto que es básico empezar esta parte explicando los sistemas orgánicos funcionales y su ubicación, los órganos, vísceras, glándulas y demás estructuras anatómicas que los forman, así como sus funciones fisiológicas para poder comprender mejor el sentido que tiene su manipulación, tratamiento y acción refleja.

El método seguido, a fin de que el lector organice la información que a continuación se suministra, es el siguiente: tras el enunciado del sistema vendrá su explicación anatómica y

Detalle reflexológico del pie izquierdo desde su borde interno.

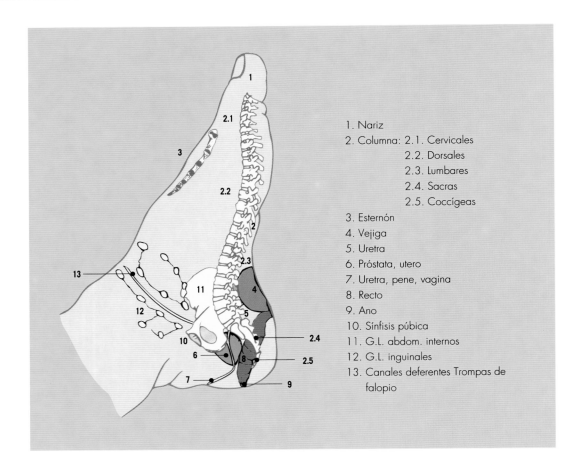

1. Nariz
2. Columna: 2.1. Cervicales
                     2.2. Dorsales
                     2.3. Lumbares
                     2.4. Sacras
                     2.5. Coccígeas
3. Esternón
4. Vejiga
5. Uretra
6. Próstata, utero
7. Uretra, pene, vagina
8. Recto
9. Ano
10. Sínfisis púbica
11. G.L. abdom. internos
12. G.L. inguinales
13. Canales deferentes Trompas de falopio

1. Nariz
2. Columna: 2.1. Cervicales
                     2.2. Dorsales
                     2.3. Lumbares
                     2.4. Sacras
                     2.5. Coccígeas
3. Esternón
4. Vejiga
5. Uretra
6. Próstata, utero
7. Uretra, pene, vagina
8. Recto
9. Ano
10. Sínfisis púbica
11. G.L. abdom. internos
12. G.L. inguinales. Trompas de Falopio
13. Canales deferentes

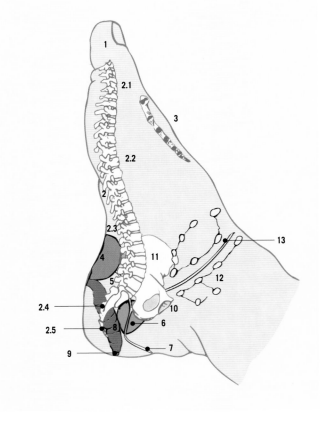

Borde interno del pie derecho con detalles de los órganos reflejados en el mismo.

fisiológica, en la que encontraremos primero una introducción global y después una individual referida a cada una de sus partes. A continuación, tendremos el diagrama reflejo del sistema con los puntos reflejos correspondientes. Y seguidamente, un apartado de las sensibilidades que se pueden encontrar a nivel reflejo en los puntos y zonas concernientes al sistema y otro de los efectos que la actuación refleja va a ocasionar sobre el tratamiento de dichas áreas. Espero que de esta forma resulte más sencilla la comprensión, aunque como he comentado repetidas veces a lo largo de estas páginas, el tratamiento ha de realizarse íntegro.

SISTEMA NERVIOSO CENTRAL

El sistema nervioso de los vertebrados posee una parte central: el sistema nervioso central, con el encéfalo y la médula espinal, y una periférica: el sistema nervioso periférico, compuesto por los nervios craneales y espinales con sus ramas.

El encéfalo se encuentra en la cavidad craneal, rodeado por una caja ósea, y la médula espinal se sitúa en el canal vertebral, protegida por las vértebras. Ambas estructuras se hallan revestidas por meninges craneales o

espinales entre las que fluye el líquido cefalorraquídeo. El encéfalo consta de cerebro, cerebelo y tronco del encéfalo que continúa en la médula espinal

Cerebro: Es la parte más voluminosa del encéfalo. Una hendidura profunda, denominada cisura longitudinal, lo divide en dos hemisferios, derecho e izquierdo. Cada hemisferio presenta surcos o cisuras. La corteza cerebral está constituida por sustancia gris que está formada por fibras nerviosas, cuerpos celulares y neuroglia. La presencia de cuerpos celulares es la responsable de que en la sustancia gris se produzcan sinapsis nerviosas (cuadro de distribución nerviosa). La sustancia blanca es la conductora de impulsos y está integrada por fibras nerviosas mielínicas y neuroglia. Su colaboración se debe a la mielina.

La corteza cerebral está relacionada con una serie de funciones específicas, recibiendo el nombre de areas corticales.

Las más conocidas son las motoras, sensitivas, visuales, auditivas, olfativas y gustativas.

Tálamo: Estructura que se asienta en la profundidad de cada hemisferio cerebral. Está formado por masas de sustancia gris. Desde el punto de vista funcional el tálamo es una estación de relevo sensitivo.

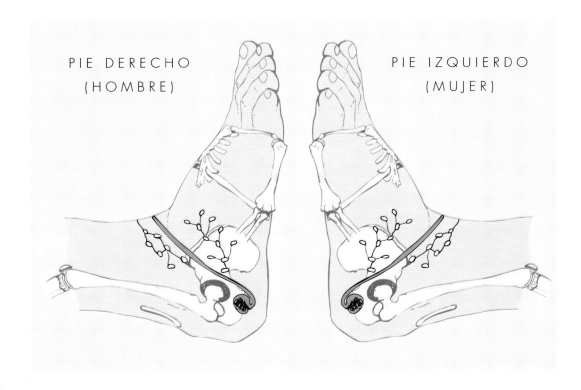

PIE DERECHO
(HOMBRE)

PIE IZQUIERDO
(MUJER)

Esquema reflexológico con el paralelismo existente entre los perfiles de los dos pies.

173

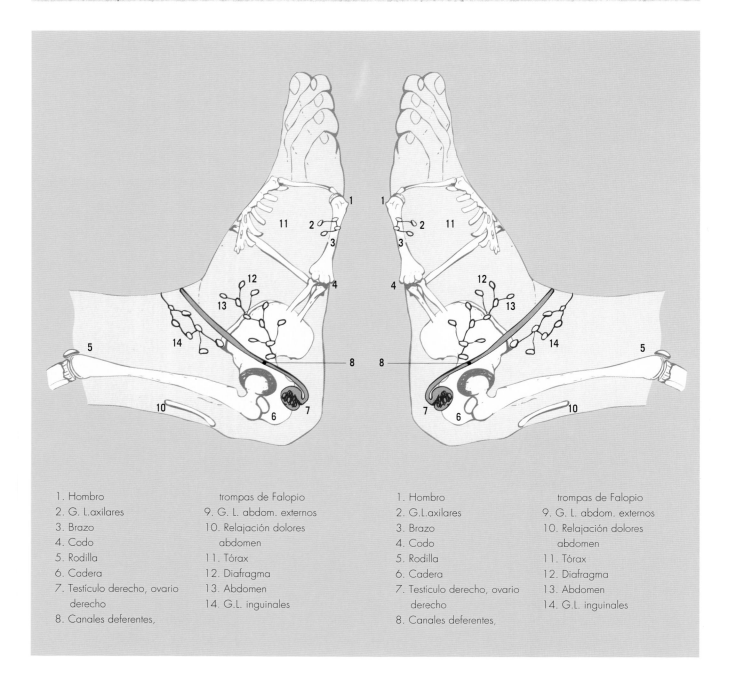

1. Hombro	trompas de Falopio
2. G. L.axilares	9. G. L. abdom. externos
3. Brazo	10. Relajación dolores
4. Codo	abdomen
5. Rodilla	11. Tórax
6. Cadera	12. Diafragma
7. Testículo derecho, ovario	13. Abdomen
derecho	14. G.L. inguinales
8. Canales deferentes,	

1. Hombro	trompas de Falopio
2. G.L.axilares	9. G. L. abdom. externos
3. Brazo	10. Relajación dolores
4. Codo	abdomen
5. Rodilla	11. Tórax
6. Cadera	12. Diafragma
7. Testículo derecho, ovario	13. Abdomen
derecho	14. G.L. inguinales
8. Canales deferentes,	

Visión lateral externa entre los pies antagónicos masculino y femenino.

Hipotálamo: Situado debajo del tálamo, presenta una variedad de funciones, produce hormonas y contiene centros que regulan la actividad de la hipófisis anterior, el sistema nervioso autónomo, la regulación de la temperatura corporal y la ingesta de agua y alimentos. También está relacionado con el estado de vigilia y la estabilidad emocional.

Cerebelo: Después del cerebro es la porción más grande del encéfalo. Ocupa la fosa craneal posterior, consta de dos hemisferios y una parte intermedia (vermis). Se une al tallo cerebral mediante pedúnculos (haces de fibras que entran y salen del cerebelo). La corteza cerebelosa se compone de sustancia gris y en su interior sustancia blanca. Desempeña un papel regulador de la coordinación, de la actividad muscular, tono muscular y conservación del equilibrio.

Tallo cerebral: Se divide en tres porciones: mesencéfalo, protuberancia o puente y médula oblongada o bulbo raquídeo. Está constituido por sustancia blanca en la parte externa con islotes de sustancia gris. Contiene

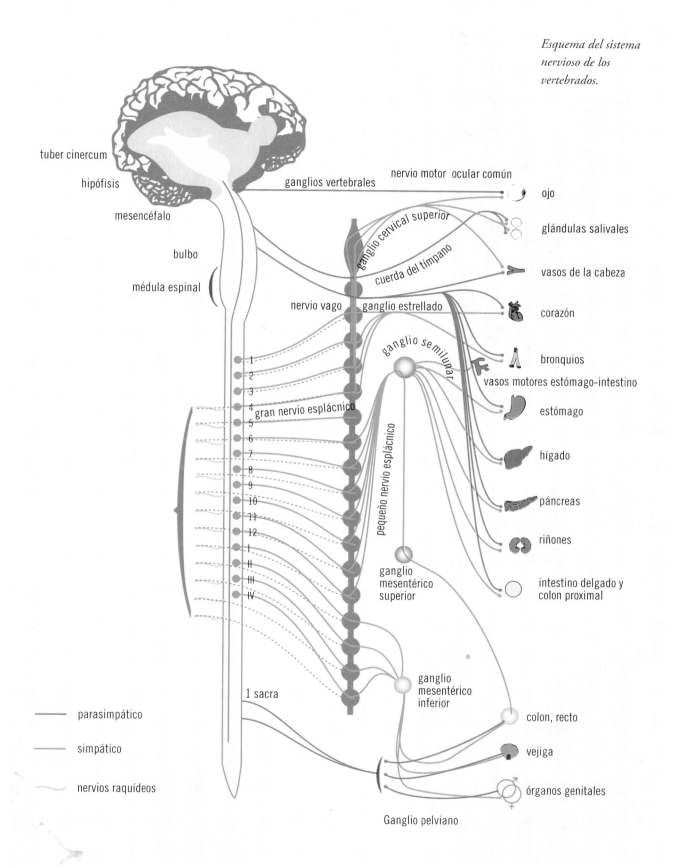

Esquema del sistema nervioso de los vertebrados.

tuber cinercum

hipófisis

mesencéfalo

bulbo

médula espinal

ganglios vertebrales

nervio motor ocular común

ganglio cervical superior

cuerda del tímpano

nervio vago   ganglio estrellado

ganglio semilunar

gran nervio esplácnico

pequeño nervio esplácnico

ojo

glándulas salivales

vasos de la cabeza

corazón

bronquios

vasos motores estómago-intestino

estómago

hígado

páncreas

riñones

ganglio
mesentérico
superior

intestino delgado y
colon proximal

1 sacra

ganglio
mesentérico
inferior

colon, recto

vejiga

órganos genitales

———— parasimpático

———— simpático

~~~~~ nervios raquídeos

Ganglio pelviano

1
2
3
4
5
6
7
8
9
10
11
12
I
II
III
IV

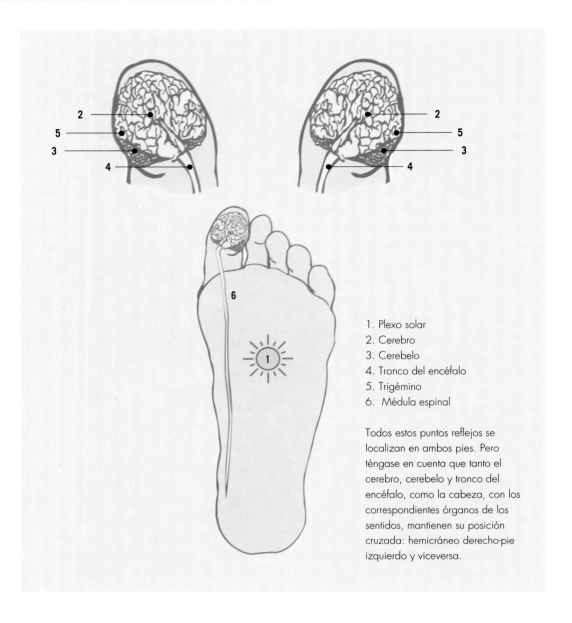

Diagrama reflejo del sistema nervioso central.

1. Plexo solar
2. Cerebro
3. Cerebelo
4. Tronco del encéfalo
5. Trigémino
6. Médula espinal

Todos estos puntos reflejos se localizan en ambos pies. Pero téngase en cuenta que tanto el cerebro, cerebelo y tronco del encéfalo, como la cabeza, con los correspondientes órganos de los sentidos, mantienen su posición cruzada: hemicráneo derecho-pie izquierdo y viceversa.

numerosos centros reflejos, siendo los más importantes centros vitales que controlan la actividad cardíaca y respiratoria. Otros están relacionados con la tos, el estornudo, hipo, vómito, succión y deglución. También encontramos aquí los núcleos que dan origen a los nervios craneales (pares craneales). Además, debemos hacer hincapié en que el tallo cerebral es una estructura de paso de fibras procedentes de la médula espinal y descendentes en dirección a ésta.

Médula espinal:

La sustancia blanca ocupa la parte externa de la médula que rodea la sustancia gris. Esta última sirve de centro reflejo de distribución para vías sensitivas y motoras. La sustancia blanca actúa de gran vía conductora de impulsos para el encéfalo y a partir de él.

Sensibilidades reflejas podales

Dada su importancia, este sistema quedará involucrado en cualquier problema de origen nervioso que pueda producirse. Así pues, puede haber sensibilidad que tenga relación con zonas corticales: zona visual, auditiva, etc., también encontraremos puntos molestos o dolorosos en jaquecas, dolores de cabeza, problemas nerviosos en general, disfunciones hormonales, vahídos, mareos, falta de riego, alteraciones orgánicas viscerales, estructurales, alteraciones del sueño, neuralgias, falta de memoria, poca concentración, procesos inflamatorios, tumorales, epilepsias, enfermedades degenerativas, pinzamientos, falta de tono muscular, problemas de personalidad, etc.

La sensibilidad en el dedo gordo es frecuente, cualquier problema ambiental, emocional o físico puede alterarla sin que indique dolencia o padecimiento concreto, y puede ser debido solamente a tensión acumulada o estrés.

Efectos del masaje reflejo podal

Los beneficios del tratamiento reflejo sobre el sistema nervioso central superan con creces todo posible comentario al respecto. Aun en el caso de ser trabajada exclusivamente esta zona, ello supondría un incremento de actividad y equilibrio de todas las funciones orgánicas, glandulares, viscerales, intelectuales y sociales con el consiguiente provecho sobre la calidad

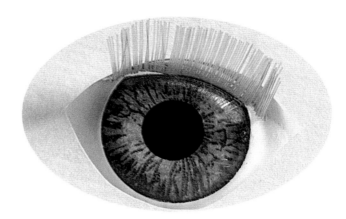

de vida del individuo.

En cualquier afección está comprometido de forma directa o indirecta y, por tanto, sus efectos reflejos redundarán en una normalización de cualquier disfunción.

El iris es una magnífica fuente de información sobre aspectos débiles o adquiridos, así como de caracteres hereditarios del individuo.

ÓRGANOS DE LOS SENTIDOS

Gusto: Los receptores gustativos se localizan en la lengua, cuya superficie contiene tres tipos de papilas, éstas presentan en sus caras laterales corpúsculos gustativos. El nervio facial, el glosofaríngeo y el vago conducen la sensación gustativa. El sentido del olfato está en íntima relación con el del gusto.

Olfato: Los receptores del olfato se localizan en la mucosa olfatoria. Esta membrana reviste las paredes de las fosas nasales y está constituida por células epiteliales. Los impulsos procedentes de la mucosa olfatoria tras atravesar el etmoides penetran en la cavidad craneal y finalizan en el bulbo olfatorio que conduce los impulsos hasta el rinencéfalo (parte del cerebro relacionada con el olfato).

Vista: El ojo, como órgano de la visión, presenta un tejido que forma la conjuntiva: capa epitelial que tapiza la superficie del globo ocular incluida la córnea y párpados. Consta del globo ocular que ocupa la cavidad orbitaria, cuya túnica fibrosa recibe el nombre de esclerótica, una porción de la cual constituye la parte blanca del ojo. En su parte anterior presenta una abertura donde encaja la córnea: tejido transparente que deja pasar los rayos luminosos. El iris, que es una membrana en forma de disco situado

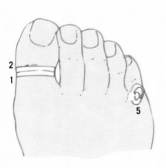

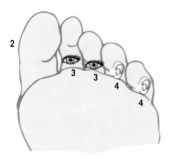

1. Gusto: boca
2. Olfato: Nariz
3. Vista: ojo
4. Oído
5. Centro del equilibrio
6. Tacto: piel

Diagrama reflejo de los órganos de los sentidos.

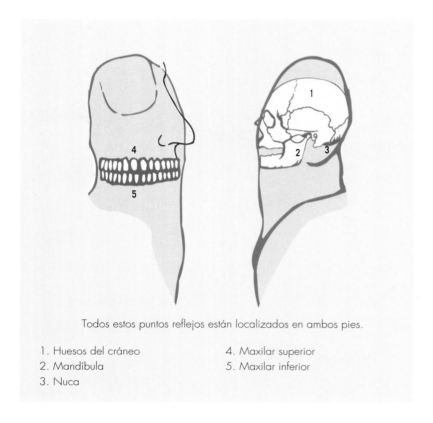

Todos estos puntos reflejos están localizados en ambos pies.

1. Huesos del cráneo
2. Mandíbula
3. Nuca

4. Maxilar superior
5. Maxilar inferior

Diagrama reflejo de la cabeza: huesos del cráneo.

estribo dispuestos de tal manera que la vibraciones de la membrana timpánica son transmitidas mecánicamente al oído interno. En su parte anterior el oído medio se comunica con la faringe por el conducto llamado trompa de Eustaquio que equilibra la presión timpánica. En su parte posterior se comunica con las células mastoideas.

El oído interno está constituido por un laberinto óseo y otro membranoso, y en él se pueden distinguir tres partes: el vestíbulo, los conductos semicirculares y el caracol. Los dos primeros tienen que ver con el mantenimiento del equilibrio, mientras que el último está relacionado con la audición.

Tacto: La piel, como ya se ha dicho, actúa como órgano sensorial para la percepción de la presión, temperatura y dolor; protege el cuerpo contra las agresiones, toma parte en los mecanismos de defensa, interviene en la regulación del equilibrio hidrosalino y posee resistencia eléctrica que cambia con situaciones emocionales. La piel presenta un especial interés médico y ella expresa los síntomas de muchas enfermedades.

La piel consta de tres capas: epidermis, dermis o corión y tejido celular subcutáneo o hipodermis; posee asimismo estructuras como uñas, pelos y diversas glándulas.

La capa superficial o epidermis está compuesta por tres tipos de tejido: capa de regeneración o estrato germinativo; capa queratizada y capa cornificada. Las células cilíndricas de la capa basal del estrato germinativo sufren una transformación que termina con su cornificación al alcanzar los estratos superficiales. El proceso de emigración de estas células requiere 30 días.

detrás de la córnea, presenta en su centro una abertura denominada pupila. Detrás del iris, se encuentra el cristalino.

Oído y equilibrio: El oído se divide en tres partes: oído externo, medio e interno, este último contiene los receptores de la audición y del equilibrio.

El oído externo consta de pabellón auricular, oreja y conducto auditivo externo que finaliza en el tímpano, y contiene glándulas que secretan cerumen.

El oído medio es una cavidad llena de aire localizada en el hueso temporal, aquí se hallan los huesecillos, martillo, yunque y

La piel actúa como órgano sensorial para la percepción de la temperatura, de la presión y del dolor. De ahí su especial interés para el médico, ya que expresa los síntomas de muchas enfermedades.

La dermis o corión es la capa de tejido conectivo. Presenta un estrato papilar donde sus papilas se interdigitan con las de la epidermis y un estrato reticular que proporciona a la piel resistencia contra el desgarro. Se localizan en esta porción de la piel: raíces pilosas, glándulas, vasos sanguíneos, células de tejido

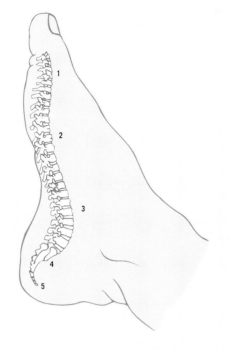

Todos estos puntos reflejos se hallan
representados en ambos pies.

1. Cervicales
2. Dorsales
3. Lumbares
4. Sacro
5. Cóccix

conectivo, células libres del sistema inmunitario y células nerviosas.

El tejido subcutáneo o hipodermis une la piel con estructuras subyacentes como fascias y periostio. Puede contener grasa y la atraviesan los grandes vasos y nervios cutáneos.

Sensibilidades reflejas
podales

Es corriente encontrar sensibilidad en estas zonas reflejas, ya que se trata de los dedos, en sus tres caras plantares, zona expuesta a reblandecimientos producidos por el sudor que puede ser campo abonado para la instauración de infecciones micóticas. Además, generalmente, al secarnos los pies no prestamos la debida atención a esta zona tan delicada, con lo que se aumenta el riesgo. Cualquier problema de visión, miopía, astigmatismo o hipermetropía afectará considerablemente a la zona refleja correspondiente, en especial la sensibilidad se acusará más en el dedo segundo (ojo interno) que en el tercero (ojo externo). Mientras que si existe un problema de conjuntivitis o queratitis, el dedo más sensibilizado será el tercero.

De igual forma tenemos que si existe un problema de audición y dependiendo del origen del mismo, la sensibilidad será percibida en el dedo cuarto (oído interno) y en las caras de unión de los dedos cuarto y quinto (oído medio). El dedo quinto refleja el pabellón auditivo externo. Tanto los ojos como los oídos ocupan la porción

*Los huesos del cráneo
actúan de protectores del
Sistema nervioso central
y de los órganos de los
sentidos. El área de la
nuca en la parte baja del
mismo es una zona refleja
que suele acumular
muchas tensiones.*

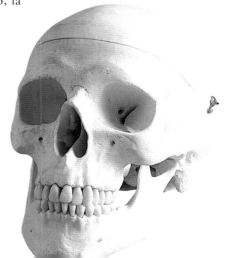

Diagrama reflejo del sistema endocrino.

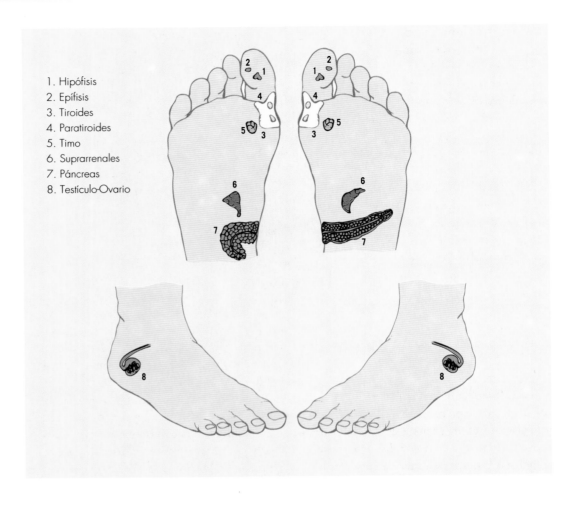

1. Hipófisis
2. Epífisis
3. Tiroides
4. Paratiroides
5. Timo
6. Suprarrenales
7. Páncreas
8. Testículo-Ovario

La columna vertebral posee un canal central que sirve de receptáculo a la médula espinal. La sensibilidad de esta zona es muy frecuente; un mal funcionamiento orgánico puede deberse a un bloqueo en la conducción nerviosa y puede llegar a ser grave si no se trata.

del cuello y base del dedo, sin contar la zona del pulpejo.

Efectos del masaje reflejo podal

Los resultados del masaje respecto a los órganos de los sentidos son relevantes en cuanto a sus funciones, las cuales se clarifican y mejoran a nivel de percepción. Produce un aumento de la agudeza visual y auditiva, normalmente este efecto es inmediato, los pacientes admiten ver y oír con mayor nitidez después de un tratamiento reflejo.

Cabeza: huesos del cráneo

Los huesos del cráneo protejen las estructuras mencionadas del sistema nervioso central y órganos de los sentidos, además de la articulación témporo-mandibular, que provee de una bisagra móvil a la mandíbula. El maxilar superior contiene las piezas dentarias superiores y el maxilar inferior las inferiores; la lengua está alojada en el centro de ambos. La mandíbula articula con el hueso temporal derecho e izquierdo, y la nuca, situada en la base del cráneo, une el hueso occipital con las vértebras cervicales Atlas y Axis.

Sensibilidades reflejas podales

Generalmente, en estas zonas reflejas encontramos la manifestación de muchas tensiones, en las áreas de nuca, de mandíbula y maxilares. La zona de mandíbula suele estar invadida por durezas y callos que ponen de manifiesto lo que ocurre en esta zona. La persona comprime sus mandíbulas continuamente sin ser consciente de que ello suele significar tensiones internas. Tanto el maxilar superior como el inferior muestran sensibilidad en cualquier problema dentario. La nuca es una zona refleja sumamente tensa, palpándose habitualmente contracturas musculares en esta área.

Efectos del masaje reflejo podal

La influencia del trabajo reflejo en estas zonas será principalmente de alivio, distensión y relajación. El área refleja de la nuca, como comentábamos, está dolorida o contraída y coincide con dolor o contracción en esta zona, produciendo deficiencias circulatorias. El masaje ayudará a disolverlas con el consiguiente aumento de flujo sanguíneo hacia la cabeza. En caso de dolor de dientes o muelas, podemos ayudar a que éste se alivie (véase apartado «Efecto aspirina»). En la zona de la mandíbula se producirá una liberación por la acción del masaje. Si existen callos o durezas es conveniente acudir al podólogo.

COLUMNA VERTEBRAL

Es la estructura básica del tronco, consta de 33 ó 34 huesos pequeños sobrepuestos, llamados vértebras, y permite el sostén de la cabeza y el tronco. Presenta lateralmente una forma de «S», dando origen a las curvaturas propias de la misma, que ayudan a dar flexibilidad al cuerpo, además de permitirle un sistema de amortiguación de caídas y golpes. Se pueden distinguir:

7 vértebras cervicales.
12 vértebras torácicas o dorsales.
5 vértebras lumbares.

5 vértebras sacras.
5 vértebras coccígeas (su número varía de 3 a 5).

Las cinco vértebras sacras y las cinco coccígeas, al estar fusionadas, dan origen a los huesos sacro y cóccix, respectivamente.

Curvaturas de la columna

La columna vertebral presenta cuatro curvaturas: convexidad anterior o lordosis cervical, convexidad posterior o cifosis dorsal; convexidad anterior o lordosis lumbar y convexidad posterior o cifosis sacra.

Los cuerpos vertebrales proveen un canal central que sirve de receptáculo a la médula espinal. En su unión con las apófisis transversas y espinosas permiten el paso de vasos sanguíneos y nerviosos mediante otros canales denominados de conjunción. Las vértebras tienen diversos tamaños, adaptándose anatómicamente a la zona que tiene que soportar más peso: la zona lumbar, en donde el tamaño de las mismas es mayor.

Sensibilidades reflejas podales

La sensibilidad de esta zona es muy frecuente y puede deberse a problemas vertebrales, pinzamientos o a un mal asentamiento, contracturas musculares, procesos degenerativos, traumatismos, lesiones y un gran número de anomalías posturales, sobreesfuerzos, carga de pesos excesivos y otras muchas molestias que sufrimos en general. Pero, además, no debemos olvidar la relación tan importante con el sistema nervioso central, ya que desde aquí parten los nervios espinales que mantiene en comunicación el cuerpo con el encéfalo. Un mal funcionamiento orgánico puede deberse a un bloqueo en la conducción nerviosa y si se mantiene puede causar daños mayores.

El tratamiento reflejo en los casos de lumbalgias o ciáticas apoyado por quiromasaje puede solucionar el problema rápidamente.

La disfunción de alguna de las glándulas afecta a las demás y sobre todo al sistema nervioso. La mujer tiene mayor tendencia debido al ciclo menstrual. El masaje podal bien aplicado sirve de alivio inmediato.

Efectos del masaje reflejo podal

Los resultados que se obtienen son, al igual que comentábamos en el sistema nervioso central, incontables. Se produce un gran alivio de tensiones musculares que, en muchas ocasiones, son reflejo del mal funcionamiento orgánico, sobre todo, las localizadas a nivel medio dorsal, que suelen tener relación con problemas digestivos, y la zona lumbar que se relaciona con problemas genito-urinarios.

Además se produce una clara mejoría de problemas reumáticos, artrósicos, pinzamientos o deslizamientos vertebrales, por ser la columna vertebral el eje central de nuestro cuerpo o mástil sobre el que se apoyan los dos bloques articulares principales: el escapular y el pélvico. También podemos contribuir a equilibrar cualquier alteración articular. Es así mismo importante el tratamiento reflejo en la columna para todos los problemas de adormecimiento de miembros, generalmente producidos por compresiones sobre nervios y vasos como consecuencia de una mala alineación vertebral o tensiones.

De igual forma obtendremos buenos resultados en casos de insensibilidad periférica en dedos que pueden ser causados por problemas similares a los descritos. Son muy recomendables, también, los tratamientos reflejos en casos de lumbalgias o ciáticas que complementados con otros tratamientos manipulativos y/o quiromasaje en la zona local afectada pueden solucionar el problema rápidamente.

Sistema endocrino

Las glándulas que componen este sistema están desprovistas de conductos de secreción y vierten sus productos directamente, razón por la cual suelen denominarse de secreción interna. Secretan hormonas que pasan al interior de la circulación sanguínea o linfática y se distribuyen así por todo el organismo. La función del sistema endocrino es regular las actividades orgánicas celulares, función que comparte con el sistema nervioso, que es el coordinador principal.

El sistema endocrino posee un sistema especial de retrocontrol o retroalimentación que regula los niveles hormonales sanguíneos inhibiendo o estimulando la actividad hipotálamo-hipofisiaria.

Glándula pituitaria o hipófisis: Es la glándula principal, se localiza en el hipotálamo y consta de dos lóbulos que producen hormonas muy necesarias para el normal funcionamiento de la glándula tiroides, el sistema reproductor y la producción de melanina o pigmento.

Pineal o epífisis: Glándula situada en el mesencéfalo. Es un órgano sensorial y está influido por la luz. La secreción de esta glándula tiene relación con la maduración sexual, y se la denomina «glándula de la pureza».

Tiroides: Es una glándula formada por dos lóbulos unidos por un istmo, y está situada a los lados de la laringe y tráquea.

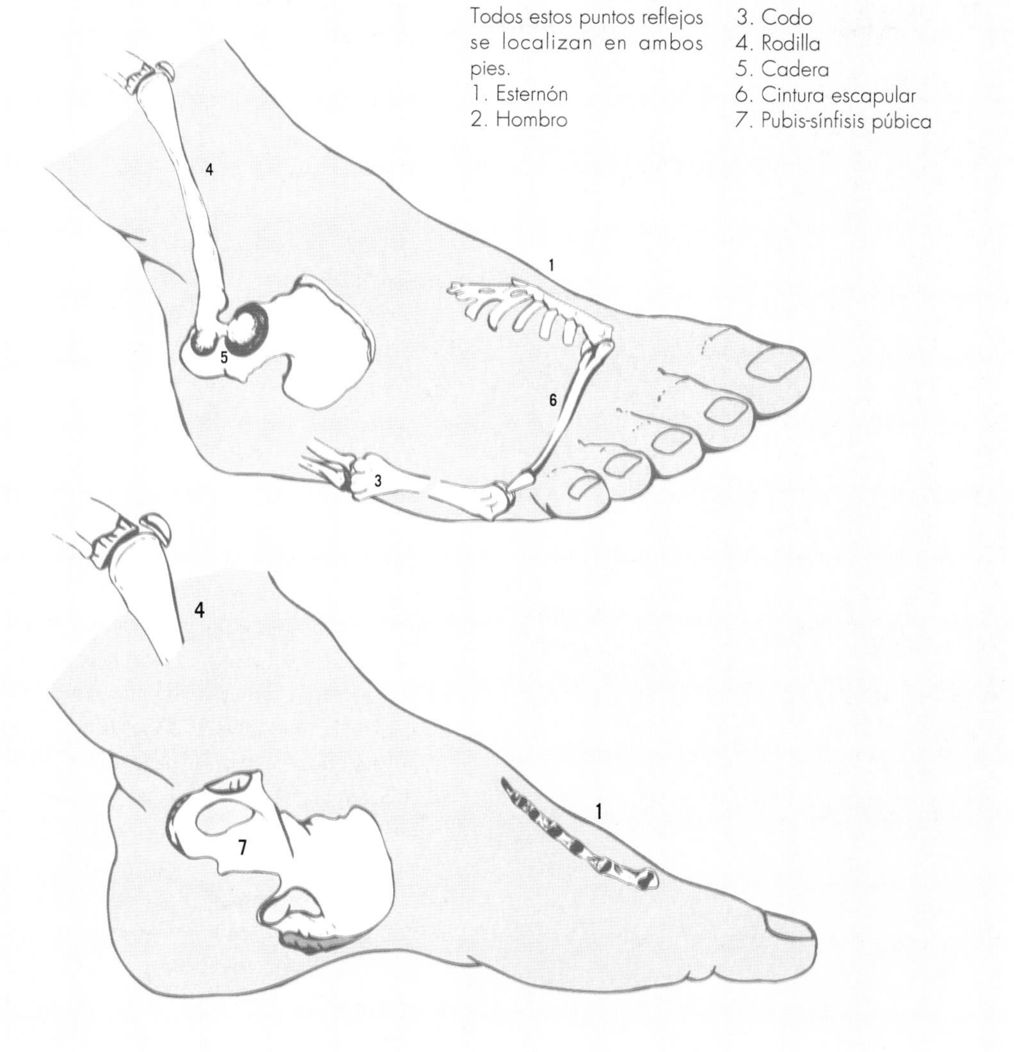

Todos estos puntos reflejos
se localizan en ambos
pies.
1. Esternón
2. Hombro

3. Codo
4. Rodilla
5. Cadera
6. Cintura escapular
7. Pubis-sínfisis púbica

*Diagrama reflejo de las
articulaciones en cado uno
de los pies.*

Produce hormonas que estimulan el metabolismo celular y que son necesarias para el crecimiento. En el hipertiroidismo aumentan las combustiones intracelulares, mientras que en el hipotiroidismo se retarda el metabolismo, el crecimiento y las funciones psíquicas.

Paratiroides: Está formada por cuatro pequeños órganos glandulares, situados en la porción posterior del tiroides. La hormona segregada por esta glándula está muy vinculada al metabolismo del calcio. Por este motivo, en caso de hiperfunción glandular puede depositarse calcio en la pared de los vasos, favoreciendo la formación de cálculos renales. La hipofunción produce una deficiente calcificación de

dientes y huesos, con aumento de la excitabilidad de los nervios debido a la hipercalcemia en sangre.

Timo: Es una glándula que consta de dos lóbulos ovales. Situada entre el esternón y las venas cava superior y braquiocefálica. En la infancia y en la juventud está muy desarrollada, mientras que en el adulto involuciona. Su función principal se relaciona con el sistema inmunológico

Suprarrenales: Su posición sobre el riñón da el nombre a estas glándulas, superpuestas una a cada riñón en su polo superior, inclinadas hacia dentro. Poseen una porción externa (corteza) y otra interna (médula) y producen corticosteroides o corticoides y otras sustancias igualmente importantes.

Páncreas: La porción endocrina del páncreas está representada por los islotes de Langherhans que se encuentran dispersos por todo el órgano, siendo más numerosos en el cuerpo y la cola que en la cabeza. Estos islotes producen al menos dos hormonas de efectos antagónicos: la insulina y el glucagón. La hiperproducción de insulina se traduce en hipoglucemia, su hipoproducción produce el cuadro clínico de la diabetes mellitus con hiperglucemia, glucosuria y poliuria.

Gónadas: Las hormonas sexuales se forman en las gónadas testículo u ovario, y en pequeña porción también en la corteza suprarrenal.

Testículos: Son glándulas sexuales masculinas que forman hormonas o andrógenos producidos por las células intersticiales de Leydig que se agrupan en el tejido conjuntivo testicular. Los andrógenos estimulan la espermatogénesis y provocan el desarrollo de los órganos genitales y de los caracteres sexuales secundarios (vello, crecimiento de huesos, tono de voz, etc.)

Ovarios: Son glándulas sexuales femeninas cuya regulación hormonal es especialmente interesante durante el ciclo menstrual de la mujer. Este ciclo es mantenido por las influencias del hipotálamo e hipófisis sobre el ovario.

Sensibilidades reflejas podales

Las zonas glandulares acusan una sensibilidad especial. Generalmente, para entenderlo basta con prestar atención a sus características. Desde un estado de excitación, que influye sobre ellas, hasta una patología profunda, existe un largo repertorio de situaciones diversas. Por tanto, una disfunción o alteración en una de las glándulas puede implicar a las demás y, por supuesto, a los órganos o sistemas que tengan relación fisiológica con ellas, sin olvidar el sistema nervioso.

La mujer, obviamente, es la que presenta más tendencia a estas sensibilidades por sus características relativas al ciclo menstrual.

Es muy normal encontrar anomalías en las zonas de ovarios, suprarrenales e hipófisis, aunque no exista causa patológica determinante y se trate simplemente de un proceso natural orgánico. Esta molestia refleja se agudizará si realmente existen problemas como quistes, tumores o reglas dolorosas. En etapas de pubertad, encontraremos dolorida, abultada y enrojecida la zona hipofisiaria y epifisiaria, además de la correspondiente a las gónadas.

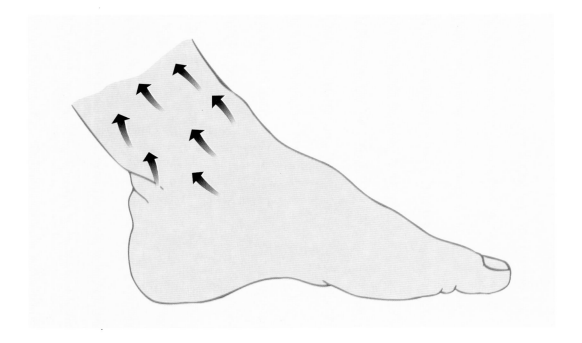

Diagrama reflejo de la pierna.

Es de gran utilidad realizar un tratamiento en estos casos, pues ayudaremos a que el proceso de transformación se realice de una forma más armónica. En los casos de menopausia encontraremos especialmente irritada la zona de suprarrenales. Normalmente, en diabetes encontraremos mayor alteración en el cuerpo y la cola del páncreas que está en el pie izquierdo. En problemas metabólicos o descalcificaciones, las zonas de tiroides y paratiroides serán las más implicadas.

Efectos del masaje reflejo podal

Después de hablar de las sensibilidades más comunes, podemos imaginar los efectos obtenidos mediante el tratamiento reflejo. Por supuesto no pretendemos ver milagros, pero sí esperanzas, ya que gran parte de las alteraciones se pueden aliviar usando estos masajes normalizadores. Por ejemplo, en una diabetes se puede ayudar mucho. Para realizar este tratamiento deberíamos estar bajo la supervisión de un médico especialista en endocrinología, que controlara al paciente y nos marcará las pautas a seguir.

Desgraciadamente esto no es factible o, al menos, resulta difícil por el momento, ya que el simple hecho de comentar que se puede ayudar a normalizar una hiperglucemia mediante unos masajes en los pies resulta poco creíble a la mayoría de los especialistas. En este sentido nuestra labor irá destinada a reducir los efectos secundarios a esta alteración, realizando uno o dos masajes generales por semana.

En casos de menopausia, son muy efectivos los masajes podales para aliviar los síntomas sin la necesidad de ingerir estrógenos, ya que éstos se producirán de manera natural por la acción del masaje, aunque en menor cantidad mediante la actuación suprarrenal. En casos de problemas menstruales, dolor,

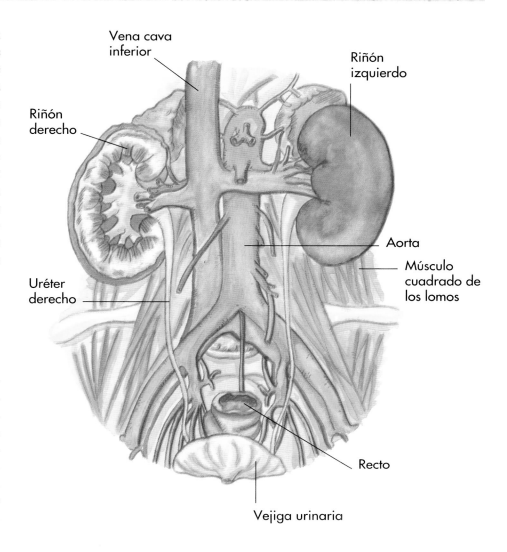

ciclos irregulares, ausencia de regla, mastopatías y un sinfín de disfunciones podemos actuar con éxito seguro. En casos de infertilidad o esterilidad, se han obtenido resultados sorprendentes, produciéndose embarazos después de realizar durante varios meses un tratamiento reflejo. Es recomendable tratar a la pareja en conjunto, ya que el problema fisiológico, aún siendo de uno de los miembros de la pareja, afecta emocionalmente a ambos y, además, porque en la mayoría de los casos existe cierto desequilibrio que acaba cediendo con tratamiento.

SISTEMA ARTICULAR

El sistema óseo articular es un sistema de sostén formado por dos bloques: tórax y pelvis. Ambos están unidos por un elemento articulado, la columna vertebral, de la que ya

Aparato urinario con descripción de los órganos más importantes.

Diagrama reflejo del sistema urinario: visión plantar.

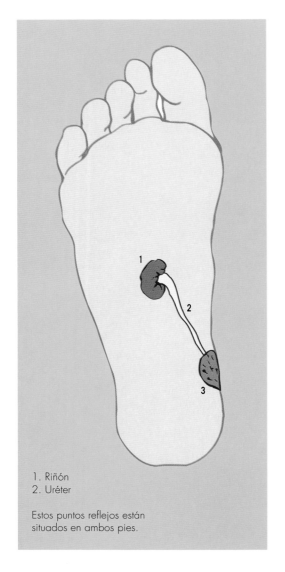

1. Riñón
2. Uréter

Estos puntos reflejos están situados en ambos pies.

hablamos anteriormente. En esta estructura se insertan las extremidades y la cabeza, esta última mediante la porción cervical. La musculatura cubre el esqueleto proporcionándole un sistema de sujeción que tiene una función antigravitatoria.

Las tensiones musculares que concurren en este conjunto de líneas de fuerza y sostén, mantienen siempre el centro de gravedad del cuerpo sobre la base de apoyo del mismo. La mayor o menor tensión de los grupos musculares puede ocasionar el desequilibrio de la disposición normal de la columna, y la tonicidad muscular consigue que este eje no sea rectilíneo, alcanzando así un perfecto encaje articular.

Cintura escapular: Compuesta por los huesos que forman las extremidades superiores: costillas, esternón, clavículas, escápulas u omóplatos y húmeros.

Costillas: Componen la caja torácica 12 pares de costillas que se articulan con la columna vertebral por detrás, y 7 pares de éstas o costillas verdaderas que articulan por delante con el esternón. De los 5 pares de costillas denominadas falsas, los tres primeros pares articulan mediante un haz de cartílagos con la costilla superior, los dos pares restantes (11 y 12) son libres, y se denominan costillas flotantes.

Esternón: Hueso pectoral que contribuye a la formación de la citada caja torácica, en la pared anterior, pudiendo distinguirse tres porciones: manubrio, cuerpo y apéndice xifoides. También articula con las clavículas.

Clavículas: Articulan en su porción media con el esternón y en la lateral con las escápulas (acromion: apófisis acromial).

Escápulas u omóplatos: Son huesos triangulares que presentan una espina escapular en su cara posterior (acromio), que articula con cada clavícula, y en su ángulo lateral una depresión (cavidad glenoidea), destinada a alojar la cabeza del húmero de cada brazo.

Húmero: Hueso largo del brazo, articula en el hombro con la escápula u omóplato correspondiente y en el codo con el cúbito y radio.

Codo: La articulación del codo está integrada por el húmero, que presenta un cóndilo que articula con el radio, una tróclea y una fosa olecraniana, que está destinada a alojar la apófisis olécranon del cúbito. El radio es uno de los huesos que conforman el antebrazo y se sitúa en el lado correspondiente al dedo pulgar. Y el cúbito es el otro hueso del antebrazo y posee el olécranon o apófisis ósea sobre la que descansamos al apoyarnos sobre el codo.

Muñeca: El cúbito y el radio, situado este último en el lado correspondiente al dedo pulgar, articulan con el carpo (huesos cortos de la mano) que, a su vez, articulan con los metacarpianos (huesos largos) y éstos con las falanges: primera o proximal, segunda o media, tercera o distal.

C i n t u r a   p é l v i c a : Es el soporte de la extremidad inferior: coxal, sacro-cóccix y fémur.

C o x a l : Es el hueso grande que configura la pelvis. Se divide en tres porciones dobles, una derecha y otra izquierda: ilion, isquion y pubis.

I l i o n : Constituye las porciones superiores del coxal, la denominada cresta iliaca tiene forma de curva y conforma el largo borde superior, posee un cuerpo y ala articulan con el sacro por medio de carillas articulares.

I s q u i o n : Son las porciones inferiorposteriores del coxal, se dividen en cuerpo y rama. Las ramas del isquion y pubis de cada lado limitan el agujero obturador.

P u b i s : Son las porciones inferior-anteriores del coxal, ambos huesos pubianos se unen formando una sínfisis a través de un fibrocartílago central.

C a d e r a : Cada cadera está formada por la cara semilunar del acetábulo coxal y la cabeza del fémur en cada lado.

F é m u r : Hueso largo de la pierna y el más largo del cuerpo, se distinguen en su zona superior cabeza y cuello. El cuello articula en la fosa acetabular del coxal (cadera). Su porción inferior forma la articulación de la rodilla.

R o d i l l a : La rodilla está formada por el fémur, rótula, meniscos, tibia y peroné, derechos o izquierdos, según el lado.

R ó t u l a : La rótula es el hueso sesamoideo más largo y grande del cuerpo, tiene forma triangular. Meniscos: Están constituidos por tejido conectivo rico en fibras colágenas.

T i b i a : Está situada en la parte interna de la pierna, es muy gruesa y recibe el nombre de espinilla.

P e r o n é : Es el hueso largo y delgado situado en la parte externa o lateral de la pierna, al lado de la tibia.

T o b i l l o : Cada tobillo está constituido por la articulación de la tibia y el peroné con el astrágalo. Formando el maleolo interno o tibial y el maleolo externo o peroneo.

PIERNAS

Disponemos de zonas específicas donde se refleja la pierna, parte superior (muslo) y la articulación de la rodilla, teniendo de esta forma acceso a todas sus áreas articulares: rótula, zona poplítea (corva), pata de ganso (zona lateral interna) y porción externa. También nos permite tratar la zona superior externa del muslo, conocida coloquialmente como «el pantalón de montar» o «pistoleras» que tantos traumas ocasiona a las personas del sexo femenino por la mal denominada «celulitis».

Sensibilidades reflejas podales

Cualquier lesión, traumatismo, contusión o problema estructural, inflamatorio, degenerativo, alteraciones musculares, ligamentos y tendones pueden hacer sensibles las zonas articulares. Teniendo en cuenta que una disfunción en una articulación puede implicar a

Diagrama reflejo del sistema urinario: maleolo interno.

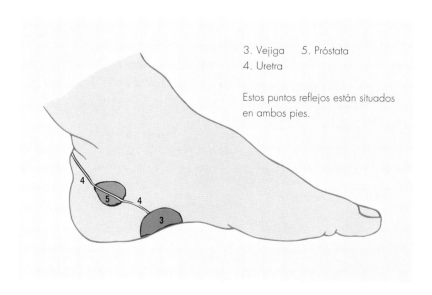

3. Vejiga   5. Próstata
4. Uretra

Estos puntos reflejos están situados en ambos pies.

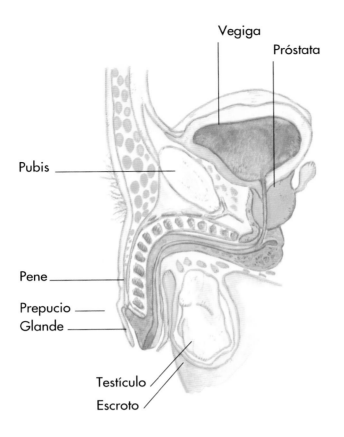

Vegiga

Próstata

Pubis

Pene

Prepucio

Glande

Testículo

Escroto

Corte sagital del aparato genital masculino.

otras para compensar la deficiencia, utilizaremos en estos casos el «triángulo de ayuda» ya mencionado. Siempre que una articulación esté sensible, indicará que existe un problema propio de la articulación afectada o de otra lateral o colateral por la aplicación de las leyes reflejas. Por tanto, al igual que en la columna, debemos buscar las zonas que puedan tener relación con dicha articulación.

Efectos del masaje podal

Los resultados del trabajo reflejo a nivel articular son impresionantes. En caso de lesiones o esguinces se comprueba este hecho rápidamente, ya que el alivio y la mejoría producida es obvia en breves días de tratamiento. En todos los demás casos se puede comprobar una distensión de la zona a nivel local. En este punto debemos recomendar tratamientos complementarios, quiromasaje, osteopatía y fisioterapia. Los efectos de una técnica se suman a los de la otra, de tal forma que en pocas sesiones se consiguen considerables mejorías que deberemos mantener con tratamientos adicionales, hasta que esté totalmente recuperada la

zona. Los malos hábitos, posturas erróneas y los trabajos que requieran un esfuerzo excesivo, como permanecer muchas horas sentados o de pie, son costumbres nada recomendables para nuestro sistema articular.

SISTEMA UROGENITAL

Los conductos excretores del sistema urinario y los órganos genitales están íntimamente relacionados en su desarrollo embriológico, por lo que se denominan órganos urogenitales y se estudian conjuntamente.

El sistema urinario está formado por los órganos que elaboran la orina y la eliminan del cuerpo y son: dos riñones, dos uréteres, vejiga urinaria y uretra. La secreción de la orina y su eliminación son funciones vitales que constituyen uno de los mecanismos para conservar la homeostasis.

Riñones: Son órganos con forma de judía situados en la porción superior de la cavidad abdominal, uno a cada lado de la columna. Cada riñón está constituido por gran cantidad de pequeñas unidades fisiológicas, las nefronas, encargadas de realizar los procesos necesarios para la formación de orina (filtración, reabsorción y excreción de sustancias). Todos estos procesos son imprescindibles para el mantenimiento del medio interno en condiciones estables (homeostasis). Por todo ello, los riñones tienen a su cargo funciones vitales para el organismo.

Uréteres: Son túbulos que en su extremo superior se ensanchan, a modo de embudo, formando la pelvis renal. Ésta se divide en varias ramas que reciben el nombre de cálices. La orina, al excretarse, llega a los cálices y de aquí pasa a la pelvis; finalmente desciende por los uréteres hasta la vejiga urinaria, en donde unos pliegues de mucosa impiden que, al contraerse la vejiga, la orina refluya. La orina es impulsada en virtud de movimientos peristálticos.

Vejiga: Órgano muscular distensible y hueco situado detrás de la sínfisis del pubis. En la vejiga desembocan los uréteres y de ella parte la uretra. Su revestimiento interno de mucosa está dispuesto en pliegues y acumula la orina hasta que llega el momento de evacuarla. Cuando está llena se produce una presión suficiente para estimular los receptores situados en la pared vesical, que transmiten impulsos al sistema nervioso central y hacen que se perciba la necesidad de orinar. La micción es un mecanismo reflejo que puede ser inhibido a voluntad por los centros superiores del encéfalo.

U r e t r a: Túbulo de escasa longitud en la mujer, pues mide alrededor de cuatro centímetros. En el varón, por el contrario, mide unos veinte centímetros; tras salir de la vejiga, atraviesa la próstata y sigue a lo largo del pene.

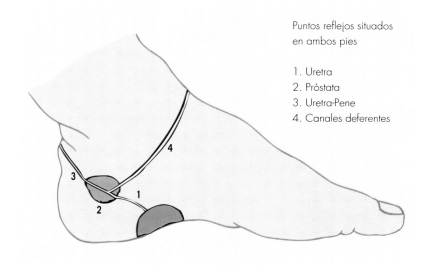

Puntos reflejos situados en ambos pies

1. Uretra
2. Próstata
3. Uretra-Pene
4. Canales deferentes

Diagrama reflejo de los órganos genitales masculinos. Visión interna.

Sensibilidades reflejas podales

Cuando existen problemas de mal funcionamiento renal como cálculos, inflamación, infección, cistitis, alteraciones de próstata o incontinencia urinaria, encontraremos estas zonas sensibles. El riñón suele estar sobrecargado en personas que comen carne en exceso, que no beben agua o en casos de hipertensión. La vejiga generalmente se encuentra inflamada en personas con problemas de retención de líquidos. Los uréteres pueden estar alterados cuando se ha producido la excreción de algún cálculo o arenillas.

Efectos del masaje reflejo podal

La necesidad de eliminación de orina activada por el masaje es uno de los efectos más inmediatos que se presentan habitualmente. Al terminar el masaje la persona necesita acudir al baño. En casos de anomalías importantes, a veces debemos interrumpir el masaje por la necesidad acuciante que tiene el paciente de orinar, después lo continuamos con toda normalidad. Debido al masaje la orina cambia de color, se enturbia y el olor

es más intenso, señal de que se están eliminando toxinas, y se está ayudando al organismo a depurarse a través de su filtro natural. En casos de cálculos renales la ayuda es considerable, tanto en la eliminación natural de los mismos, como evitando su posterior formación. Para estos tratamientos es necesario un conocimiento preciso de la consistencia y tamaño del cálculo, valorando si debe o no hacerse el tratamiento. Éste debe ser llevado a cabo siempre por personas debidamente cualificadas.

Al inicio de un tratamiento podal suele sentirse la necesidad de beber más agua de lo habitual, cosa conveniente ya que, generalmente, la cantidad ingerida no es la idónea. Deberíamos beber litro y medio o dos litros diarios, esto ayudaría a nuestros riñones, así como a nuestra piel. La piel es un órgano que colabora con los riñones en la eliminación de toxinas por medio de sus glándulas sudoríparas que, anatómicamente, tienen una estructura muy similar a la de las nefronas. Además, la piel se hidrata por dentro bebiendo agua. Si no apeteciera tomar sola el agua podríamos

Beber agua es beneficioso tanto para el funcionamiento de los riñones como para la accion desintoxicante de la piel. La cantidad mínima diaria no debe bajar del litro y medio.

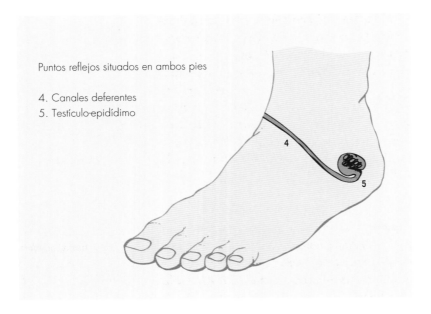

Puntos reflejos situados en ambos pies

4. Canales deferentes
5. Testículo-epidídimo

Diagrama reflejo de los órganos genitales masculinos. Visión externa y superior.

tomarla con unas gotas de limón, en forma de tisanas o mezclada con jugos de fruta.

ÓRGANOS GENITALES MASCULINOS

Integrados por dos testículos, una serie de conductos (canales deferentes, conducto eyaculador y epidídimo), glándulas accesorias (próstata y las bulbouretrales), vesículas seminales y pene.

Testículos: Son pequeñas glándulas ovoides revestidas por una especie de bolsa (escroto). Cada testículo está rodeado de una capa fibrosa que forma tabiques, dividiendo la glándula en lóbulos.

Cada lóbulo está constituido por conductos seminíferos que producen espermatozoides, y células intersticiales que producen testosterona. Los espermatozoides son conducidos hasta el epidídimo por pequeños túbulos.

El epidídimo es un tubo enrollado localizado en el escroto donde se produce la maduración de los espermatozoides.

Conductos o canales deferentes: Tubo que constituye la continuación del epidídimo, abandona el escroto entrando en la cavidad pelviana, donde forma el cordón espermático junto con vasos y nervios, alcanza la próstata donde se

convierte en el conducto eyaculador que atraviesa la glándula prostática y penetra en la uretra. Su intervención quirúrgica constituye la denominada vasectomía.

Próstata: Glándula situada bajo la vejiga urinaria y delante del recto. Tiene forma de castaña y produce una secreción débilmente ácida. Está formada por unas 40 glándulas y dos lóbulos que son estimulados por hormonas. La próstata está atravesada por la primera porción de la uretra y por los conductos eyaculadores.

Las vesículas seminales son sacos contorneados, situados a lo largo de la porción inferior de la vejiga en su cara posterior y por delante del recto. Su secreción alcalina que forma junto con la prostática el líquido seminal, contiene fructosa, de la cual obtienen energía los espermatozoides.

Las glándulas bulbouretrales son semejantes a guisantes, están situadas debajo de la próstata y un pequeño conducto las comunica con la uretra.

Pene: Estructura cilíndrica atravesada por la uretra en toda su extensión. Órgano de micción y emisión refleja de semen.

Sensibilidades reflejas podales

Las alteraciones que habitualmente producen sensibilidades en estos órganos son las relacionadas con la próstata. En las palpaciones se suele encontrar esta glándula dolorosa al tacto en una gran mayoría de hombres en su etapa de madurez. Se detectan inflamaciones y granulaciones anormales, que reflejan deficiencias, y, aunque clínicamente no se conozca diagnóstico preciso de alteración, será recomendable tratar la zona debidamente. Esto ayudará a restablecer el equilibrio natural de la misma, evitando posibles complicaciones posteriores.

También se pueden encontrar otras zonas sensibilizadas, en caso de existir alteraciones en las demás estructuras genitales, como pueden ser quistes, problemas hormonales, impotencia o esterilidad. Ciertos tipos de calvicie precoz pueden tener aquí su origen, con lo que podemos ayudar a su tratamiento. Por su íntima relación con el sistema urinario, las infecciones, cálculos o arenillas pueden inflamar la próstata complicando las funciones reproductoras.

Efectos del masaje reflejo podal

Los beneficios que conlleva el tratamiento de los órganos genitales son muy amplios: rejuvenecimiento, virilidad y equilibrio emocional, entre otros, son los más frecuentes. A ello debemos añadir la considerable mejoría de síntomas y signos patológicos, en caso de que existan.

ÓRGANOS GENITALES FEMENINOS

Constituidos por los llamados órganos internos: dos ovarios, dos trompas uterinas o de Falopio, el útero y la vagina; los órganos genitales externos: labios mayores y menores, clítoris, vestíbulo de la vagina, glándulas vestibulares y las glándulas mamarias. En realidad, la mama es una estructura cutánea, pero tiene una estrecha conexión funcional con los órganos genitales, por lo que la incluimos.

Ovarios: Glándulas semejantes a almendras voluminosas, localizadas en los laterales de la cavidad pélvica. Constan de corteza y médula. Albergan los folículos de Graaf (a partir de la pubertad éstos van madurando hasta liberar el óvulo) y cuerpos lúteos. Producen estrógenos, progesterona y óvulos, proceso que da lugar a la ovulación, que acontece hacia el día 13 o 14 del siguiente ciclo menstrual.

Trompas de Falopio u oviductos: Poseen un extremo ovárico o infundíbulo que se abre como un embudo para recoger el óvulo y una porción uterina que perfora la pared del útero. Los movimientos pendulares de la trompa ayudan a la unión del óvulo con el espermatozoide, al tiempo que lo desplazan hacia el útero.

Útero: Órgano que aloja al ser en desarrollo. La mucosa uterina se prepara cíclicamente para la implantación del óvulo fecundado, en cuyo caso forma la placenta. En caso contrario se produce la descamación de esta capa mucosa (menstruación). El útero tiene forma de pera invertida, consta de cuerpo y cuello o cérvix. La cavidad uterina conecta con las dos trompas y se abre al exterior por la vagina.

Vagina: Tiene forma tubular, su parte superior conecta con el cérvix uterino y su parte inferior se abre al vestíbulo. Está situada detrás de la uretra y delante del recto y el conducto anal. Actúa como canal del parto tras la gestación.

Genitales externos: Son pliegues cutáneos que limitan la hendidura vulvar, uniéndose por delante al pubis o monte de Venus. Estos pliegues contienen grasa, glándulas sebáceas, sudoríparas y odoríferas.

Glándulas mamarias: Se extienden verticalmente desde la 3.ª a la 7.ª

Corte sagital del aparato genital femenino.

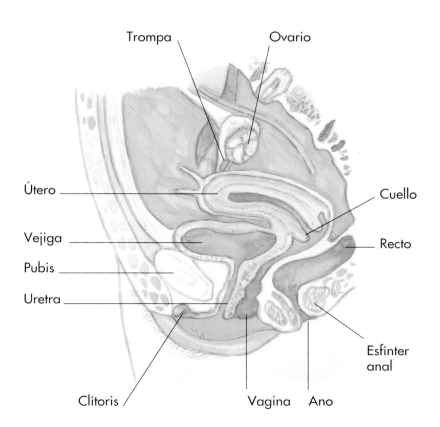

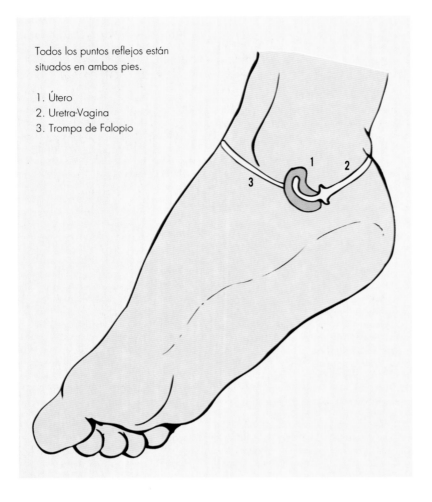

Todos los puntos reflejos están situados en ambos pies.

1. Útero
2. Uretra-Vagina
3. Trompa de Falopio

Diagrama reflejo de los órganos genitales femeninos. Visión interna.

costilla y, horizontalmente, entre el esternón y la axila. Poseen en el centro una zona pigmentada (areola) y pezón al cual se abren los conductos galactóforos. Principalmente, son glándulas secretoras de leche.

Sensibilidades reflejas podales

Todas las estructuras se encuentran más sensibilizadas en los días próximos al ciclo menstrual, en éste y en el período de ovulación. Además podemos encontrar otras anomalías que indiquen alteración, como dolencias inflamatorias, tumorales, amenorreas, metrorragias, dismenorreas, incluso la implantación de un dispositivo intrauterino puede incrementar la sensibilidad, úlceras, erosiones, endometriosis, extirpación ovárica o uterina. En estos dos últimos casos el tejido cicatrizal, ya sean adherencias o queratizaciones, puede crear sensibilidades aun

después de transcurrido largo tiempo de la lesión. Las mamas, además de encontrarse sensibles e inflamadas por los ciclos hormonales y menstruales, pueden permanecer sensibles fuera de ellos en casos de alteraciones como: mastopatías, fibrosis, nódulos, etc.

Efectos del masaje reflejo podal

La intervención refleja en estas áreas reviste un especial interés, pues actúa normalizando y regulando todas las funciones propias de los órganos, a la vez que repercute sobre el estado emocional. De todos es conocido el síndrome premenstrual y los trastornos de personalidad que acarrea. Por ello sólo mencionaremos que este hecho afecta a más de la mitad de la población una vez al mes. En problemas menstrue de los mismos, que son reabsorbidos por el propio tejido. Igual ha ocurrido con ovarios poliquísticos, y también se ha comprobado la involución de procesos como ales actúa regulando y normalizando los mismos, evitando dolores y molestias. En casos de mastopatías o nódulos mamarios produce un efecto desintegrantendometriosis, pequeños miomas y neoplasias en el cuello del utero. También sabemos que el proceso hormonal está íntimamente ligado a la llamada «celulitis» y a la obesidad.

Manteniendo un equilibrio constante por medio del masaje, la naturaleza actúa por sí sola, produciendo la redistribución de los depósitos grasos.

SISTEMA CARDIO-RESPIRATORIO

Constituido por una serie de conductos (sistema circulatorio), un sistema de bombeo (corazón) y un sistema de descompresión-depuración (pulmones). Estos tres sistemas están perfectamente sintonizados, llevando a cabo funciones vitales para el mantenimiento de la vida. Oxigenación, irrigación, nutrición celular y eliminación de gases.

Sistema circulatorio:

Constituido por una serie de tubos o vasos sanguíneos que transportan la sangre. Existen tres clases principales de vasos sanguíneos: arterias, venas y capilares. Las arterias alejan la sangre del corazón, las venas la retornan y los capilares constituyen enlaces entre unas y otras. La función global consiste en mantener la constancia del medio interno transportando nutrientes, oxígeno y sustancias reguladoras, así como recoger productos de desecho, dióxido de carbono y productos celulares diversos. Contribuye a mantener la temperatura corporal y la protección contra infecciones.

El corazón: Órgano hueco y muscular que descansa en la caja torácica entre ambos pulmones. Constituido por una capa interna o endocardio, media o miocardio y externa o pericardio. El corazón está dividido en dos partes, derecha e izquierda, que a la vez se subdividen en dos cavidades superpuestas: una aurícula, arriba y un ventrículo abajo.

El corazón tiene el denominado «ciclo cardíaco» que sucede de idéntica forma en ambos lados. Cada ciclo corresponde a un latido del pulso. Este ciclo está marcado por los movimientos propios del corazón que son sístole (contracción de los ventrículos, o de las aurículas) y diástole (relajación de los ventrículos o de las aurículas).

Sensibilidades reflejas podales

El punto de circulación se encuentra generalmente muy sensible al tacto, indicando deficiencias circulatorias como varices o piernas pesadas. El punto reflejo del corazón puede indicar alteraciones cardíacas, aunque éstas sean secundarias, por ejemplo en hipertensión o hipotensión encontraremos la zona sensibilizada. Podemos encontrar alteraciones más considerables en problemas valvulares, soplos o en anginas de pecho.

Si existen anomalías, el dolor que se produce al bombear es muy agudo. Debemos tratar la zona con sumo cuidado, pues en general

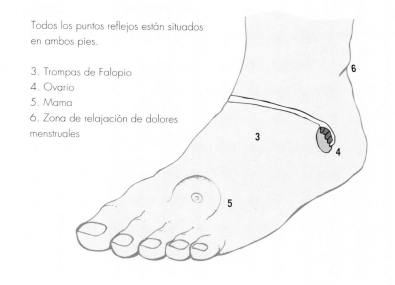

Todos los puntos reflejos están situados en ambos pies.

3. Trompas de Falopio
4. Ovario
5. Mama
6. Zona de relajación de dolores menstruales

inquieta mucho el pensar en una alteración cardíaca. Hay ocasiones en las que se percibe un endurecimiento de la zona refleja tan impresionante que puede hacer pensar al neófito en una anomalía profunda. Nada más lejos de la realidad. No nos debemos inquietar, pues nuestro corazón manifiesta lo que poéticamente se le reconoce, el «amor» y normalmente «los problemas del corazón» o «de amor» se expresan en con lenguajes tan sutiles que sobran las palabras.

Desde luego, esto no indica que no sea necesario un tratamiento. Por supuesto que

Diagrama reflejo de los órganos genitales femeninos en las partes dorsal y externa.

El corazón, órgano hueco y muscular, tiene el denominado ciclo cardíaco, marcado por sus movimientos propios de contracción y relajación.

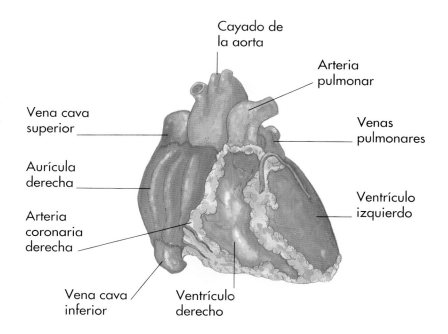

Cayado de la aorta

Arteria pulmonar

Vena cava superior

Venas pulmonares

Aurícula derecha

Arteria coronaria derecha

Ventrículo izquierdo

Vena cava inferior

Ventrículo derecho

193

Diagrama reflejo del corazón y del sistema circulatorio.

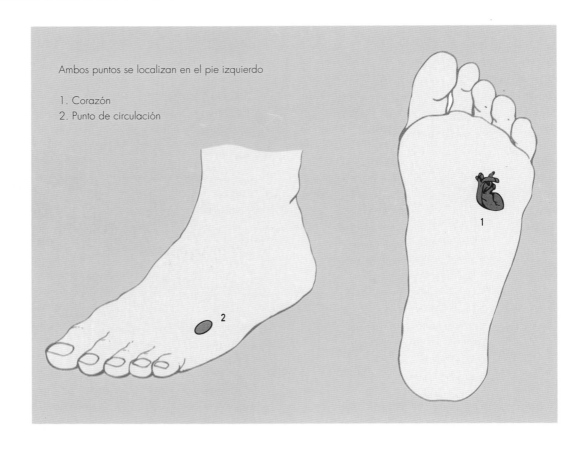

Ambos puntos se localizan en el pie izquierdo

1. Corazón
2. Punto de circulación

Corte sagital del sistema respiratorio. La suma de respiración interna o celular y externa o pulmonar proporciona la energía necesaria para mantener la actividad vital y la temperatura corporal.

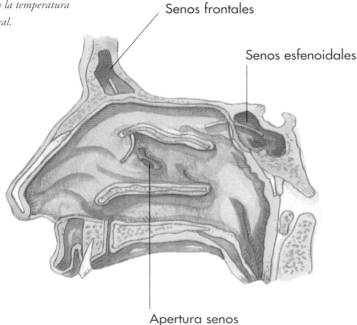

Senos frontales

Senos esfenoidales

Apertura senos maxilares

sería recomendable, ya que si este bloqueo es mantenido durante tiempo sin medios que lo ayuden a disolverse, podría derivar en problemas a largo plazo. Estos corazones necesitan un trato muy especial y delicado. Esta actitud, acompañada del masaje, puede obrar milagros.

Efectos del masaje reflejo podal

En los problemas circulatorios se manifiesta un alivio importante de los síntomas. Las piernas se sienten más ligeras, la coloración es más natural, no se siente la frialdad propia de estas alteraciones y se observa una mejoría general, más lucidez, mejor visión, y desaparecen los desagradables calambres nocturnos o los adormecimientos de miembros. En problemas cardíacos hemos comprobado los buenos resultados en alteraciones valvulares, soplos, hipertensión, hipotensión, arritmias, taquicardias o en las mencionadas compresiones cardíacas emocionales. Las personas recuperan su alegría de vivir.

SITEMA RESPIRATORIO

El término «respiratorio» se aplica para definir el intercambio gaseoso entre oxígeno y el dióxido de carbono. En nuestro organismo se realizan dos tipos de respiración: la externa o pulmonar (a nivel de los alvéolos pulmonares y la corriente sanguínea) y la interna o celular (intercambio de gases entre la sangre y los tejidos del organismo, reacciones metabólicas que tienen lugar en las células). Ambas respiraciones proporcionan la energía necesaria para mantener, de forma conveniente, la temperatura corporal y la actividad vital.

El sistema respiratorio externo, consta de vías aéreas que llevan el aire y lo expulsan (nariz y/o boca, faringe, laringe, tráquea, bronquios y pulmones).

N a r i z : Es la puerta de entrada a la región respiratoria. Sus cornetes inferior y medio contribuyen a calentar, humectar y limpiar el aire inspirado de partículas extrañas; el cornete superior contiene los receptores olfatorios. Existen también espacios aéreos denominados senos paranasales que se abren a la cavidad nasal por medio de las celdillas etmoidales, siendo éstos los frontales, esfenoidales y maxilares.

F a r i n g e : Conducto que sirve de paso al aire y a los alimentos. Las trompas de Eustaquio se abren a su interior, y está situada por delante de la columna vertebral.

L a r i n g e : Llamada también órgano de fonación por contener las cuerdas vocales. La epiglotis impide que los alimentos y líquidos pasen a la laringe.

T r á q u e a : Conducto constituido por anillos cartilaginosos incompletos que sirve de paso a la corriente aérea.

B r o n q u i o s : Son dos y resultan de la bifurcación de la tráquea, sus anillos son completos y al penetrar en los pulmones van dividiéndose a modo de ramaje, haciéndose cada vez más pequeños (bronquiolos) hasta llegar a los espacios alveolares, donde tiene lugar el intercambio gaseoso.

P u l m o n e s : Órganos situados en la caja torácica. El pulmón derecho tiene tres lóbulos y el izquierdo sólo dos. Cada pulmón está rodeado de un saco pleural, constituido

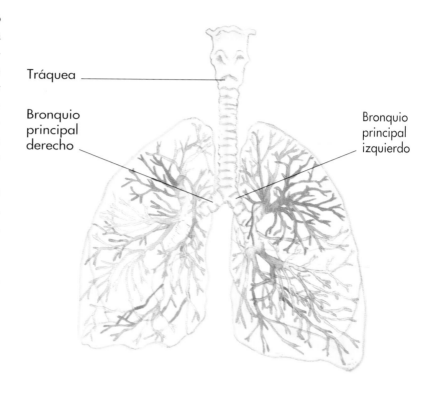

Tráquea

Bronquio principal derecho

Bronquio principal izquierdo

por dos hojas. Los pulmones contiene el árbol bronquial y los alvéolos. El vértice pulmonar (ápex) alcanza la raíz del cuello y rebasa la apertura torácica superior. Los pulmones descansan sobre el diafragma.

D i a f r a g m a : Músculo en forma de campana situado en la base de la cavidad torácica que sirve para aumentar la capacidad de la misma durante la inspiración.

Sensibilidades reflejas podales

Las anormalidades más frecuentes que encontramos en el sistema respiratorio se deben a una respiración incorrecta. Generalmente, sus áreas reflejas indican sobrecargas en la porción superior, mientras que al palpar las zonas laterales y las inferiores se notan comprimidas. Habitualmente, respiramos utilizando un tipo de respiración superficial, no realizamos inspiraciones profundas o respiraciones completas, abdominales e intercostales, que tantos beneficios supondrían para nuestra salud.

Los pies de personas que comúnmente realizan prácticas respiratorias, tienen una coloración y textura diferente, sus áreas

Árbol bronquial visto en transparencia a través de los pulmones.

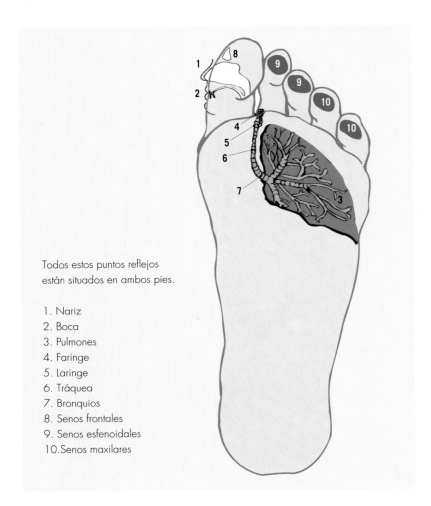

Todos estos puntos reflejos
están situados en ambos pies.

1. Nariz
2. Boca
3. Pulmones
4. Faringe
5. Laringe
6. Tráquea
7. Bronquios
8. Senos frontales
9. Senos esfenoidales
10. Senos maxilares

*Diagrama reflejo del
sistema respiratorio en la
zona plantar.*

*Diagrama reflejo del
sistema respiratorio en la
zona dorsal.*

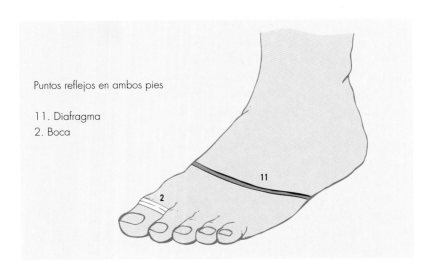

Puntos reflejos en ambos pies

11. Diafragma
2. Boca

tono de los músculos intercostales que nos ayudan a proteger la caja torácica de presiones atmosféricas e internas y del diafragma, del cual depende aproximadamente el 75% del volumen torácico.

La importancia del buen funcionamiento de este sistema es sustancial, al colaborar en el mantenimiento del equilibrio ácido-básico sanguíneo y activar a través de la respiración el flujo linfático, entre otros factores.

Como es de suponer, los catarros, alergias, asmas, bronquitis, afonías, ronqueras, sinusitis, procesos inflamatorios, infecciosos, asmáticos o tumorales pueden comprometer las sensibilidades reflejas de estas áreas tan delicadas, expuestas a continuas agresiones externas e internas.

Efectos del masaje reflejo podal

Dadas las características de este sistema, los beneficios más inmediatos serán una mayor oxigenación, seguido de un incremento de la energía general, que se traducirán en una elevación de las actividades mentales y fisiológicas. En alteraciones serias los efectos, en un principio, pueden parecer contradictorios, pues suele producirse un leve empeoramiento del cuadro clínico al aumentar las secreciones pulmonares (espectoración), tos o signos de acatarramiento.

Este proceso se normalizará en dos o tres días, como máximo, produciéndose después una mejoría definitiva y duradera. En casos crónicos o en aquellos que aparentemente estén curados, sin que así sea, puede presentarse una reagudización temporal de los síntomas iniciales que seguirán el cuadro de evolución indicado anteriormente. Es lo que habitualmente se conoce como crisis curativa.

Es considerable la ayuda que podemos prestar en casos de asma. Existen técnicas reflejas específicas que ayudan a incrementar la ventilación, actuando sobre las crisis de forma activa. Además debemos tener presente que estas crisis provocan un estado de ansiedad considerable, siendo prácticamente imposible en estas personas mantener la calma en esos momentos, lo que conlleva a un estado de

reflejas están distendidas y bien oxigenadas. Es lógico, pues, que una buena respiración nos ayude a liberar tensiones, a oxigenarnos mejor y a recargarnos de energía; además, el utilizar adecuadamente la mecánica respiratoria en sus tres variantes, costal, diagragmática y costodiagragmática, propicia el buen

estrés y ansiedad constantes que agravan el problema y hacen difícil conciliar el sueño, comer o beber con normalidad y llevar una vida tranquila.

También podemos utilizar la Reflexoterapia Podal con efectos importantes para ayudar al proceso de depuración que tiene lugar en ex fumadores recientes, las zonas reflejas del aparato respiratorio en los pies se cubren de un color amarillento, como si la nicotina se estuviera eliminando por la piel de los mismos.

Los tratamientos reflejos practicados en ⬚ lo unos resultados sorpren-⬚ ndose en algunos casos la ⬚ ma espontánea, de materia ⬚ fosas nasales en las 24 horas ⬚ ión, con el consiguiente ali-⬚ nás síntomas.

⬚ GESTIVO

⬚ el tubo digestivo y una serie ⬚ adas cuya misión es la trans-⬚ alimentos en sustancias utili-⬚ organismo. El tubo digesti-

⬚ Realiza la fragmentación ⬚ alimentos (masticación) ⬚ digestión de los glúcidos o ⬚ no por la acción de la sali-⬚ acción de los músculos lin-

⬚ Sirve de paso a los alimen-⬚ ción, respiración).

⬚ Conduce los alimentos ⬚ go (deglución) mediante la ⬚ peristálticas.

⬚ Esfínter situado entre el ⬚ mago que permite el paso de

⬚ o: Órgano que se sitúa ⬚ gma. En su mayor parte ocu-⬚ rda del epigastrio. Constitui-⬚ n superior (fondo), una por-⬚ rpo) y una porción inferior

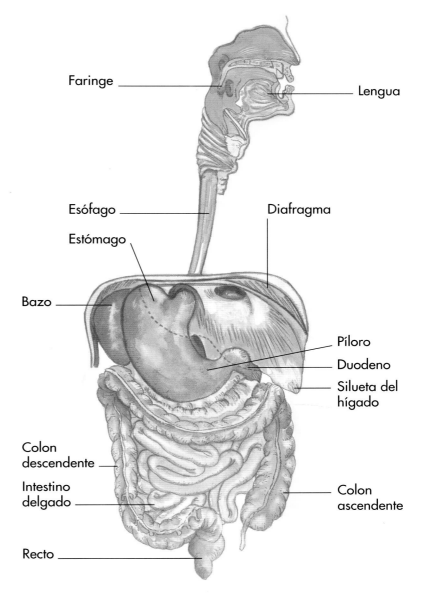

que comunica con el duodeno (antro pilórico). La mucosa interna de este órgano secreta ácido clorhídrico, enzimas digestivas, moco, ciertas hormonas y el factor intrínseco que participa en la descomposición química de los alimentos. Las contracciones musculares (ondas peristálticas) actúan aquí reblandeciendo y desintegrando los alimentos, y dándoles la consistencia precisa para poder pasar al duodeno.

Píloro: El esfínter pilórico permite el paso del quimo (resultado de la mezcla realizada en el estómago) al duodeno. La relajación de este esfínter se realiza de forma automática,

Aparato digestivo.

Faringe — Lengua
Esófago — Diafragma
Estómago
Bazo — Píloro
Duodeno
Silueta del hígado
Colon descendente
Intestino delgado
Colon ascendente
Recto

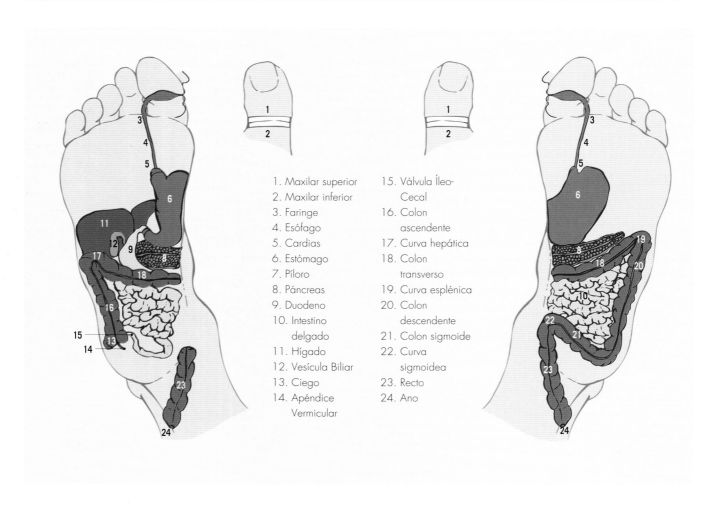

1. Maxilar superior
2. Maxilar inferior
3. Faringe
4. Esófago
5. Cardias
6. Estómago
7. Píloro
8. Páncreas
9. Duodeno
10. Intestino delgado
11. Hígado
12. Vesícula Biliar
13. Ciego
14. Apéndice Vermicular
15. Válvula Íleo-Cecal
16. Colon ascendente
17. Curva hepática
18. Colon transverso
19. Curva esplénica
20. Colon descendente
21. Colon sigmoide
22. Curva sigmoidea
23. Recto
24. Ano

Diagrama reflejo del sistema digestivo.

cuando los alimentos están debidamente fluidificados.

Intestino delgado: Es la porción más larga del tubo digestivo, se divide en tres partes: duodeno, yeyuno e íleon. El intestino delgado tiene como funciones la digestión, absorción, secreción de hormonas intestinales, mezcla del quimo con los jugos digestivos y desplazamiento del mismo hacia el intestino grueso. El paso hacia el intestino grueso se realiza a través de otro esfínter que comunica al íleon con el ciego.

Intestino grueso: También denominado colon, su estructura es más gruesa y presenta unos abultamientos (abolladuras) que junto con las ondas peristálticas, ayudan al bolo fecal a progresar hacia el exterior.

Hígado: Es la glándula más voluminosa del cuerpo, está situado debajo del diafragma en el lado derecho ocupando el hipo-condrio derecho y el epigastrio. El hígado actúa como una glándula de secreción externa. Sus ácidos biliares se encargan de transformar las grasas. Además, el hígado constituye la estación metabólica más importante del organismo, actuando sobre los materiales absorbidos del conducto digestivo que alcanzan esta glándula siguiendo la vena porta. Es una de las glándulas más importantes del organismo, por la trascendencia de las funciones que realiza.

Vesícula biliar: Situada en la pared posterior del hígado, almacena la bilis producida por él y la excreta a través del conducto cístico que, junto con los conductos biliares, forman el colédoco, que desemboca en el duodeno. La bilis contiene agua, sales biliares, bilirrubina y colesterol.

Páncreas: La porción de secreción externa de esta glándula vierte sus jugos digestivos al duodeno, a través de la ampolla de

Vater. Estos jugos contienen enzimas y bicarbonato para neutralizar la acidez del jugo gástrico. De su función endocrina ya hemos hablado antes:

Sensibilidades reflejas podales

Las múltiples funciones de este sistema harían interminable la lista de las sensibilidades. Las más habituales y frecuentes son las relacionadas con la excreción y la digestión. El estreñimiento afecta a una gran parte de la población, y los problemas digestivos son cada vez más frecuentes. Es importante resaltar lo imprescindible que resulta en nuestros días realizar una alimentación sana, evitando productos refinados y muy elaborados. El estrés, la ansiedad, las prisas o el comer fuera de casa son factores que propician muchas de las alteraciones en este sistema y, por tanto, molestias en dichas zonas.

Los procesos químicos que tienen lugar a lo largo del tubo digestivo y el hígado son tan importantes que debemos evitar sobrecargarlos, cuidando nuestra alimentación y evitando los abusos. Debemos masticar bien los alimentos, ya que en la

boca se inicia la digestión de los hidratos de carbono; comer con calma ayuda a mantener mejor nuestro cuerpo y todas sus funciones.

Efectos del masaje reflejo podal

La Reflexoterapia Podal proporciona grandes ventajas sobre todos los procesos de la digestión, asimilación y excreción, facilitando el equilibrio de sus glándulas anejas. Durante el desarrollo de una sesión se ha comprobado que la mayoría de los pacientes sienten movimientos en su zona intestinal y, en ocasiones, se ha producido la liberación de gases espontáneos. En general, la evacuación intestinal en las horas siguientes al masaje se realiza de forma más cuantiosa, observándose cambios en la consistencia y el color, como comentamos en el apartado de reacciones posibles al masaje.

Muchos de los problemas en este sistema tienen una íntima relación con tensiones, estrés y nerviosismo que, como vimos en el capítulo III, se identifican especialmente con situaciones del plexo solar. Por ello, el masaje reflejo tendrá una acción muy positiva sobre las funciones digestivas propiamente dichas,

Debido a las formas de vida los trastornos digestivos cada vez son más habituales. La Reflexoterapia Podal proporciona grandes ventajas, pero es importante realizar una alimentación sana rica en fibras.

Sistema linfático. Detalle de los ganglios de la cabeza y el cuello.

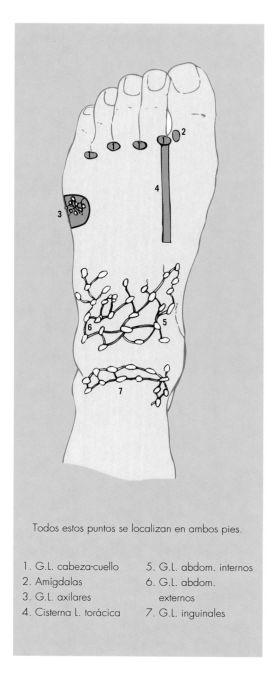

Diagrama reflejo del sistema linfático. Visión dorsal.

Todos estos puntos se localizan en ambos pies.

1. G.L. cabeza-cuello
2. Amígdalas
3. G.L. axilares
4. Cisterna L. torácica
5. G.L. abdom. internos
6. G.L. abdom. externos
7. G.L. inguinales

SISTEMA INMUNODEFENSIVO

Las funciones del sistema inmunitario o inmunodefensivo están distribuidas de modo diferente en los órganos linfáticos (vasos linfáticos) o tejido linfoide (bazo, ganglios linfáticos, timo, amígdalas y tejido linfoide asociado al intestino, como el apéndice vermicular).

SISTEMA LINFÁTICO

Consta de vasos linfáticos y tejido linfático o ganglios. Los vasos constituyen un sistema auxiliar del vascular sanguíneo. El líquido que contienen se denomina linfa.

Los vasos más pequeños se originan en los tejidos, siendo especialmente numerosos en el tejido conjuntivo. Estos capilares van abriéndose progresivamente a vasos linfáticos de mayor calibre hasta formar el más importante: el conducto torácico izquierdo, que drena la parte izquierda del organismo; la inferior derecha, comienza en la cisterna de Pecquet en la cavidad abdominal. El conducto linfático derecho tiene a su cargo el drenaje de la parte superior derecha del cuerpo. En el trayecto de los vasos linfáticos se forman ganglios que actúan de filtros biológicos.

La función del sistema linfático es colaborar con las venas en su misión circulatoria de retorno, cooperando en su drenaje con los capilares sanguíneos, transportando proteínas de estructuras complejas y elementos que por su tamaño no pueden ingresar en el sistema sanguíneo, así como la grasa absorbida en el intestino delgado.

B a z o: Órgano situado en la porción superior izquierda del abdomen, debajo del diafragma. Su función es inmunitaria principalmente. Al igual que los ganglios realiza la filtración, pero en este caso de la sangre y la producción de linfocitos o glóbulos blancos. Además fabrica anticuerpos, destruye los hematíes o glóbulos rojos al final de su vida o los defectuosos (colaborando en el metabolismo del hierro, capta la hemoglobina) y almacena sangre.

controlando las secreciones gástricas, contribuyendo a un mejor mantenimiento de las mucosas, regulando el tono muscular, ayudando a la motilidad y al correcto funcionamiento de los esfínteres y válvulas y controlando las tensiones existentes en cualquier zona. Es importante comprender que si el laboratorio tan maravillosamente equipado que tenemos en nuestro interior realiza todas sus funciones de forma correcta, y además los productos empleados son sanos y naturales, el resultado final será el elixir de vida para nuestras células.

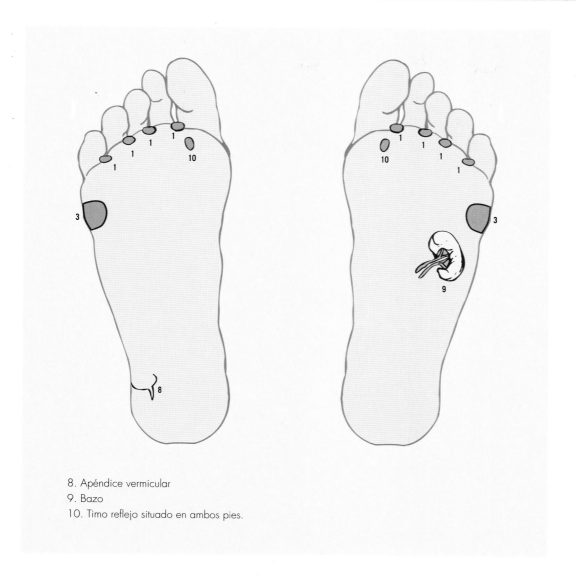

8. Apéndice vermicular
9. Bazo
10. Timo reflejo situado en ambos pies.

T i m o: Los linfocitos al pasar por esta glándula adquieren su poder inmuno-lógico. Véase el apartado de glándulas endocrinas.

el bazo y timo. El bazo, a su vez, puede presentar sensibilizaciones en casos de anemias.

Sensibilidades reflejas podales

Éstas se basarán, principalmente, en problemas relacionados con el sistema circulatorio y el inmunológico, existiendo una clara sensibilización de las áreas linfáticas próximas a focos infecciosos, ulcerosos, inflamatorios, tumorales, cúmulos excesivos de grasa o líquidos tisulares, estreñimiento, etc.

En problemas de inmunodeficiencia también podemos encontrar anomalías en

Efectos del masaje reflejo podal

Son importantísimos en la activación de las defensas orgánicas, las cuales se estimulan por la acción refleja. Si existen casos de cúmulo de grasa o líquido en los tejidos, los masajes ayudarán a reducirlos, y se proporcionará así un acceso natural a su vía directa de reciclaje y excreción. Tiene, por tanto, un efecto antiinflamatorio sobre todo el organismo, que se percibe rápidamente en pies, tobillos, piernas, muslos, etc.

CAPÍTULO 5

La energía en Reflexoterapia

*D*ado que la concepción refleja no puede apartarse de la concepción energética, es inevitable que el terapeuta impregne al receptor con su energía personal durante el acto del masaje. Por ello es necesario que hagamos, en este capítulo, una breve exposición del concepto de «energía».

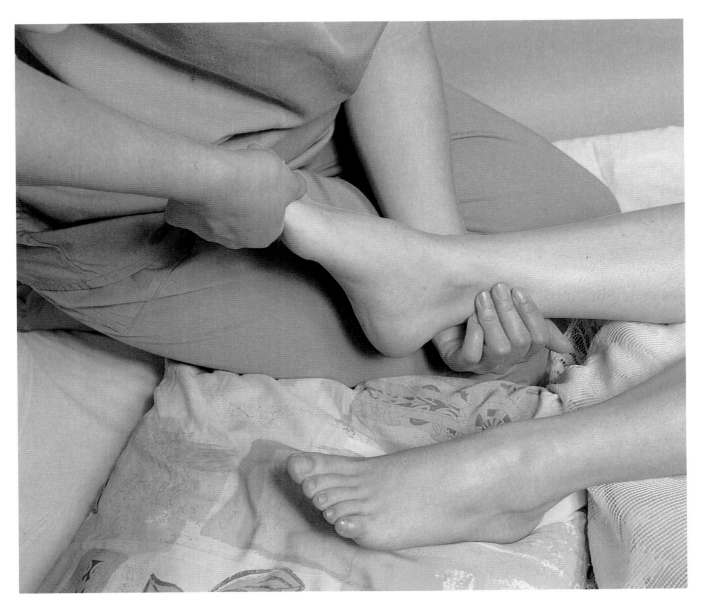

LA PALABRA ENERGÍA PROVIENE del griego «energes» activo, derivado de «ergon», obra. Es la potencia activa de un organismo, la capacidad para obrar o producir un efecto. La física la entiende como «la capacidad para producir un trabajo», distinguiendo entre energía cinética y potencial. Existen energías naturales y generadas que pueden ser de origen muscular, térmica, solar, eólica, hidráulica, nuclear u otras que se pueden manifestar en fenómenos calóricos, químicos, mecánicos, lumínicos, eléctricos o magnéticos. Biológicamente cualquier proceso metabólico libera o requiere un aporte de energía, indispensable para el mantenimiento de la vida. Esta energía es suministrada por reacciones químicas mediante procesos quimiosintéticos y fotosintéticos. La energía ni se crea ni se destruye, se transforma, tiene aspecto dual y está compuesta por ondas y corpúsculos.

Einstein, en su teoría de la relatividad, demostró la equivalencia entre materia y energía, y la posibilidad de transformar una en otra, expresada mediante la famosa fórmula $E=mc^2$. En la que la energía es igual a la masa por el cuadrado de la velocidad de la luz. Con ello estableció que «la materia es energía en estado de condensación» y «la energía es materia en estado radiante».

Planck, que formuló la hipótesis de la discontinuidad de la energía y definió la teoría de los «quantos», una de las más importantes de la física moderna, afirmó que: «la materia no existe, todo es energía».

Livio Vinardi, en su obra *Biopsico-energética* explica que la tensión o potencial eléctrico que alimenta a todo el sistema nervioso es: 0,1 voltio. La pila de uso común más pequeña produce 1,5 voltios, luego es un potencial 15 veces mayor que la tensión eléctrica que alimenta la red humana.

Debido al bajo voltaje y la complejidad de los circuitos se hace difícil realizar mediciones precisas, pero ha podido establecerse como tesis formal y concluyente que en todo organismo vivo se tiene un cuerpo electromagnético resultante de la circulación de corrientes por la red nerviosa. Siendo la velocidad a la que se propaga variable: desde menos de un metro por segundo hasta cerca de cien por segundo, de acuerdo con varias fuentes científicas que han estudiado este tema particular.

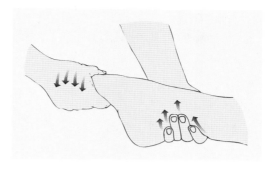

Según Mesmer cada organismo posee un fluido magnético que puede ser transmitido a otro.

Mesmer introdujo un sistema propio de curación de las enfermedades a base de métodos que él denominaba magnéticos. Elaboró su doctrina del magnetismo animal basada en la hipótesis de que cada organismo poseía un fluido magnético que podía ser transmitido a otros.

En la superficie de la tierra se observa una conjunto de fenómenos magnéticos ligados al globo terráqueo con un campo bastante regular, que decrece con la altura y aumenta a mayor profundidad. Tiene componentes horizontales o declinación y verticales o inclinación, que varían y pueden medirse mediante un método derivado de Gauss, permitiendo representar el estado magnético general de toda la superficie terrestre, orientado según la dirección de sus polos magnéticos norte o sur. Nuestro cuerpo posee un campo magnético al igual que la tierra, cuya polaridad está en relación con la misma, polo norte (cabeza), polo sur (pies), dando lugar a campos electromagnéticos que regulan la actividad energética: positivo, negativo y neutro.

Estos tres campos interaccionan controlando las funciones orgánicas. Si existe un exceso o defecto de cualquiera de estas tres cargas, se produce un desequilibrio que implica a las demás. La energía positiva está moviéndose constantemente, alejándose del centro y expandiéndose hacia el exterior; la negativa se mueve hacia el centro, contrayéndose hacia el interior. Ambas energías giran alrededor de un eje central neutro. Las vías de transmisión nerviosa tienen igualmente estas propiedades. Los nervios sensoriales o aferentes conducen los estímulos al sistema nervioso central, éste

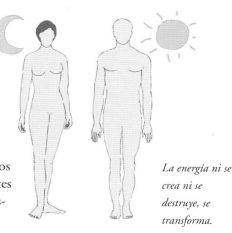

La energía ni se crea ni se destruye, se transforma.

Para actuar de canal energético hace falta que lo practiquemos. Relajaos, respirad profundamente y situaros frente a la potencia de la energía solar hasta que sintáis como se va apoderando de vosotros.

los procesa y emite respuestas a través de los nervios motores o eferentes. Este proceso de retroalimentación, nerviosa o energética, configura el campo electromagnético presente en todos los seres vivos.

Desde la más remota antigüedad se ha hablado de la energía como el «principio», definiéndola cada una de las civilizaciones con términos tales como: Energía, Prana, Chi, Ki, Fluido vital, Bioplasma, Orgona, Magnetismo, Bioenergética, Fuerza Ódica, etc.

Las culturas orientales llevan miles de años tratando con la energía, constituida por dos tipos de fuerza: Yang o centrífuga y Yin o centrípeta, y cuyo equilibrio representa el «Tao». Los primeros escritos que componen una amplia colección de libros clásicos de medicina china «Nei-Ching» datan de más de 4.500 años de antigüedad. Tratan diversos temas como acupuntura, masaje, moxibustión, manipulaciones, hidroterapia, fitoterapia, energía solar o eólica.

El proceso de elaboración de estas obras fue largo y complejo, empleándose más de un milenio en su total cumplimentación y finalización. Contienen una sabiduría tan profunda que ha trascendido en el tiempo, siendo la base de la actual medicina oriental de nuestros días. El Yin y el Yang representan «polaridad». Son conceptos complementarios, no contradictorios, e indican tendencias. No pueden ser contemplados como «bueno» y «malo», sino como emblemas de la dualidad fundamental del Universo.

Yin	Yang
tierra	cielo
luna	sol
femenino	masculino
noche	día
bajo	alto
interior	exterior
intuición	acción
receptor	transmisor
negativo	positivo
izquierda	derecha

Por tanto, nuestro cuerpo tiene zonas negativas (Yin), zonas positivas (Yang) y zonas neutras (Tao). Las tendencias implícitas en las mismas proporcionan el flujo y reflujo de la corriente energética. El fluido energético circula impulsado por estas corrientes de forma parecida a como lo hace la sangre. Las arterias yang mueven la sangre hacia el exterior. Las venas yin la mueven hacia el interior. El corazón tao, recibe el yin y lo transforma en yang. Se habla de que aquí, en el corazón, reside la chispa divina que todos llevamos dentro, en el nódulo atrioventricular o de Aschoff-Tawara, que se sitúa en la aurícula derecha. Estos canales energéticos son muy sutiles, tanto que no existen estructuras materiales tangibles que los limiten, haciendo casi imposible su aceptación a nivel científico.

En investigaciones llevadas a cabo por el profesor coreano Kim Bong Han, mediante marcadores radioactivos, se han logrado fotografiar los meridianos, constatando que éstos son un sistema fisiológico separado de los demás, y que contienen ácidos ribonucleicos ADN y ARN. Falta mucho aún por investigar, pero la ciencia avanza a pasos agigantados y posiblemente en un futuro no muy lejano alguien descubra el modo de realizar unos estudios serios que unifiquen los criterios y sabiduría de oriente y occidente, que representan el Yin y el Yang, respectivamente, de nuestro planeta, llegando a encontrar el punto de equilibrio «Tao» para toda la humanidad.

Además de los canales energéticos existen centros en donde se acumula la energía, llamados en oriente «Chakras». Son psicobiogeneradores, cuya ubicación coincide con zonas anatomo-fisiológicas muy importantes de la medicina occidental. Las organizaciones nerviosas, encéfalo, médula y conjunto de plexos son centros de actividad en los que el tejido nervioso está más concentrado, puesto que existen mayores cantidades de circuitos nerviosos y corrientes o impulsos circulantes. Esto permite situar los centros de mayor actividad (chakras) en correspondencia con áreas cerebrales, plexos y glándulas de secreción interna, en los que existe una mayor actividad electromagnética (energía). El plexo solar es uno de ellos, como ya hemos comentado, y es curioso el hecho de que también se le aplique el mismo nombre en oriente y en occidente.

«DEJARNOS FLUIR»

Toda la exposición anterior sirve de preámbulo para entrar en el punto central de nuestro objetivo. Viendo la identidad existente entre materia y energía y cómo una se puede transformar en otra y viceversa, podemos entender que todo ser vivo compuesto por materia contiene los tres estados que reconoce la física: sólido, líquido y gaseoso, en los que la fuerza de cohesión de sus átomos se manifiestan con distinta intensidad, desde el tejido más compacto al más sutil. Por ello podemos afirmar que somos energía, desde la célula más íntima a la más periférica. Siendo proporcionada ésta por los diversos procesos quimiosintéticos y fotosintéticos comentados que ocurren en nuestro interior y cuyas bases las proveen los alimentos, el oxígeno del aire que respiramos y la luz solar que son a su vez formas de energía.

Todos somos conscientes de que la energía existe y podemos observar cómo ella nos afecta física, emocional y mentalmente. Hablamos de estar bajos de energía aunque no sepamos tocarla, pero algo interior nos dice que la necesitamos. Cuando nos sentimos fuertes o activos decimos que estamos llenos de energía, aunque tampoco la palpemos.

Por ello, si empezamos a intentar sentir cómo se manifiesta en nuestro cuerpo esta energía, cómo lo recorre y nos familiarizamos con su esencia, podemos conseguir captarla, sentirla y utilizarla. Así pues, debemos aprender a «dejarnos fluir» libremente y sin bloqueos. Todo ser humano puede renovarla o recargarla, tomándola de la naturaleza o de cualquier fuente universal o cósmica que nos la ofrece desinteresadamente para armonizar nuestro interior.

Es un proceso sencillo y natural; todos podemos recibir y transmitir energía, no existen limitaciones puesto que es una particularidad del ser humano. Si entendemos que nosotros y todo lo que nos rodea está compuesto de energía, deberemos intentar aprender a disfrutarla sintiéndola fluir por nuestro cuerpo, de forma cálida y agradable, ya que estamos habituados a que se nos hable de energía de una forma inalcanzable.

Es bastante común oír comentarios acerca de personas especiales que tienen energía para quitar dolores o curar; mientras que los demás, los normales, nos sentimos inferiores. Pue bien, en este punto debemos hacer un inciso. Si el universo está compuesto y rebosante de energía, ésta no puede ser sólo para unos pocos, por lo que ninguno de nosotros estamos excluidos. Todos sin excepción podemos sentir esa energía y beneficiarnos de ella porque estamos vivos: sólamente debemos predisponernos a su encuentro y aprender a utilizarla.

Para actuar de canal energético hacia nosotros mismos o hacia nuestros semejantes hace falta saber que podemos serlo, desearlo y practicarlo.

Para empezar, relajad vuestro cuerpo respirando profunda y lentamente. Centrad vuestra atención en una fuente potente de energía, por ejemplo el sol, y permitid que esa energía os invada, sentidla cómo recorre vuestro cuerpo. Después de haberla notado fluir, percibiendo su cálida vibración de la cabeza a los pies y en todas direcciones, frotad las manos para atraerla hacia ellas y dejad que salga por las palmas y los dedos. Percibiréis una sensación de cosquilleo y calor como un leve temblor o una pequeña ondulación. Eso es la energía y ésa es una de sus manifestaciones más frecuentes. Ahora separadlas unos centímetros hasta que dejéis de notar esa sensación, acercadlas nuevamente hasta volverla a captar, advertiréis inmediatamente su campo de acción, su tacto es cálido, suave y agradable. Formad con esa energía una campana protectora que os envuelva totalmente. Es un método infalible para sentirnos energetizados y positivos en todos los actos cotidianos.

El ying y el yang son conceptos complementarios. Son emblemas de la dualidad del Universo.

La naturaleza nos ofrece desinteresadamente la energía necesaria para armonizar nuestro interior.

Diferentes huellas según el tipo de pie.

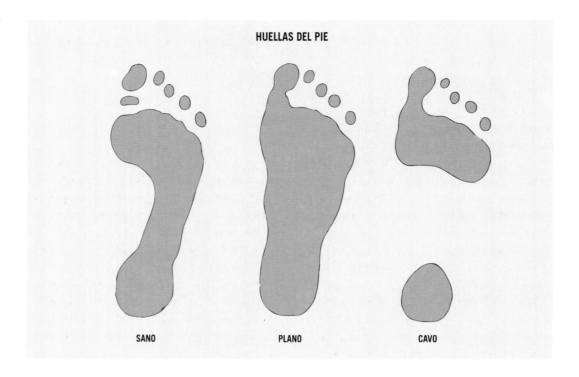

HUELLAS DEL PIE

SANO   PLANO   CAVO

Este escudo de luz tiene un potencial muy valioso, haced este ejercicio de protección cada mañana y os sentiréis hombres y mujeres nuevos. Así seremos personas de las que llaman especiales; es así de simple, estaremos preparados para empezar a transmitir esa energía universal o cósmica en nuestros masajes y en todas las ocasiones que nos pueda resultar de utilidad. Es un manantial inagotable de fuerza y vitalidad, al cual todos podemos acudir siempre que lo necesitemos, haciéndonos canal. Es lo que llamamos «dejarnos fluir», permitiéndonos actuar de instrumento transductor.

Sería conveniente realizar estos ejercicios, como hemos comentado, al menos una vez al día para conformar la campana protectora y, después, cada vez que necesitemos usar la energía y reforzar el canal. Al hacerlo comprobaremos su efectividad. Si habitualmente trabajáis con esta preparación previa, al finalizar el masaje tanto el paciente como vosotros habréis notado el cambio, os sentiréis vivificados por fuera y por dentro.

Estos ejercicios se pueden reforzar siempre que nos sintamos cansados o indispuestos, o que alguien de vuestro entorno lo necesite. Conectémonos a esa fuente energética universal tantas veces como sintamos la necesidad.

INTERPRETACIÓN PSICOFÍSICA

Los pies han sido desde tiempos remotos signo de respeto y veneración. Las viejas culturas utilizaron siempre el lavado de pies y el ungido de los mismos con bálsamos olorosos con fines de bienvenida, así como para reconfortar al caminante después de un largo viaje. Ello era interpretado como un signo de hospitalidad mostrado por un buen anfitrión.

Por otro lado, todas las culturas tienen frases o refranes que aluden a los pies y a la forma de andar o de pisar; se entienden a nivel popular como signos descriptivos de una personalidad concreta. Efectivamente, es así. Los pies nos hablan de cómo es la persona y además qué siente. Cuando una persona es despistada, soñadora o idealista decimos que «anda por las nubes»; seguramente que si miramos sus pies comprobaremos que su arco plantar longitudinal es elevado teniendo, por tanto, un pie cavo. Cuando decimos que una persona «pisa fuerte», estamos indicando que se trata de una persona enérgica, segura de sí misma, decidida: seguramente sus pies estarán bien formados, serán fuertes, musculosos y con una buena estructura ósea. Así podríamos poner muchos ejemplos que, efectivamente, coinciden con la realidad.

Los aspectos psicofísicos implícitos en los pies son apasionantes y nos resultará de gran utilidad conocerlos, a fin de orientar a la persona en la dirección más conveniente para su recuperación.

Comentaremos algunos de éstos aspectos, ya que no son conocidos a nivel general como propios de la Reflexoterapia Podal. Son el resultado de largos años de investigación, observación y estudio realizado en cientos de personas que así lo han corroborado, pacientes y alumnos a los cuales debo mi reconocimiento por su colaboración.

Cuando realizamos el primer examen visual de los pies de la persona que espera recibir el masaje, éste nos informará de la actitud de dicha persona con respecto al tratamiento o a la terapia, según como estén orientados los pies. Partimos de lo que denominaríamos el ángulo normal de apertura presentado por los pies de forma natural. Si éste es exagerado, demasiado amplio, nos indicará que el paciente es una persona extrovertida o confiada, mientras que si los pies se acercan o rozan entre ellos nos sugerirá que se trata de una persona introvertida o recelosa. Debemos volver a insistir en este punto, que el pie izquierdo nos habla de la psique de la persona, del inconsciente y del pasado, y el pie derecho nos muestra lo físico, el consciente y el presente.

Veamos algunos ejemplos:

PERSONA FÍSICAMENTE INTROVERTIDA

Tenemos entonces que si una persona inclina el pie derecho hacia el centro, debemos poner especial atención en el caso, intentando que nuestro gesto o rostro no realice ninguna mueca de preocupación, ya que esta persona estará intentando descubrir en nosotros cualquier signo para preguntarnos: ¿algo va mal?

Se trata de una persona que habitualmente se siente recelosa o teme descubrir sus problemas físicos. Miedo al dolor, al sufrimiento o a la enfermedad. Se preocupa por su salud. Esta introversión no se relaciona sólo con la salud física, puede ampliarse al aspecto material o social de la persona, y no me refiero exclusivamente al económico,

sino a las cosas más comunes de la vida, por lo que debemos ser discretos en el más amplio sentido de la palabra.

PERSONA FÍSICAMENTE EXTROVERTIDA

Aquí tenemos el caso contrario al comentado anteriormente. Si la persona inclina el pie derecho hacia el exterior indica que no siente recelo o temor, quiere abiertamente descubrir si existe algún problema físico, no tiene miedo irracional al dolor o al sufrimiento. Se ocupa de su salud y seguramente nos preguntará por medios para poderla reforzar, sobre la necesidad de hacer ejercicio o qué alimentos serían más recomendables. También nos muestra una personalidad abierta al diálogo con la que podemos analizar problemas físicos presentes en sus alteraciones.

PERSONA PSÍQUICAMENTE EXTROVERTIDA

Cuando el pie izquierdo se inclina hacia el exterior, nos habla de una persona que psíquicamente está segura de sus convicciones más profundas o íntimas, sin miedo a expresarlas ni a mostrar sus sentimientos. Nos habla de una personalidad confiada con una mente abierta. No siente recelos infundados y en cuyo pasado no existen parcelas escabrosas por resolver en el plano subconsciente.

El pie izquierdo nos muestra la psique de la persona y el derecho los aspectos físicos.

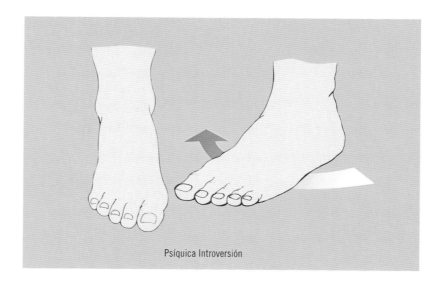

Psíquica Introversión

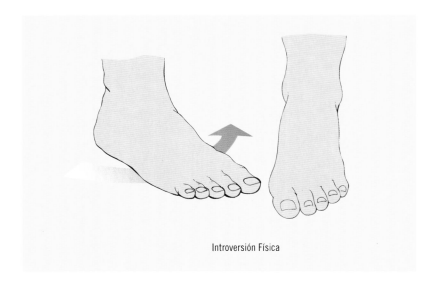

Introversión Física

La introversión física se relaciona con la salud y el aspecto material y social de la persona.

PERSONA PSÍQUICAMENTE INTROVERTIDA

Si el pie izquierdo se inclina hacia el centro, tendremos el caso de una persona que tiene temor, recelo a descubrir su intimidad, miedo a lo desconocido o a ser descubierta y a mostrarse tal y como es interiormente. Indica una mente cerrada, con convicciones propias, que no quiere transformar. Puede señalar también una personalidad insegura y que por ello busca un escudo protector, inclinando su pie hacia el centro, inconscientemente. El aspecto psíquico incluye los pensamientos más profundos, las creencias, las preocupaciones, las angustias, los miedos inconcretos, los sentimientos; está relacionado con la mente subconsciente y el espíritu.

ROTACIONES

Al igual que la posición de los pies, también serán indicativas las rotaciones que hagamos al principio del tratamiento (movilizaciones), según que el giro se realice con mayor o menor facilidad, hacia la derecha o hacia la izquierda. O bien si es en el pie derecho o en el izquierdo en donde estos movimientos tienen un determinado grado de flexibilidad. Hay muchas personas que intentan ayudar a realizar el giro del pie ellas mismas, como si quisieran facilitar nuestra labor. Esto significa una tensión interna de querer controlar, de no abandonarse totalmente a la terapia y mante-

ner la vigilancia. Lo cual, naturalmente, sucede con más asiduidad en el pie izquierdo.

PIE PLANO

El derrumbamiento del arco plantar longitudinal del pie indica, generalmente, falta de energía propia, inseguridad, necesidad de apoyo o sentimiento de falta del mismo, por lo que la persona necesita apoyarse con toda la superficie plantar. Puede haber cierta tendencia al materialismo. Suele tratarse de personas arraigadas, que necesitan asegurarse una base sólida afectiva en todos los aspectos de su vida. Les supondrá un conflicto cambiar de casa, entorno o trabajo; para sentirse cómodos o seguros necesitan que sus raíces sean fuertes y potentes.

Este problema es frecuente en niños. El derrumbamiento del arco tiene como consecuencia un mal funcionamiento digestivo general, ya que los órganos reflejos situados en esta zona están expuestos a una presión constante y acaban por sobrecargarse. Lo cual puede manifestarse en dolores abdominales, empachos, problemas digestivos, gula, estreñimiento, diarreas esporádicas, etc.

También está relacionado este arco con la columna vertebral, por lo que es frecuente que se acusen dolores de espalda en la zona dorsal, media y baja y en su unión con las vértebras lumbares. Además, el tratamiento actuará de regulador de las funciones naturales de transformación que se irán produciendo. Por eso, en el caso de los niños, éstos se encontrarán más centrados, confiados y alegres.

PIE CAVO

En el pie cavo tenemos el caso contrario. El arco longitudinal sobrealzado indica un exceso de energía en la zona, una hiperactividad. Puede haber miedo a comprometerse totalmente, ensoñación, fantasía, tendencia al altruismo o desarraigo. En este caso también la zona refleja de la columna estará implicada, por lo que puede acusarse dolor. La zona dorso-lumbar puede presentar problemas de mal asentamiento vertebral, con tendencia a lumbalgias si el arco es muy pronunciado. La zona cervico-dorsal también podría resentirse, incluso podría complicar la cintura escapular (hombro, omóplato, clavícula).

DEDOS

Los dedos reflejan los órganos de percepción o de los sentidos. La zona plantar nos habla de alteraciones y problemas visuales o auditivos. La zona dorsal nos indica sensibilidades relacionadas con la vista o el oído. Callos durezas, rojeces, ojos de gallo, ampollas, son manifestaciones que revisten mayor o menor intensidad de desagrado, molestia o dolor a lo que vemos u oímos. Ejemplos:

Ojo de gallo o callo sobre el quinto dedo del pie derecho: Indica sensibilidad a lo que percibimos físicamente por el oído externo: ruidos estridentes, música alta, voces, gritos, alborotos.

Si se trata de una dureza indica un problema más leve que si es un callo u ojo de gallo, con lo que se irá agudizando la sensibilidad según va creciendo la alteración. La persona no puede soportar los sonidos fuertes, pues su oído es sumamente sensible.

Generalmente, las personas con las citadas molestias acusan un carácter irascible que no es propio de su personalidad, sino que es la hipersensibilidad acústica la que les causa dicha irritabilidad. Si se mantiene esa situación, pueden desencadenar problemas como vértigos, mareos, zumbidos, erupciones cutáneas y dolores de cuello.

Podemos ayudar a reducir el problema acudiendo al podólogo para que quiten el ojo de gallo o el callo, y masajeando la zona para evitar que se vuelva a instaurar de nuevo. El ojo de gallo irrita terminaciones nerviosas que hacen aumentar el malestar.

Ojo de gallo o callo sobre el quinto dedo del pie izquierdo: Indica sensibilidad a lo que percibimos por el oído externo, pero aquí se trata del aspecto psíquico, con lo cual lo que oímos daña nuestros sentimientos: molestan las palabras hirientes, las críticas mal intencionadas, los insultos, los coti-

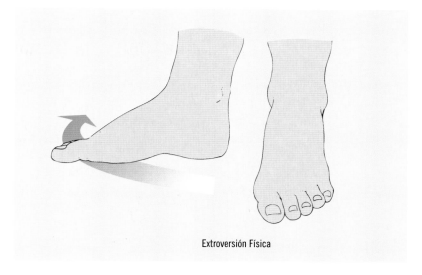

Extroversión Física

Extroversión física.

lleos. Tiene connotaciones más profundas que en el caso anterior, aunque también aquí se da, y con más intensidad, la irritación que produce el ojo de gallo o el callo y, por tanto, la tendencia a la irascibilidad.

En esta situación, tiene que ver con el desagrado que la persona siente cuando oye hablar mal de alguien o de algo muy querido para ella y respetado. Rara vez esta persona se prestará a conversaciones malintencionadas o hablará por hablar sin pensar en el daño que esto pueda ocasionar. En este sentido es útil conocer todos los aspectos psicofísicos que presentan los pies y que nos hablan sin palabras de rasgos muy importantes de la personalidad.

Lo que acabamos de hacer es una breve exposición con relación a este interesante aspecto implícito en los pies. Existen, evidentemente, muchas otras manifestaciones dignas de ser mencionadas, pero, por el momento, no nos podemos extender más en este apasionante tema. Con lo comentado podemos perfectamente empezar a trabajar.

EFECTO "ASPIRINA"

Puede resultar chocante usar un enunciado semejante en un libro en el que se habla de un modo natural de recuperar la salud y el bienestar. Pues bien, hemos elegido el término «aspirina», ya que éste es un produc-

Son especialmente indicativas las rotaciones que se hacen al principio del tratamiento.

209

to comercial ampliamente conocido por sus propiedades analgésicas. Y es exactamente en este sentido en el que hemos decidido utilizarlo, para explicar que podemos usar la Reflexoterapia Podal para calmar el dolor. Sólo necesitamos ejercer una presión mantenida en la zona refleja aquejada de dolor hasta que éste ceda o desaparezca totalmente. Generalmente, bastan sólo unos minutos para que se produzca el efecto deseado. Lo podemos repetir tantas veces como se necesite y el tiempo que sea conveniente. Naturalmente, la duración de esta presión variará en función de la afección de que se trate. Sencillamente, la propia persona, al sentir el más leve síntoma de inicio de la molestia puede presionar nuevamente la zona, evitando su agudización.

El cerebro secreta unas sustancias hormonales, las endorfinas, que son formas naturales de morfina. Estas sustancias están controladas y reguladas por el hipotálamo, de tal forma que su excreción es estimulada cuando algún punto del sistema nervioso central o periférico lo requiere, inhibiéndose su producción de forma automática, cuando ya no son necesarias. Ya que, como hemos explicado en el apartado correspondiente, existe un perfecto sistema interno de retroalimentación. Ésta es, por tanto, la forma más natural e inofensiva de calmar el dolor sin los consabidos efectos secundarios y/o contraindicaciones que existen en las sustancias químicas que componen los calmantes habituales.

Este efecto ha sido comprobado por la acción de las agujas de acupuntura, que han sido utilizadas con éxito en numerosas intervenciones quirúrgicas como medio anestésico sin que mediara otro adicional. La bioquímica orgánica, en su perfección y complejidad, supera con creces cualquier agente químico artificial, autorregulándose de forma natural, y sin que sea necesario neutralizar, depurar y eliminar los componentes tóxicos artificiales. De esta manera se evita que se sobrecarguen órganos tan importantes y vitales como el hígado o el riñón —entre otros—, que como colaboradores en el mantenimiento homeostático, cumplen mejor su misión si no son forzados.

INTERFERENCIAS

Llamamos interferencias al hecho de que ciertos agentes causales como tejido cicatrizal óseo o muscular, y las prótesis de todo tipo actúan produciendo un campo perturbador y dejando bloqueada una parte de nuestro cuerpo, con lo cual se produce un desequilibrio de las funciones orgánicas.

En ocasiones hemos trabajado sobre los pies de una persona sin obtener resultados óptimos. Se producía una mejoría subjetiva, pero no real. Esto nos ha llevado a indagar buscando signos indicativos de anormalidades.

Algunas veces el origen de la interferencia existente se debía a lesiones antiguas: traumatismos producidos en la niñez, heridas, golpes, contusiones, fracturas, intervenciones quirúrgicas, etc. de las cuales la persona no tenía conocimiento, bien por la temprana edad en que habían acontecido o bien por la inexistencia de marcas o cicatrices externas que contribuyen al olvido de la causa.

Para entender lo que ocurre en nuestro cuerpo cuando existe una interferencia, podríamos compararlo con un coche.

Imaginemos que nuestro organismo es un vehículo. ¿Que sucedería si un fusible del mismo se fundiese?, pues que una parte del vehículo quedaría sin corriente (interferencia). El coche (cuerpo) puede seguir funcionando, pero con las alteraciones que estén causadas por la importancia de este fusible y de la zona afectada por él. En el caso de no prestar atención u

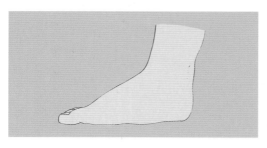

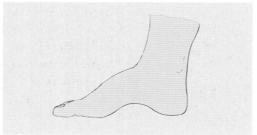

El tipo de pie está íntimamente relacionado con la columna vertebral.

olvidar sustituirlo (tratar la interferencia), podría llegar a tener una seria avería (enfermedad), quedándose parado (incapacidad).

No es necesario, pues, ser un experto en mecánica del automóvil para entender el paralelismo. Nuestro cuerpo tiene una red nerviosa que contribuye a la conducción de impulsos eléctricos; si esa conducción está cortada o bloqueada, los impulsos no llegarán a la zona, ni podrán partir donde ésta hacia el sistema nervioso central, por lo que se produce una falta de comunicación.

Podemos tratar, en la medida de lo posible, de prevenir estas interferencias, evitando empastes, puentes o piezas metálicas dentarias, placas, prótesis y clavos. Las cicatrices se pueden tratar por medio de una técnica homeopática o terapia neural. También existe una técnica refleja podal o local que nos puede ayudar a desinterferirlas; es muy sencilla y efectiva, produciéndose cambios visibles de la cicatriz en poco tiempo. En los tejidos cicatrizales queda grabado el trauma que los produjo, siendo muy importante tratarlas para restablecer la circulación energética de la zona y para deshacer el problema psicológico que puede tenerla sensibilizada. Podemos dar testimonio de ello, al igual que tantas otras personas que después de ser tratadas o tratarse ellas mismas han podido comprobar los cambios producidos en su vida.

Tenemos que añadir que cualquier problema, accidente, traumatismo o caída acaecidos en el embarazo a la madre, también afectan al bebé. Esto puede ser el factor desencadenante de una anomalía en la futura persona adulta. En el período de gestación, se está configurando un ser humano en el interior de otro. Si éste sufre una agresión, ello repercutirá en el ser en formación. Este proceso es bien conocido, por lo que se debe evitar que la embarazada entre en contacto con factores de riesgo, enferme-

dades contagiosas o víricas que puedan afectar al feto de manera drástica y dar lugar a malformaciones congénitas, comprometiendo incluso su vida. Pero lo que no es tan conocido a nivel popular, es que otros muchos tipos de agentes ambientales, traumáticos, lesiones y problemas tienen igualmente efectos negativos tan importantes y trascendentales como el anterior. Por todo ello aconsejamos a las futuras madres que presten la debida atención a todo aquello que les suceda en este período. Hay que evitar riesgos innecesarios que puedan comprometer el proceso que se está llevando a cabo: el milagro de la procreación.

REFLEJOS ENMASCARADOS: «PIES INEXPRESIVOS»

Hablamos de reflejos enmascarados cuando una persona con problemas o alteraciones serias, no muestra sensibilidad al tacto en zonas reflejas podales que tengan relación con las áreas implicadas, existiendo signos evidentes de anormalidad en las mismas. Generalmente esto ocurre en alguna zona podal aislada, percibiéndose otras con las molestias propias de los signos encontrados. Resumiendo, reflejos enmascarados son aquellas zonas o puntos «engañosos», «no fiables», que nos ocultan su realidad.

Por tanto, pies inexpresivos serán aquellos en los que casi todas las zonas son engañosas, y en los que todos los reflejos o la mayoría de ellos se presentan enmascarados. Por tanto, cuando pocas partes, o ninguna, de la zona podal examinada, muestren la sensibilidad que sería de esperar, nos hallaremos ante unos «pies inexpresivos». Son pies que no nos hablan de lo que sienten. En estos casos debemos

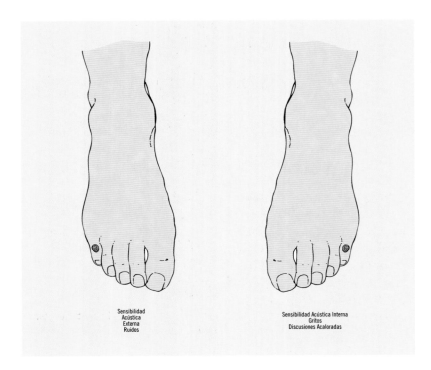

Sensibilidad
Acústica
Externa
Ruidos

Sensibilidad Acústica Interna
Gritos
Discusiones Acaloradas

Los dedos reflejan los órganos de percepción o de los sentidos. La zona dorsal del pie nos indica sensibilidades relacionadas con la vista o el oído.

Nuestro cuerpo tiene una red nerviosa que contribuye a la conducción de impulsos nerviosos mientras no existan interferencias que impidan la comunicación.

nerviosas periféricas y sección medular, o enfermedades degenerativas del sistema nervioso, con lo cual el cuadro de insensibilidad quedaría ampliamente justificado. También tenemos que apuntar al respecto que hasta en estos casos más complicados, el masaje podal resultará de una gran ayuda.

CONCEPTO INTEGRAL DE LA REFLEXOTERAPIA PODAL

Hemos dejado este apartado para el final aunque, en nuestra opinión, debería figurar al principio, por razones de entendimiento y comprensión.

Una vez vistos los diversos aspectos que presentan los pies y sus reflejos podales, nos consideramos en la obligación de resaltar que esta disciplina terapéutica nos ofrece la oportunidad de realizar un tratamiento integral de forma sencilla, sin métodos complejos ni dañinos. Se halla dirigida a mejorar la salud en todas las facetas del ser humano. La Reflexoterapia Podal no es sólo un simple masaje en los pies. Es, como decíamos al principio del libro, «una técnica armónica de reequilibrio».

Todos y cada uno de los factores que expresan los pies deben ser analizados con objetividad, para llegar a comprender el origen de una alteración. El ser humano tiene un cuerpo físico que engloba y contiene su aspecto mental, emocional, espiritual y energético. Se habla en ocasiones de «enfermedades del cuerpo» y «enfermedades del alma» ¿Qué diferencia real puede haber cuando ambas se sufren al unísono? Si la enfermedad es corporal, acabará afectando al alma y viceversa, ya que somos un Todo.

Como hemos visto a lo largo de este viaje a través de los pies, el examen que realizamos es exhaustivo, cuidadoso y detallado. La tasación es actualizada, los pies nos hablan del «aquí y el ahora», del presente de la persona en cada pase que vamos realizando. Podemos ir constatando lo que los pies nos indi-

pensar en una dolencia seria, estados crónicos mantenidos durante mucho tiempo que han ido saturando nuestro organismo de residuos y material de desecho y se han depositado progresivamente en los tejidos, impidiendo con ello una correcta respiración celular, y comprometiendo la circulación sanguínea, linfática y nerviosa.

Este proceso sería comparable a lo que sucede con los huesos en procesos degenerativos como la artrosis. El dolor se manifiesta cuando está en evolución el problema artrósico; una vez que existe una solidificación ósea la zona deja de doler. Es similar lo que sucede en las áreas reflejas; están tan saturadas de toxinas que se compacta la zona, dejando insensibles las terminaciones nerviosas comprometidas. Es como si se hubieran petrificado.

Para recuperar la normalidad necesitamos mucha paciencia, trabajar lentamente disolviendo estos residuos y dar al organismo tiempo para depurarse progresivamente, para lo cual sería recomendable realizar uno o dos tratamientos semanales; de esta forma el cuerpo tendrá al menos tres días para liberar estas sustancias, y recuperarse del esfuerzo que esto supone para un organismo bastante castigado.

Hay otros problemas que pueden presentar unos «pies inexpresivos» o «reflejos enmascarados», y que son más serios que los anteriores. Hablamos de daño en las terminaciones

can, con el problema que aqueja a la persona. Estamos viendo su cara y, a la vez, contemplamos su interior.

Llevamos a cabo una labor de remodelación o restauración, mientras vamos deshaciendo las tensiones, activando la circulación sanguínea y linfática, restableciendo el funcionamiento orgánico, glandular, visceral y óseo; estimulando la terminaciones nerviosas y su sistema de regulación. En pocas palabras, normalizando las funciones fisiológicas y estructurales, al tiempo que vamos reequilibrando la armonía integral en el individuo. No hay una pequeña porción que quede relegada, es el Ser completo el que tenemos delante, con todas sus características individuales que lo hacen único.

Por ello debemos tratar de forma íntegra los pies, sin que queden zonas olvidadas, porque éstas podrían tener cosas importantes que contarnos, tanto a nivel físico como psíquico. Despreciar su información, o desoírla, sería casi tanto como no hacer lo que está al alcance de nuestras manos.

Nunca sabemos con lo que nos podemos encontrar debajo de la piel, a no ser que palpemos, toquemos y sintamos lo que allí está ocurriendo. Debemos huir, por tanto, de tratamientos o masajes apresurados, sin orden ni pauta, ya que podríamos omitir zonas o puntos claves que actúan a modo de «dianas ocultas» en las que debemos acertar. Realizaremos todas y cada una de las fases del masaje de forma correcta y ordenada: nos dejaremos fluir mientras practicamos el masaje general, los desbloqueos y las movilizaciones. Primero lo haremos en un pie y después en el otro, para terminar con unos toques de armonización en ambos pies.

En nuestro caso no somos amigos de recetas. Como es habitual, en la gran mayoría de los libros editados sobre el tema, existen amplias listas de «recetas» que indican dónde actuar concretamente según el tipo de patología. Honradamente, en nuestra humilde opinión, ésto se aparta del concepto integral de una técnica que nos facilita el acceso al interior desde el exterior sin la necesidad de agredir al paciente.

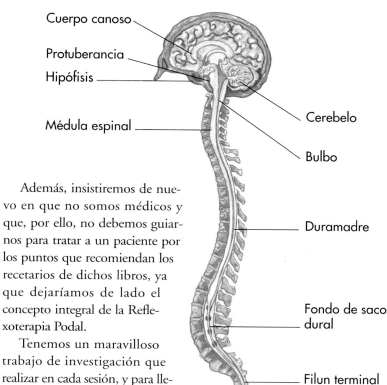

Las sustancias hormonales que secreta el cerebro son formas naturales de morfina.

Además, insistiremos de nuevo en que no somos médicos y que, por ello, no debemos guiarnos para tratar a un paciente por los puntos que recomiendan los recetarios de dichos libros, ya que dejaríamos de lado el concepto integral de la Reflexoterapia Podal.

Tenemos un maravilloso trabajo de investigación que realizar en cada sesión, y para llevarlo a buen fin necesitamos centrar toda nuestra atención, analizando escrupulosamente cada detalle, por insignificante que éste parezca, intentando buscar la posible relación existente entre todos, tratando con minuciosidad cada área, cada zona, cada punto, como si éste fuera el más importante del cuerpo.

El conocimiento teórico nos va a servir de base para prestar un cuidado especial en aquellas partes del organismo que por sus características tengan especial relevancia, según el caso que nos ocupe, pero nuestra misión de «exploradores podales» es la que concretamente nos va a marcar la pauta del tratamiento a seguir.

En los presentes tiempos estamos inmersos en un maremagnun vertiginoso. Es aquí en donde radican muchos problemas. Utilizar un método terapéutico antiquísimo supone un compromiso serio que no se debe esquematizar alegremente, dejándonos llevar por las prisas modernas. El concepto integral, entiende «el Todo»; por ello no deberemos fraccionarlo, ni tampoco utilizarlo de manera inconveniente, sintomática y parcial.

Los reflejos se presentan enmascarados en los «pies inexpresivos».

GLOSARIO

Abceso: Acumulación de pus en un tejido orgánico.

Abducción: Conducir hacia afuera o separar de la línea media.

Acetábulo o cavidad cotiloidea: Cavidad grande, en forma de copa, de la superfície externa de los huesos coxales en la que se articula la cabeza del fémur.

Adherencia: Unión estable de partes entre sí, que puede ocurrir anormalmente.

Adipo: Prefijo que indica relación con la grasa.

Adiposo: De naturaleza grasa.

Aducción: Acercar un miembro u otro órgano al plano medio.

Anestesiante: Que produce pérdida de sensiblidad.

Anestesiar: Pérdida de sensibilidad.

Anquilosis: Inmovilidad y consolidación de una articulación por enfermedad, lesión o procedimiento quirúrgico.

Anquilosis: Inmovilidad y consolidación de una articulación.

Antenointerna: Superficie anterior e interna de un órgano o una estructura.

Antenoposterior: Superficie anterior y posterior de un órgano o una estructura.

Antivaricoso: Contra las varices.

Apéndice xifoides: Apéndice con forma de espada situado en el extremo inferior del cuerpo del esternón.

Apéndice: Término general utilizado en anatomía para designar una parte suplementaria, accesoria o dependiente, unida a una estructura principal.

Apófisis: Cualquier eminencia o engrosamiento natural de un hueso, especialmente la que no se ha separado por completo del hueso del cual forma parte.

Aponeurosis: Membrana fibrosa, blanca, lúcida y resistente que sirve de envoltura a los músculos o para unirlos con las partes que se mueven.

Asa Intestinal: Curva de los intestinos.

Atrofia: Disminución de las dimensiones de células, tejidos, órganos o partes de ellos.

Braquial: Perteneciente o relativo a un brazo.

Cartilaginoso: Perteneciente o relativo al cartílago.

Circunducción: Movimiento circular activo o pasivo de una extremidad o del ojo.

Colágena: Sustancia proteínica de las fibras blancas de piel, tendones, huesos y todo el tejido conectivo.

Colagógico: Que estimula el flujo de bilis al duodeno.

Colerético: Que estimula la producción de bilis por el higado.

Contractilidad: Capacidad de acostarse en respuesta a un estímulo adecuado.

Costal: Perteneciente o relativo a las costillas.Posición asumida al acostarse. (Prono, supino, ventral, dorsal,

Costal: Perteneciente o relativo a las costillas.Posición asumida al acostarse. (Prono, supino, ventral, dorsal,

lateral).

Diáfisis: Parte de un hueso largo localizada entre los extremos (epífisis).

Diáfisis: Porción cilíndrica alargada o cuerpo de un hueso largo, localizada entre los extremos o epífisis.

Distal: Alejado. Que se aparca de cualquier punto de referencia. Opuesto a proximal.

Dorsal: Relativo a la espalda o al dorso.

Drenaje: Extracción sistemática de líquidos.

Dural: Perteneciente o relativo a la duramadre.

Duramadre: Duramater.

Duramater: La más externa, gruesa y fibrosa de las tres meninges que rodean al encéfalo y a la médula

espinal.

Edema: Presencia de volumen excesivamente grande de líquido en los espacios intercelulares del cuerpo.

Eminencia tenar: Eminencia de la palma de la mano situada en la base del pulgar.

Endoarticular: Perteneciente a la parte interna de una articulación.

Enfisema: Acumulación patológica de aire en los tejidos o los órganos. Sobredistensión o exceso de disten-

sión de los pulmones.

Epífisis: Extremo de un hueso largo, generalmente más ancho que la diáfisis y por completo cartilaginoso

o separado de la diáfisis por un disco cartilaginoso. Glándula pineal.

Epigastrio: Región superior y media del abdomen, entre ambos hipocondrios (derecho e izquierdo) que

abarca desde el apéndice xifoides hasta dos dedos por encima del ombligo.

Equimosis: Mancha hemorrágica pequeña, mayor que una petequia, en la piel o las mucosas, que forma

una placa no elevada, redondeada o irregular, azúl o púrpura.

Esclenosar: Producir esclerosis. Endurecer.

Esclerosis: Endurecimiento de una parte por inflamación. Endurecimiento del sistema nervioso que depen-

de de biperplaria del tejido conectivo. Endurecimiento de los vasos sanguíneos.

Espasticidad: Hipertonicidad o aumento del tono muscular normal del músculo, con exaltación de los refle-

jos tendinosos profundos.

Estasis: Detención o disminución del flujo sanguíneo o de cualquier otro líquido del cuerpo.

Exudado: Sustancia (líquido, células o restos celulares) que ha escapado de los vasos sanguíneos y se ha

depositado en los tejidos o en superficies tisulares, generalmente como resultado de inflamación.

Facial: Perteneciente o relativo a la cara.

Fascia: Capa o banda de tejido fibroso, por ejemplo, la que forma el revestimiento para músculos y diver-

sos órganos del cuerpo.

Fascial: Relativo a una aponeurosis o de su naturaleza.

Fibrosis: Formación del tejido fibroso. Degeneración fibroide o fibrosa.
Fibrositis: Formación de tejido fibroso.

Fibrótico: Relativo a la fibrosis o caracterizado por ella.

Glándula sudorípara: Glándulas que segregan sudor, situadas en el coxión o tejido subcutáneo y que se abren por un conducto en la superficie del cuerpo.

Glándula: En anatomía, agregación de células especializadas para secretar o excretar materiales no relacionados con sus necesidades metabólicas ordinarias.

Hepatomegalia: Crecimiento del hígado.

Hernia: Protusión de un asa o una parte de un órgano o tejido a través de un orificio anormal.

Hiperemia: Congestión o exceso de sangre en una parte.

Hiperfermentación: Exceso de fermentación.

Hiperplasia: Multiplicación o aumento anormal del número de células normales dispuestas normalmente en un tejido.

Hipertonia: Estado de tono excesivo de los músculos esqueléticos o aumento en la resistencia del músculo al estiramiento pasivo.

Hipertonicidad: Hipertonia.

Hipocondrio: Región superior y lateral del abdomen, a cada lado del epigastrio.

Hipofunción: Función disminuida.

Hipotenar: Eminencia localizada en el borde interno o cubital de la palma de la mano.

Hipotónico: Con falta de tono muscular.

Imbricado: Sobrepuesto a manera de tejas.

Inervación: Distribución de terminaciones nerviosas hacia una parte.

Inferointerna: Superficie inferior e interna de un órgano o una estructura.

Inserción: Adherencia que se produce en un músculo, tendón o ligamento a una determinada estructura, en especial a un hueso.

Intercostal: Que está situado entre las costillas.

Intersticial: Situado en los interespacios de un tejido.

Intersticio: Tejido intersticial.

Isométrica: Técnica de elastificación muscular donde el estiramiento del músculo es igual a la contracción que se realiza.

Isquemia: Deficiencia de riego sanguíneo en una zona a causa de constricción funcional o destrucción real de un vaso sanguíneo.

Luxación: Dislocación de un hueso.

Masoterapia: Curación por medio de amasamientos o masajes. Se deriva del griego (Massien = amasar y masajear. Terapia = curación.)

Metabolismo: Suma de los procesos físicos y químicos por medio de los cuales se produce y conserva (anabolia) la sustancia viva organizada. Transformación por medio de la cual queda energía disponible para que la emplee el organismo (catabolia).

Metabolito: Sustancia producida por metabolismo o por un proceso metabólico.

Microcirculación: Flujo de sangre en todo el sistema de vasos minúsculos (de 100 micras o menos de diámetro) del cuerpo.

Mio-, Mi-: Prefijo utilizado para denotar "relación con un músculo".

Miotasis: Estiramiento muscular.

Miotensivo: Que produce tensión muscular.

Motricidad: Facultad de producir movimiento. Fuerza de movimiento.

Mucina: Mucopolisacárido o glucoproteína constituyente principal del moco.

Neuralgia: Dolor paroxístico que se extiende por la trayectoria de uno o más nervios.

Osteofibroso: Constituido por tejido fibroso y hueso.

Neurológico: Relativo al Sistema nervioso.

Occipital: Uno de los huesos del cráneo o relativo a él.

Occipucio: Parte posterior de la cabeza.

Oclusión: Acción y efecto de cerrar o quedar cerrado. Obstrucción o cierre.

Periarticular: Situado alrededor de una articulación.

Periartritis: Inflamación de los tejidos que rodean una articulación.

Peristalsis: Movimiento vermiforme por el cual el tubo digestivo u otros órganos tubulares impulsan su contenido.

Peristáltica: Relativo a la peristalsis.

Peristaltismo o función peristáltica: Movimiento del tubo digestivo u otros órganos tubulares, consistente en una onda de contracción que pasa a lo largo del tubo, impulsando su contenido.

Petequia: Mancha rojo-purpúrea, del tamaño de una punta de alfiler, perfectamente redondeada, producida por una hemorragia intradérmica o subcutánea.

Poplíteo: Perteneciente o relativo a la superficie posterior de la rodilla.

Prona/o: Que yace boca abajo.

Pronación: Acción y efecto de asumir la posición prona.

Protusión: Proyección.

Ptialina: Encima alfacanilasa que se encuentra en la saliva.

Puerperio: Período o estado de confinamiento después del parto.

Quiromasaje: Masaje manual, (del griego quirós = mano y massien =amasar,), masajear.

Quiromasajista: Masajista manual.

Quiropráctica: Terapia basada en la manipulación, creada por D. Palmer en EE.UU.

Quiropraxia: Práctica manual. (Del griego quirós = mano y praxis = práctica).

Quiroterapeuta: Persona que cura con las manos. (Del griego quirós = mano, Terapia = curación).

Quiste: Cavidad o saco cerrado normal o anormal, revestido de epitelio, que contiene líquido o sustancia semisólida.

Reducción: Corrección de una fractura, luxación o hernia.

Secreción: Elaboración de un producto específico como resultado de la actividad de una glándula.

Secretor: Perteneciente o relativo a la secreción.

Subluxación: Luxación incompleta o parcial.

Subyacente: Que yace o está debajo de otra cosa.

Supina/o: Que se encuentra con la cara hacia arriba.

Supinación: Acción y efecto de colocar en posición supina.

Tejido conectivo: Tejido conjuntivo.

Tejido conjuntivo: Tejido que enlaza y es el sostén de las diversas estructuras del cuerpo.

Tenar: Eminencia de la palma de la mano situada en la base del pulgar.

Tendinosos: Relativo a los tendones.

Tendón: Cordón fibroso de tejido conjuntivo donde terminan las fibras de un músculo y por medio del cual éste se inserta en un hueso o en otra estructura.

Terapeuta: Persona que se dedica a la curación (del griego Terapia = curación).

Terapéutica: Ciencia y arte de la curación.

Terapia: Terapéutica.

Tuberosidad: Elevación o protuberancia. Término general en anatomía para designar estructuras de este tipo.

Ungueal: Perteneciente o relativo a las uñas.

Varicoso: Perteneciente o relativo a las varices.

Vascular: Relativo a los vasos sanguíneos. También indica un copioso riego sanguíneo.

Ventral: Referente al abdomen o el vientre.

Vermicular: Que tiene forma o aspecto de gusano.

Vermiforme: Con forma de gusano.

Víscero: Prefijo usado en medicina que denota relación con los órganos (vísceras) del cuerpo.

Visceroespasmo: Espasmo de algún órgano.

BIBLIOGRAFÍA

- EL MASAJE TERAPÉUTICO Y DEPORTIVO. Dr. Vázquez Gallego.
Ediciones Mandala.

- EL ARTE DEL MASAJE. Equipo de la Rev. Integral.
Integral Ediciones.

- DO-IN TÉCNICA ORIENTAL DE AUTO-MASSAGEM. Jacques de Langre.
Ed. Ground Informaçao. Rio de Janeiro

- AROMATERAPIA PRÁCTICA. Shirley Price.
Ediciones Aldaba.

- MASAJE REFLEXOLÓGICO DE LOS PIES. EL MÉTODO INGHAM ORIGINAL. D.C. Byers.
Colec. Mandrágora.
Ed. Ibis, 1991.

- TERAPIA DE LAS ZONAS REFLEJAS DE LOS PIES. H. Marquardt.
Ed. Urano, 1986.

- REFLEXOLOGÍA HOLÍSTICA. A. Guinberg.
Ed. Bellaterra, 1990.

- MANUAL DEL CURSO DE QUIROMASAJE TERAPÉUTICO. Virginia Corzo. Madrid.

- MANUAL DEL CURSO DE OSTEOPATÍA SACROCREANEAL. Escuela Gaia. P. Medina.
Madrid.

- DICCIONARIO MÉDICO DE BOLSILLO DORLAND. M.C. Graw-Hill.
Interamericana de España, 1989.

- LA ACUPUNTURA. Dr. J. Madrid Gutiérrez.
Ed. LIBSA, 1993.

- MASAJES TERAPÉUTICOS, DIGITOPUNTURA Y QUIROMASAJE. E. Gallego Duque.
Colección Medicina natural.
Ed. LIBSA, 1993.